Les États du monde

EUROPE

ISLANDE

SUÈDE
FINLANDE
NORVÈGE
LETTONIE ESTONIE
Moscou
4
ROYAUME-
UNI
10
BIÉLORUSSIE
IRLANDE
Londres
5
8
POLOGNE
6
Paris
7
11
UKRAINE
FRANCE
9
13
12
14
17 18
15
16
19 20
21 22
24 Istanbul
ITALIE
23
PORTUGAL ESPAGNE
GRÈCE TURQUIE
25
TUNISIE
40
SYRIE
41
42 44
IRAK
MAROC
Le Caire 43
ALGÉRIE
LIBYE
ÉGYPTE
ARABIE
SAOUDITE
OMAN

RUSSIE

KAZAKHSTAN

MONGOLI

48
49
50
TURKMÉNISTAN
45
46
47
Téhéran
AFGHANISTAN
IRAN
51
52
53
54
Delhi
BHOUTAN
PAKISTAN
NÉPAL
55
Karachi
Calcutta
Dhaka
BIRMANIE
LAOS
Bombay
INDE
VIÊT-N
THAÏLANDE
CAMBOD
BI
SRI LANKA
MALAIS
SINGAPOUR

CHINE

Be
(P

MAURITANIE
SÉNÉGAL
26
27
GUINÉE
SIERRA
LEONE 28
30 31
CÔTE D'IVOIRE
33
GABON
CONGO
MALI
NIGER
29
32 NIGERIA
Lagos
CAMEROUN
RÉP.
DÉMO.
DU CONGO
TCHAD
SOUDAN
ÉRYTHRÉE
YÉMEN
DJIBOUTI
ÉTHIOPIE
CENTRAFRIQUE
34
35
36
SOMALIE
KENYA
TANZANIE

Atlantique

ANGOLA
AFRIQUE
ZAMBIE
37
NAMIBIE
ZIMBABWE
BOTSWANA
MOZAMBIQUE
38
AFRIQUE
DU SUD
39

Mayotte (F)

MAURICE
Réunion
(F)
MADAGASCAR

océan

Indien

Ja

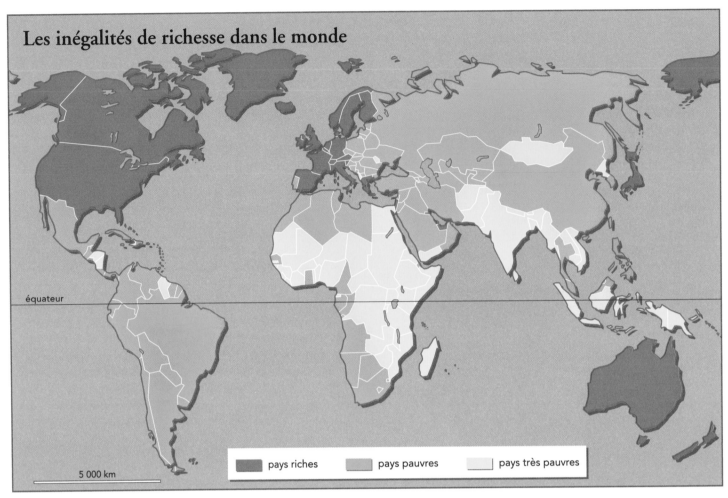

Les inégalités de richesse dans le monde

équateur

5 000 km

pays riches   pays pauvres   pays très pauvres

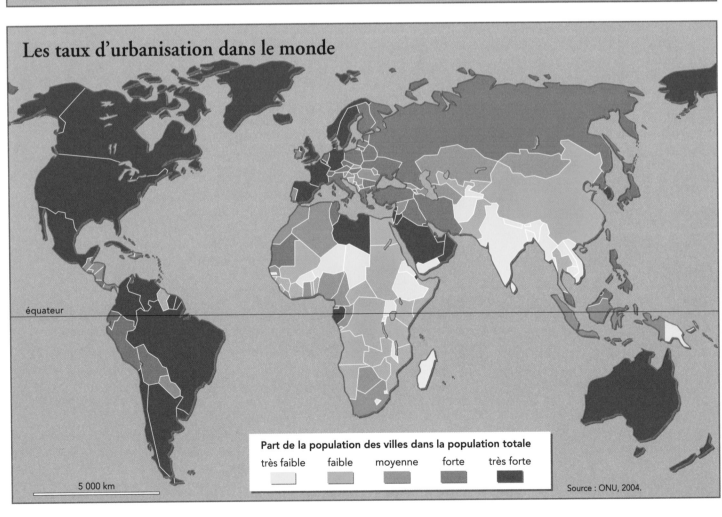

Les taux d'urbanisation dans le monde

équateur

5 000 km

Part de la population des villes dans la population totale

très faible   faible   moyenne   forte   très forte

Source : ONU, 2004.

Les départements d'Outre-mer

Martinique

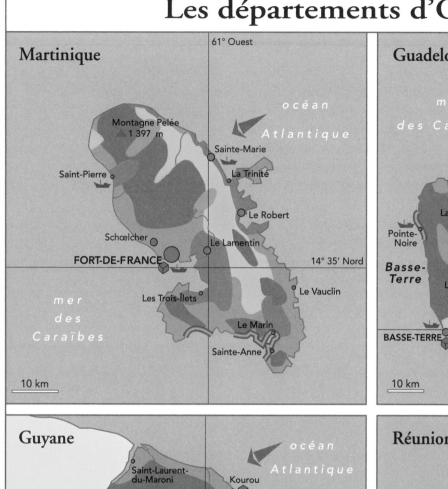

61° Ouest

océan Atlantique

Montagne Pelée
▲ 1 397 m

Sainte-Marie

La Trinité

Saint-Pierre

Le Robert

Schœlcher

Le Lamentin

14° 35' Nord

FORT-DE-FRANCE

mer des Caraïbes

Les Trois-Îlets

Le Vauclin

Le Marin

Sainte-Anne

10 km

Guadeloupe

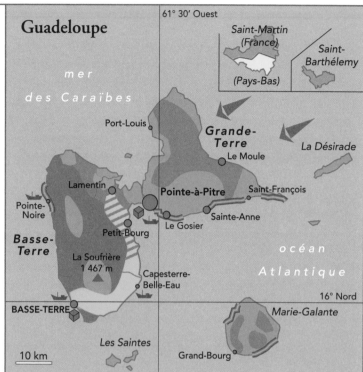

61° 30' Ouest

Saint-Martin (France)

(Pays-Bas)

Saint-Barthélemy

mer des Caraïbes

Grande-Terre

Port-Louis

Le Moule

La Désirade

Lamentin

Pointe-à-Pitre

Saint-François

Pointe-Noire

Sainte-Anne

Petit-Bourg

Le Gosier

Basse-Terre

La Soufrière
▲ 1 467 m

océan Atlantique

16° Nord

Capesterre-Belle-Eau

BASSE-TERRE

Marie-Galante

Les Saintes

Grand-Bourg

10 km

Guyane

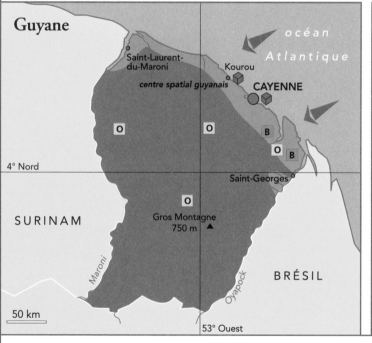

océan Atlantique

Saint-Laurent-du-Maroni

Kourou

centre spatial guyanais

CAYENNE

O   O   B

4° Nord

O   B

Saint-Georges

SURINAM

O

Gros Montagne
750 m ▲

Maroni

Oyapock

BRÉSIL

50 km

53° Ouest

Réunion

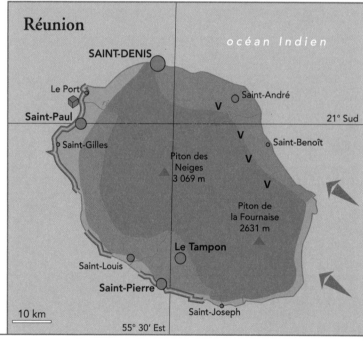

océan Indien

SAINT-DENIS

Le Port

Saint-André

V

21° Sud

Saint-Paul

V

Saint-Benoît

Saint-Gilles

V

Piton des Neiges
3 069 m ▲

V

Piton de la Fournaise
2631 m ▲

Le Tampon

Saint-Louis

Saint-Pierre

Saint-Joseph

10 km

55° 30' Est

Les agglomérations

- ⬤ plus de 100 000 habitants
- ⬤ de 50 000 à 100 000 habitants
- • de 20 000 à 50 000 habitants
- · moins de 20 000 habitants

CAYENNE préfecture

Le milieu naturel

- ➤ alizé
- ▲ volcan
- forêt
- savane, broussailles, ou mangrove

Les principales activités

- culture de la banane
- culture de la canne à sucre avec sucreries et rhumeries
- culture de l'ananas
- V culture de vanillier

- **B** gisement de bauxite
- **O** gisement d'or
- ⬱ pêche côtière
- ⬢ port de commerce
- littoral touristique

1 BELIZE
2 HONDURAS
3 JAMAÏQUE

4 DANEMARK
5 PAYS-BAS
6 BELGIQUE
7 LUXEMBOURG
8 ALLEMAGNE
9 SUISSE
10 LITUANIE
11 RÉPUBLIQUE TCHÈQUE
12 SLOVAQUIE
13 AUTRICHE
14 HONGRIE
15 ROUMANIE
16 MOLDAVIE
17 SLOVÉNIE
18 CROATIE
19 BOSNIE-HERZÉGOVINE
20 SERBIE
21 MONTÉNÉGRO
22 MACÉDOINE
23 ALBANIE
24 BULGARIE
25 MALTE

26 GAMBIE
27 GUINÉE-BISSAU
28 LIBERIA
29 BURKINA FASO
30 GHANA
31 TOGO
32 BÉNIN
33 GUINÉE-ÉQUATORIALE
34 OUGANDA
35 RWANDA
36 BURUNDI
37 MALAWI
38 SWAZILAND
39 LESOTHO

40 CHYPRE
41 LIBAN
42 ISRAËL
43 TERRITOIRES AUTONOMES
   DE PALESTINE
44 JORDANIE
45 GÉORGIE
46 ARMÉNIE
47 AZERBAÏDJAN
48 OUZBÉKISTAN
49 KIRGHIZSTAN
50 TADJIKISTAN
51 KOWEÏT
52 BAHREÏN
53 QATAR
54 ÉMIRATS ARABES UNIS
55 BANGLADESH

CM2
Cycle 3

LE FRANÇAIS
à la découverte de
l'histoire-géographie

Manuel de français

Daniel BERLION
Inspecteur d'académie

Jean-René LOUVET
Inspecteur d'académie

Alain NACRY
Inspecteur de l'Éducation nationale

hachette
ÉDUCATION

- Responsable de projet : Véronique DE FINANCE-CORDONNIER
- Création de la maquette de couverture : Laurent CARRÉ
- Illustration de la couverture : Alain BOYER
- Exécution de la couverture : TYPO-VIRGULE
- Création de la maquette intérieure : Caroline RIMBAULT
- Mise en page des pages d'histoire, de géographie et de « projet d'écriture » : Caroline RIMBAULT
- Mise en page des pages de français : TYPO-VIRGULE
- Recherche iconographique : Oriane VIVIN, Stéphane LELIÈVRE
- Fonds en parchemins : Nathalie DESVERCHÈRE
- Cartographie et frise chronologique : Cartographie HACHETTE-ÉDUCATION

ISBN : 978-2-01-117350-8

© Hachette Livre 2007, 43, quai de Grenelle, 75905 Paris Cedex 15.

PRÉSENTATION DE L'OUVRAGE

Une démarche dynamique

La démarche de l'ouvrage consiste à placer systématiquement l'élève en situation de recherche, aussi bien dans les leçons d'histoire et de géographie que dans celles de français.

Un manuel transversal

Toutes les activités de découverte du fonctionnement de la langue orale et écrite s'articulent autour de documents et de textes variés portant sur des thèmes d'histoire et de géographie.

Une structure claire

Les 28 modules ont tous la même structure :
• 2 pages d'ouverture présentent le thème d'histoire ou de géographie, qui sert de fil conducteur au module ;
• 4 pages de séquences de français (vocabulaire, orthographe, grammaire, conjugaison) contextualisées avec le thème introducteur, établissent un lien entre l'histoire ou la géographie, et l'étude de la langue. Ces pages proposent également des textes d'auteurs pertinents au regard de la notion abordée ;
• Tous les deux modules, une double page de méthodologie, « Projet d'écriture », mobilise les connaissances des élèves autour d'un type d'écrit.

Une entrée progressive dans l'écrit

La maîtrise progressive de la langue s'effectue par le biais de situations variées et d'apprentissages spécifiques qui impliquent toujours l'élève : lecture, langue orale, questionnement, analyse réflexive, recherche de régularités, mise en place d'analogies, production d'écrits.
Si l'élève est à l'école de la rigueur et de la correction, il sera conduit à être plus attentif à toutes les questions que pose une expression personnelle, puisque l'objectif ultime est de mettre les connaissances disciplinaires au service de l'expression – orale et écrite – de l'élève.
Les 14 « Projet d'écriture » ont un caractère méthodologique ; ils constituent une entrée vers tous les écrits que rencontre l'élève. Celui-ci approfondit ses connaissances sur :
• les règles de fonctionnement des supports : chronologie, carte, plan, tableau, dictionnaire, fiche documentaire…
• les différents types d'écrit : récit, poème, description, lettre, résumé…
• la présentation des textes : découpage en paragraphes, dialogue, lien avec les illustrations…
Enfin, avec ce manuel, l'élève prend conscience de l'importance du contexte et du lien permanent qui s'établit entre le français, l'histoire et la géographie.

Une double page d'ouverture
sur un thème d'histoire ou de géographie

Une piste de **recherche** collective

Une entrée par un **questionnement**

Des documents variés accompagnés de questions

Une rubrique pour **susciter la curiosité**

Un **lexique**

Un **texte littéraire**

Des textes simples et clairs

Un encadré pour **retenir l'essentiel**

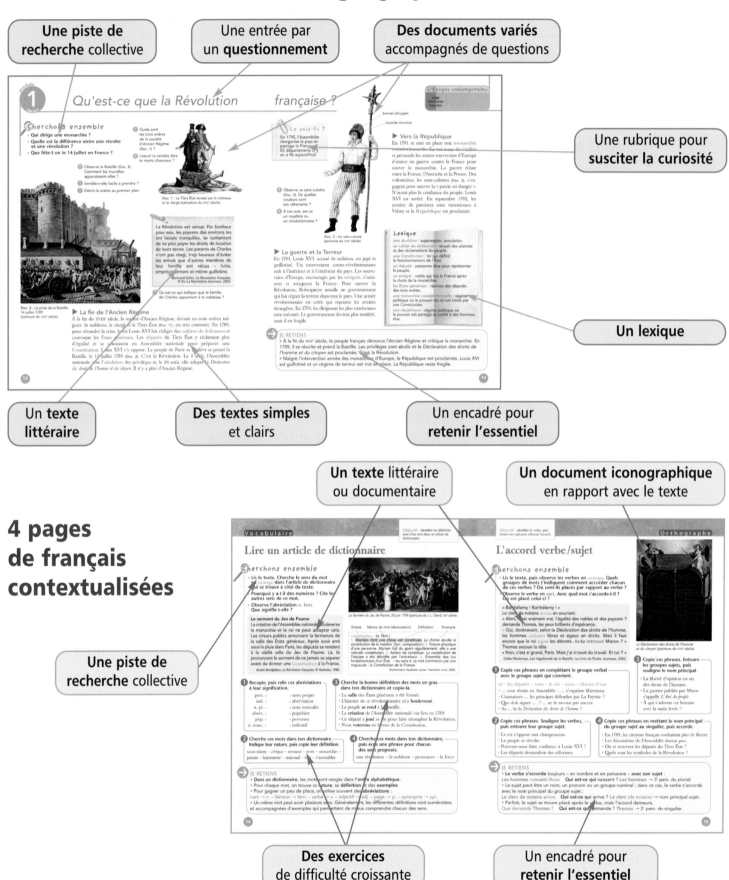

4 pages de français contextualisées

Un **texte littéraire** ou documentaire

Un document iconographique en rapport avec le texte

Une piste de **recherche** collective

Des exercices de difficulté croissante

Un encadré pour **retenir l'essentiel**

Un texte littéraire ou documentaire

Un document iconographique en rapport avec le texte

Une piste de recherche collective

Des exercices de difficulté croissante

Un encadré pour retenir l'essentiel

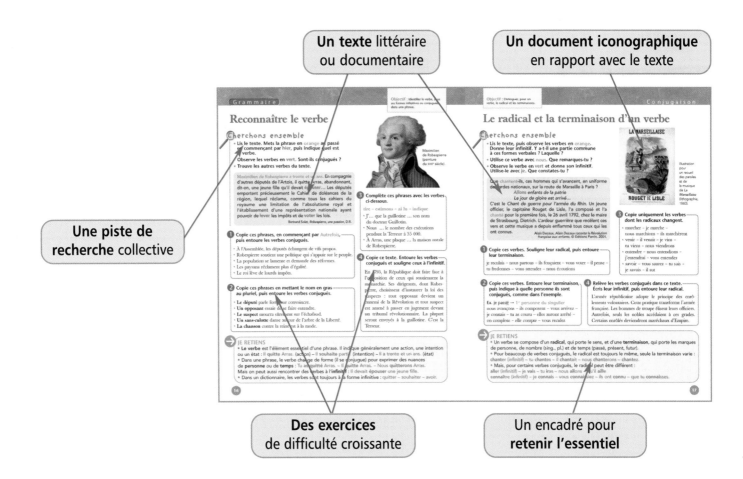

Une double page de méthodologie centrée sur un projet d'écriture

Une piste de recherche collective

Un texte littéraire ou documentaire

Des exercices progressifs

Un exercice final de production d'écrit

Un encadré pour retenir l'essentiel

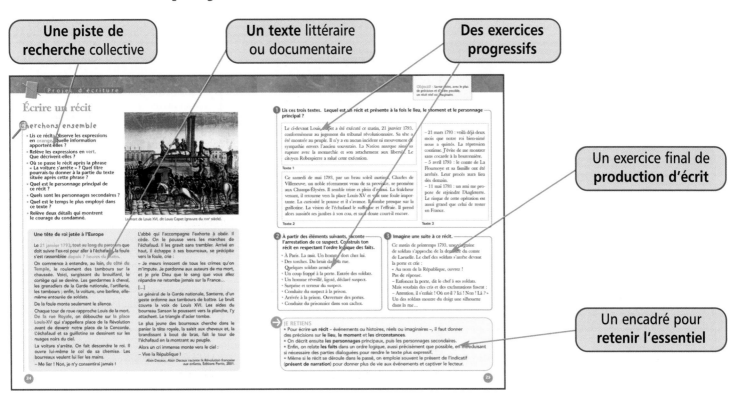

Sommaire

FRANÇAIS, HISTOIRE ET GÉOGRAPHIE

Ⓗ Histoire   Ⓖ Géographie

Sommaire

FRANÇAIS, HISTOIRE ET GÉOGRAPHIE

Sommaire

Histoire et Géographie

Qu'est-ce que la Révolution

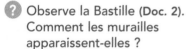

Cherchons ensemble

- **Qui dirige une monarchie ?**
- **Quelle est la différence entre une révolte et une révolution ?**
- **Que fête-t-on le 14 Juillet en France ?**

? Quels sont les trois ordres de la société d'Ancien Régime (Doc. 1) ?

? Lequel te semble être le moins chanceux ?

? Observe la Bastille (Doc. 2). Comment les murailles apparaissent-elles ?

? Semble-t-elle facile à prendre ?

? Décris la scène au premier plan.

Doc. 1 : Le Tiers État écrasé par la noblesse et le clergé (caricature du XVIIIe siècle).

Doc. 2 : La prise de la Bastille, 14 juillet 1789 (peinture du XVIIIe siècle).

La Révolution est venue. Par bonheur pour eux, les paysans des environs les ont laissés tranquilles, se contentant de ne plus payer les droits de location de leurs terres. Les parents de Charles n'ont pas réagi, trop heureux d'éviter les ennuis que d'autres membres de leur famille ont vécus – fuite, emprisonnement et même guillotine.

Bertrand Solet, *La Révolution française*, © De La Martinière Jeunesse, 2003.

? Qu'est-ce qui indique que la famille de Charles appartient à la noblesse ?

▶ La fin de l'Ancien Régime

À la fin du XVIIIe siècle, la société d'Ancien Régime, divisée en trois ordres iné-gaux (la noblesse, le clergé et le Tiers État (Doc. 1)), est très contestée. En 1789, pour résoudre la crise, le roi Louis XVI fait rédiger des **cahiers de doléances** et convoque les **États généraux**. Les **députés** du Tiers État y réclament plus d'égalité et se réunissent en Assemblée nationale pour préparer une **Constitution**. Louis XVI s'y oppose. Le peuple de Paris se soulève et prend la Bastille, le 14 juillet 1789 (Doc. 2). C'est la Révolution. Le 4 août, l'Assemblée nationale vote l'**abolition** des privilèges et, le 26 août, elle adopte la *Déclaration des droits de l'homme et du citoyen*. Il n'y a plus d'Ancien Régime.

française ?

bonnet phrygien

cocarde tricolore

? Observe ce sans-culotte (Doc. 3). De quelles couleurs sont ses vêtements ?

? À ton avis, est-ce un royaliste ou un révolutionnaire ?

Doc. 3 : Un sans-culotte (peinture du XVIIIᵉ siècle).

▶ Vers la République

En 1791 se met en place une **monarchie constitutionnelle**. Le roi tente de s'enfuir et persuade les autres souverains d'Europe d'entrer en guerre contre la France pour sauver la monarchie. La guerre éclate entre la France, l'Autriche et la Prusse. Des volontaires, les sans-culottes (Doc. 3), s'engagent pour sauver la « patrie en danger ». N'ayant plus la confiance du peuple, Louis XVI est arrêté. En septembre 1792, les armées de patriotes sont victorieuses à Valmy et la **République** est proclamée.

▶ La guerre et la Terreur

En 1793, Louis XVI, accusé de trahison, est jugé et guillotiné. Un mouvement contre-révolutionnaire naît à l'intérieur et à l'extérieur du pays. Les souverains d'Europe, encouragés par les **émigrés**, s'unissent et attaquent la France. Pour sauver la Révolution, Robespierre installe un gouvernement qui fait régner la terreur dans tout le pays. Une armée révolutionnaire est créée qui repousse les armées étrangères. En 1794, les dirigeants les plus extrémistes sont exécutés. Le gouvernement devient plus modéré, mais il est fragile.

Lexique

une abolition : suppression, annulation.

un cahier de doléances : recueil des plaintes et des réclamations du peuple.

une Constitution : loi qui définit le fonctionnement de l'État.

un député : personne élue pour représenter le peuple.

un émigré : noble qui fuit la France après la chute de la monarchie.

les États généraux : réunion des députés des trois ordres.

une monarchie constitutionnelle : régime politique où le pouvoir du roi est limité par une Constitution.

une république : régime politique où le pouvoir est partagé et confié à des hommes élus.

→ JE RETIENS

• À la fin du XVIIIᵉ siècle, le peuple français dénonce l'Ancien Régime et critique la monarchie. En 1789, il se révolte et prend la Bastille. Les privilèges sont abolis et la *Déclaration des droits de l'homme et du citoyen* est proclamée. C'est la Révolution.

• Malgré l'intervention armée des monarchies d'Europe, la République est proclamée. Louis XVI est guillotiné et un régime de terreur est mis en place. La République reste fragile.

Objectif : Identifier les différents sens d'un mot dans un article du dictionnaire.

Lire un article de dictionnaire

Cherchons ensemble

- Lis le texte. Cherche le sens du mot en orange dans l'article de dictionnaire qui se trouve à côté du texte.
- Pourquoi y a-t-il des numéros ? Cite les autres sens de ce mot.
- Observe l'abréviation n. fém. Que signifie-t-elle ?

Le serment du Jeu de Paume
La création de l'Assemblée nationale bouleverse la monarchie et le roi ne peut accepter cela. Les crieurs publics annoncent la fermeture de la salle des États généraux. Après avoir erré sous la pluie dans Paris, les députés se rendent à la vieille salle du Jeu de Paume. Là, ils prononcent le serment de ne jamais se séparer avant de donner une Constitution à la France.

André Bendjebbar, *La Révolution française*, © Hachette, 1988.

Le Serment du Jeu de Paume, 20 juin 1789 (peinture de J. L. David, XIXᵉ siècle).

Entrée   Nature du mot (abréviation)   Définition   Exemple

constitution : (n. fém.)
1. Manière dont une chose est constituée. *La chimie étudie la constitution de la matière.* (Syn. composition.) 2. Nature physique d'une personne. *Myriam fait du sport régulièrement, elle a une robuste constitution.* 3. Action de constituer. *La constitution de l'équipe a été décidée par l'entraîneur.* 4. Ensemble des lois fondamentales d'un État. → Au sens 4, ce mot commence par une majuscule : *la Constitution de la France.*

Dictionnaire Hachette Junior, Hachette Livre, 2004.

1 Recopie, puis relie ces abréviations à leur signification.

pers. •	• nom propre
ind. •	• abréviation
n. pr. •	• nom masculin
abrév. •	• populaire
pop. •	• personne
n. masc. •	• indicatif

2 Cherche ces mots dans ton dictionnaire. Indique leur nature, puis copie leur définition.

sans-culotte – civique – serment – errer – monarchie – jamais – baïonnette – national – état – s'assembler

3 Cherche la bonne définition des mots en gras dans ton dictionnaire et copie-la.

- La **salle** des États généraux a été fermée.
- L'histoire de ce révolutionnaire m'a **bouleversé**.
- Le peuple **se rend** à la Bastille.
- La **création** de l'Assemblée nationale eut lieu en 1789.
- Ce député a **joué** sa vie pour faire triompher la Révolution.
- Nous **voterons** en faveur de la Constitution.

4 Cherche ces mots dans ton dictionnaire, puis écris une phrase pour chacun des sens proposés.

une révolution – la noblesse – prononcer – la force

→ JE RETIENS

- **Dans un dictionnaire**, les mots sont rangés dans l'**ordre alphabétique**.
- Pour chaque mot, on trouve sa **nature**, sa **définition** et des **exemples**.
- Pour gagner un peu de place, on utilise souvent des **abréviations** :
nom → n. – féminin → fém. – verbe → v. – adjectif → adj. – page → p. – synonyme → syn.
- Un même mot peut avoir plusieurs sens. Généralement, les différentes définitions sont numérotées et accompagnées d'exemples qui permettent de mieux comprendre chacun des sens.

Objectif : Identifier le verbe, puis trouver son sujet pour effectuer l'accord.

O r t h o g r a p h e

L'accord verbe/sujet

Cherchons ensemble

- **Lis le texte, puis observe les verbes en orange. Quels groupes de mots t'indiquent comment accorder chacun de ces verbes ? Où sont-ils placés par rapport au verbe ?**

- **Observe le verbe en vert. Avec quel mot s'accorde-t-il ? Où est placé celui-ci ?**

La *Déclaration des droits de l'homme et du citoyen* (peinture du XVIIIe siècle).

> « Barthélemy ! Barthélemy ! »
> Le clerc de notaire arrive en souriant.
> « Alors, c'est vraiment vrai, l'égalité des nobles et des paysans ? demande Thomas, les yeux brillants d'espérance.
> – Oui, dorénavant, selon la *Déclaration des droits de l'homme*, les hommes naissent libres et égaux en droits. Mais il faut encore que le roi signe les décrets. As-tu retrouvé Manon ? » Thomas secoue la tête.
> « Non, c'est si grand, Paris. Mais j'ai trouvé du travail. Et toi ? »
>
> Odile Weulersse, *Les Vagabonds de la Bastille*, Le Livre de Poche Jeunesse, 2002.

1 **Copie ces phrases en complétant le groupe verbal avec le groupe sujet qui convient.**

tu – les députés – vous – le roi – nous – chacun d'eux

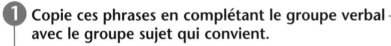

- ... sont réunis en Assemblée ; ... s'exprime librement.
- Connaissez-... les principes défendus par La Fayette ?
- Que doit signer ... ? ... ne le savons pas encore.
- As-... lu la *Déclaration des droits de l'homme* ?

3 **Copie ces phrases. Entoure les groupes sujets, puis souligne le nom principal.**

- La liberté d'opinion est un des droits de l'homme.
- La gazette publiée par Marat s'appelle *L'Ami du peuple*.
- À qui s'adresse cet homme avec la main levée ?

2 **Copie ces phrases. Souligne les verbes, puis entoure leur groupe sujet.**

- Le roi s'oppose aux changements.
- Le peuple se révolte.
- Pouvons-nous faire confiance à Louis XVI ?
- Les députés demandent des réformes.

4 **Copie ces phrases en mettant le nom principal du groupe sujet au singulier, puis accorde.**

- En 1789, les citoyens français souhaitent plus de liberté.
- Les discussions de l'Assemblée durent peu.
- Où se trouvent les députés du Tiers État ?
- Quels sont les symboles de la Révolution ?

→ JE RETIENS

- **Le verbe s'accorde** toujours – en nombre et en personne – **avec son sujet** :
Les hommes naissent libres. **Qui est-ce qui** naissent ? Les hommes → 3e pers. du pluriel.
- **Le sujet peut être un nom, un pronom ou un groupe nominal** ; dans ce cas, le verbe s'accorde avec le nom principal du groupe sujet :
Le clerc de notaire arrive. **Qui est-ce qui** arrive ? Le clerc (de notaire) → nom principal sujet.
- **Parfois, le sujet se trouve placé après le verbe, mais l'accord demeure.**
Que demande Thomas ? **Qui est-ce qui** demande ? Thomas → 3e pers. du singulier.

Reconnaître le verbe

Cherchons ensemble

- **Lis le texte. Mets la phrase en** orange **au passé en commençant par** hier**, puis indique quel est le verbe.**
- **Observe les verbes en** vert**. Sont-ils conjugués ?**
- **Trouve les autres verbes du texte.**

Maximilien de Robespierre (peinture du XVIIIᵉ siècle).

> Maximilien de Robespierre a trente et un ans. En compagnie d'autres députés de l'Artois, il quitte Arras, abandonnant, dit-on, une jeune fille qu'il devait épouser… Les députés emportent précieusement le Cahier de doléances de la région, lequel réclame, comme tous les cahiers du royaume une limitation de l'absolutisme royal et l'établissement d'une représentation nationale ayant pouvoir de lever les impôts et de voter les lois.
>
> Bertrand Solet, *Robespierre, une passion*, D.R.

1 Copie ces phrases, en commençant par Autrefois**, puis entoure les verbes conjugués.**

- À l'Assemblée, les députés échangent de vifs propos.
- Robespierre soutient une politique qui s'appuie sur le peuple.
- La population se lamente et demande des réformes.
- Les paysans réclament plus d'égalité.
- Le roi lève de lourds impôts.

2 Copie ces phrases en mettant le nom en gras au pluriel, puis entoure les verbes conjugués.

- **Le député** parle fort pour convaincre.
- **Un opposant** essaie de se faire entendre.
- **Le suspect** mourra sûrement sur l'échafaud.
- **Un sans-culotte** danse autour de l'arbre de la Liberté.
- **La chanson** contre la reine est à la mode.

3 Complète ces phrases avec les verbes ci-dessous.

tire – estimons – ai lu – indique

- J'… que la guillotine … son nom du docteur Guillotin.
- Nous … le nombre des exécutions pendant la Terreur à 35 000.
- À Arras, une plaque … la maison natale de Robespierre.

4 Copie ce texte. Entoure les verbes conjugués et souligne ceux à l'infinitif.

En 1793, la République doit faire face à l'opposition de ceux qui soutiennent la monarchie. Ses dirigeants, dont Robespierre, choisissent d'instaurer la loi des suspects : tout opposant devient un ennemi de la Révolution et tout suspect est amené à passer en jugement devant un tribunal révolutionnaire. La plupart seront envoyés à la guillotine. C'est la Terreur.

→ JE RETIENS

- **Le verbe** est l'élément essentiel d'une phrase. Il indique généralement une action, une intention ou un état : Il **quitte** Arras. (action) – Il **souhaite** partir. (intention) – Il **a** trente et un ans. (état)
- Dans une phrase, le verbe change de forme (il se conjugue) pour exprimer des nuances de **personne** ou de **temps** : Tu **as quitté** Arras. – Il **quitte** Arras. – Nous **quitterons** Arras. Mais on peut aussi rencontrer des verbes à l'**infinitif** : Il devait **épouser** une jeune fille.
- Dans un dictionnaire, les verbes sont toujours à la forme infinitive : quitter – souhaiter – avoir.

Objectif : Distinguer, pour un verbe, le radical et les terminaisons.

Le radical et la terminaison d'un verbe

Cherchons ensemble

- **Lis le texte, puis observe les verbes en** orange. **Donne leur infinitif. Y a-t-il une partie commune à ces formes verbales ? Laquelle ?**
- **Utilise ce verbe avec** nous. **Que remarques-tu ?**
- **Observe le verbe en** vert **et donne son infinitif. Utilise-le avec** je. **Que constates-tu ?**

> Que chantent-ils, ces hommes qui s'avancent, en uniforme de gardes nationaux, sur la route de Marseille à Paris ?
> > *Allons enfants de la patrie*
> > *Le jour de gloire est arrivé...*
>
> C'est le *Chant de guerre pour l'armée du Rhin*. Un jeune officier, le capitaine Rouget de Lisle, l'a composé et l'a chanté pour la première fois, le 26 avril 1792, chez le maire de Strasbourg, Dietrich. L'ardeur guerrière que recèlent ces vers et cette musique a depuis enflammé tous ceux qui les ont connus.
>
> Alain Decaux, *Alain Decaux raconte la Révolution française aux enfants*, © Éditions Perrin, 2001.

Illustration pour un recueil des paroles et de la musique de *La Marseillaise* (lithographie, 1860).

1 **Copie ces verbes. Souligne leur radical, puis entoure leur terminaison.**

je reculais – nous partons – ils fonçaient – vous votez – il pense – tu fredonnes – vous attendez – nous écoutions

3 **Copie uniquement les verbes dont les radicaux changent.**

- marcher – je marche – nous marchions – ils marchèrent
- venir – il venait – je vins – tu viens – nous viendrons
- entendre – nous entendions – j'entendrai – vous entendez
- savoir – vous saurez – tu sais – je savais – il sut

2 **Copie ces verbes. Entoure leur terminaison, puis indique à quelle personne ils sont conjugués, comme dans l'exemple.**

Ex. je passe → 1ʳᵉ personne du singulier
nous avançons – ils composent – vous arrivez – je connais – tu as couru – elles auront arrêté – on complote – elle compte – vous reculez

4 **Relève les verbes conjugués dans ce texte. Écris leur infinitif, puis entoure leur radical.**

L'armée républicaine adopte le principe des enrôlements volontaires. Cette pratique transforme l'armée française. Les hommes de troupe élisent leurs officiers. Autrefois, seuls les nobles accédaient à ces grades. Certains enrôlés deviendront maréchaux d'Empire.

JE RETIENS

- Un verbe se compose d'un **radical**, qui porte le sens, et d'une **terminaison**, qui porte les marques de personne, de nombre (sing., pl.) et de temps (passé, présent, futur).
- Pour beaucoup de verbes conjugués, le radical est toujours le même, seule la terminaison varie :
chanter (infinitif) – tu **chant**es – il **chant**ait – nous **chant**erons – **chant**ez.
- Mais, pour certains verbes conjugués, le radical peut être différent :
aller (infinitif) – je **vais** – tu **iras** – nous **all**ons – qu'il **aille**
connaître (infinitif) – je **connai**s – vous **connai**ssiez – ils ont **connu** – que tu **connai**sses.

Quelles inégalités caractérisent

Cherchons ensemble

- **Qu'est-ce qui différencie un pays pauvre et un pays riche ?**
- **Qu'est-ce que la natalité ?**

? Observe la carte (**Doc. 2**). Dans quels continents la croissance de la population est-elle la plus importante ?

? Les pays qui connaissent une croissance lente sont-ils plutôt situés dans l'hémisphère Nord ou dans l'hémisphère Sud ?

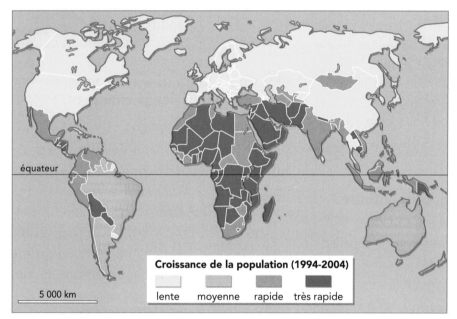

équateur

Croissance de la population (1994-2004)

lente   moyenne   rapide   très rapide

5 000 km

Doc. 2 : La croissance de la population dans le monde.

? Dans quel pays ces bébés sont-ils nés (**Doc. 1**) ?

Doc. 1 : Des nouveau-nés qui attendent pour être pesés dans une maternité à Shanghai, en Chine (Asie).

Le sais-tu ?

Dans de très nombreux pays africains, l'espérance de vie, en moyenne, ne dépasse pas 50 ans, alors que dans les pays d'Europe, elle atteint 80 ans.

Je viens de recevoir les filles que tu m'as envoyées pour l'atelier. Mais je les trouve un peu jeunes. Onze ans ! Elles ne travaillent pas assez vite ! Les commandes augmentent, mon cher. Les grands magasins parisiens et new-yorkais sont très gourmands... Ces filles restent devant les métiers du matin au soir, mais tu te doutes que ce n'est pas suffisant !

Yves-Marie Clément, *Le Prix de la liberté*, Le Livre de Poche Jeunesse, 2006.

? Quel âge ont « les filles » ? Que font-elles ?

▶ Une croissance très variable

La Terre compte 6 milliards d'habitants. Grâce à la baisse générale de la mortalité, la population mondiale augmente, mais pas de la même manière sur tous les continents (**Doc. 2**) : en Asie du Sud (**Doc. 1**), en Amérique du Sud et en Afrique, elle croît rapidement car la natalité est forte (4 enfants par femme en moyenne), tandis qu'en Europe, en Asie du Nord et en Amérique du Nord, la **croissance démographique** est lente car la natalité est faible. Dans ces pays, comme les gens vivent plus longtemps, la population vieillit. À l'inverse, en Asie ou en Afrique, 30 à 40 % de la population a moins de 20 ans : ce sont des populations jeunes.

la population mondiale ?

? Quels pays possèdent la plus grande partie de la richesse mondiale (**Doc. 3**) ? Comment les appelle-t-on ?

▶ Un développement très inégal

Les richesses ne sont pas réparties de façon égale sur toute la Terre (**Doc. 3**) : un petit nombre de pays (qui représentent 25 % de la population mondiale) possède 80 % des richesses mondiales. C'est pourquoi les populations connaissent des niveaux de développement très inégaux (voir la carte en début d'ouvrage) : on distingue essentiellement les **pays du Nord**, qui sont riches, industrialisés et très développés, et les **pays du Sud**, souvent pauvres, qui sont peu ou moyennement développés.

? Observe ces femmes (**Doc. 4**). Que font-elles ?

Doc. 4 : Des femmes au bord d'un point d'eau potable dans un village au Malawi (Afrique).

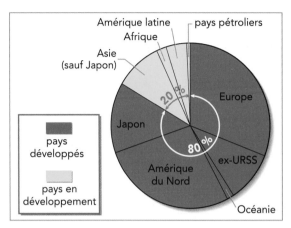

Doc. 3 : La répartition de la richesse mondiale.

▶ Des conditions de vie très différentes

Les inégalités de développement entre pays du Nord et pays du Sud impliquent des conditions de vie très différentes pour les populations. Celles des pays riches vivent bien, tandis que les plus pauvres ont souvent une alimentation insuffisante (sous-nutrition), des logements précaires (sans point d'eau potable (**Doc. 4**)), pas ou peu d'accès aux soins et à la scolarisation, et une faible espérance de vie.

Lexique

la croissance démographique : augmentation de la population due à un écart positif entre le nombre de naissances et le nombre de morts.

un pays du Nord : pays situé dans l'hémisphère Nord et dont le niveau de développement est élevé.

un pays du Sud : par opposition à celui du Nord, pays dont le niveau de développement est moyen ou faible.

➔ JE RETIENS

• La population mondiale connaît une forte croissance, mais celle-ci n'est pas uniforme : elle est forte dans les pays du Sud et faible dans les pays du Nord.

• Parmi cette population, il existe aussi une grande inégalité de développement : seuls les pays du Nord, soit 25 % des habitants de la planète, ont un niveau de développement élevé et de bonnes conditions de vie. Les pays du Sud, souvent pauvres, sont moins développés.

Les mots de la population

Cherchons ensemble

- **Lis ce texte. Observe les mots en vert. De quel sujet parlent-ils ?**
- **Observe les mots en orange. Que décrivent-ils ?**

> La population mondiale est en passe de prendre un sérieux coup de vieux : de 625 millions aujourd'hui, le nombre de « seniors » âgés de 60 ans et plus aura largement dépassé les deux milliards en 2050.
> Selon les démographes, le vieillissement de la population est conditionné par la mortalité et la fécondité : davantage de personnes atteignent un âge avancé tandis que l'on compte moins de naissances. Un phénomène qui s'observe aussi bien dans les pays riches que dans les pays en développement.
>
> *Bilan du monde Junior*, © 2003, Éditions Milan.

Un groupe de retraités « seniors » jouant aux cartes à Lisbonne, au Portugal (Europe).

1 **Copie ces mots, puis entoure ceux qui se rapportent à la jeunesse et souligne ceux qui se rapportent à la vieillesse.**

ancien – un jeunot – un vieux – juvénile – sénile – neuf – aîné – nouveau – désuet – un ancêtre – récent – un gamin – défraîchi – un aïeul – un gosse – l'enfance – âgé – un centenaire – décliner – usé – un bambin – ancestral

2 **Dans chaque liste, trouve l'intrus qui ne fait pas partie de la même famille que le mot en vert.**

- **naître** : la natalité – une naissance – prénatal – une connaissance – un nouveau-né – l'aîné
- **mourir** : la mortalité – une immortelle – un moribond – le mortier – mortuaire
- **vieillir** : le vieillissement – vieillot – un vieillard – le vieux – envieux – une vieillerie

3 **Cherche le sens du nom recensement dans le dictionnaire. Écris sa définition, puis copie les noms de cette liste qui ont un sens voisin.**

- le comptage/le commentaire
- un dénominatif/un dénombrement
- un inventaire/un inventeur
- une liste/un lissage

4 **Donne la signification de ces expressions.**

être dans la fleur de l'âge – être vieux jeu – prendre un coup de vieux – s'enflammer comme un jeune loup

5 **Trouve trois mots de la famille du verbe émigrer, puis construis trois phrases avec ces mots.**

→ **JE RETIENS**

- Pour décrire et caractériser **une population** (ensemble des habitants d'un lieu donné) on utilise des termes précis : la démographie, la densité, le peuplement, la mortalité, la natalité, la fécondité, les migrations, le recensement...
- Lorsqu'on quitte son pays, on émigre ; lorsqu'on s'installe dans un pays, on immigre.
- Un pays qui connaît un accroissement important de ses habitants est en état de surpopulation. À l'inverse, un pays qui se dépeuple connaît une dépopulation.

Objectif : Retrouver, quelle que soit sa position dans la phrase, le sujet d'un verbe.

L'accord verbe/sujet (cas particuliers)

Cherchons ensemble

- Lis le texte, puis observe les verbes en orange. Avec quel sujet s'accordent-ils ? Où ceux-ci sont-ils placés ? Que remarques-tu à propos du second sujet ?
- Observe les verbes en vert. Le mot qui les précède est-il le sujet ? Trouve leurs sujets. Où sont-ils placés ?

Cet après-midi, je suis sortie de l'école avec quelques camarades pour faire des courses. Ce sont des enfants riches : elles grignotent une friandise par-ci, une autre par-là. Je les regarde, mais moi, je ne peux rien acheter. Même un chewing-gum coûte plus de dix fens* : comment pourrais-je me l'offrir ? Je réalise tout d'un coup pourquoi maman ne se soigne pas. […] Papa et maman sont prêts à tout sacrifier pour que nous allions à l'école.

* Monnaie chinoise : 1 yuan égale 100 fens.
1 euro égale 8 yuans ou 800 fens.

Ma & Yan Haski, *Le Journal de Ma Yan*, Le Livre de Poche Jeunesse, 2003.

Une rue dans la ville de Jiamusi en Chine (Asie).

1 Copie ces phrases. Souligne le verbe et entoure le sujet.

- Chaque année, la population chinoise s'accroît.
- Les Chinois, depuis quelques années, ont instauré un contrôle des naissances.
- De nombreux paysans, pleins d'espoir, rejoignent les villes.
- La base de l'alimentation, pour beaucoup, reste le riz.

2 Copie ces phrases en choisissant la forme verbale qui convient.

- Chang et Meï (**habite/habitent**) Pékin.
- La population (**se concentre/se concentrent**) à l'ouest.
- Cette femme et son fils (**vit/vivent**) dans un petit logement.
- Le quartier du Yuang (**accueille/accueillent**) les plus pauvres.
- L'économie et le peuple chinois (**s'adaptent/s'adapte**) peu à peu à la mondialisation.

3 Copie ces phrases en mettant les verbes entre parenthèses à la forme correcte du présent.

- La main-d'œuvre, actuellement, (**être**) bon marché.
- La proportion de jeunes, toujours importante, (**rester**) stable.
- Pékin, Shanghai et Canton (**attirer**) beaucoup de monde.
- Les Chinois, qui n'(**avoir**) le plus souvent qu'un seul enfant, (**souhaiter**) que ce soit un garçon.
- L'agriculture, qui (**faire**) vivre la majorité de la population, (**demeurer**) une activité traditionnelle en Chine.
- Les parents qui (**travailler**) (**confier**) souvent leurs enfants aux grands-parents.

→ JE RETIENS

- **Le verbe** peut être **séparé de son sujet** : Je regarde. – Je les regarde.
- Si le verbe a **plusieurs sujets** singuliers, il s'écrit au pluriel : Papa et maman sont prêts.
- Quand le sujet d'un verbe est le pronom relatif **qui**, il faut chercher le nom (ou le pronom) que remplace ce pronom relatif. C'est avec lui que le verbe s'accorde :
Je suis sortie avec quelques camarades **qui font** des achats.
Le pronom relatif qui remplace quelques camarades. → Le verbe faire est à la 3ᵉ pers. du pluriel.

Le groupe sujet et le groupe verbal

Cherchons ensemble

- Observe les groupes de mots en vert et en orange. Dans lequel y a-t-il au moins un verbe ? Que peux-tu en déduire ?
- Observe le groupe sujet. Où est-il placé par rapport au groupe verbal ?

Je ne sais pas par où commencer… Tu sais que Cuba fait partie de ce que certains appellent « le tiers-monde » et d'autres « les pays en voie de développement ». Il y a environ quarante ans, une révolution a éclaté. Ses dirigeants pensaient que, si tout le monde se serrait la ceinture, ils parviendraient à sortir le pays du sous-développement. Pour cela, ils chassèrent les riches et supprimèrent le moindre luxe.

Joël Franz Rosell, *Cuba, destination trésor*, Le Livre de Poche Jeunesse, 2003.

Des habitations contrastées dans la ville de La Havane, à Cuba (Caraïbes).

1 Copie ces phrases. Souligne les verbes, puis entoure les groupes verbaux.

- Les petits cireurs de chaussures interpellent les touristes.
- Les murs des ruelles sont couverts de graffitis.
- Beaucoup de façades de maisons reflètent la pauvreté de leurs occupants.
- Cette marque de cigares cubains a acquis une célébrité mondiale.

2 Recopie ces phrases en remplaçant chaque groupe sujet par le pronom qui convient.

- La foule applaudit le discours du président Castro.
- Danseurs et musiciens charment les touristes.
- Les Cubains vivent parfois très pauvrement.
- L'espagnol est la langue officielle à Cuba.

3 Copie ces phrases en les complétant avec les verbes ci-dessous, puis entoure le GV.

dévastent – entrent – ont dépassé – roulent

- Les ouvrières … les feuilles de tabac.
- Les uns derrière les autres, les camions … dans la plantation de café.
- Ces musiciens … les soixante-dix ans.
- Chaque année, les cyclones … le pays.

4 Copie ces phrases. Souligne le GS et entoure le GV.

- Par les fenêtres ouvertes, les passants peuvent entendre des airs de salsa.
- De vieilles carcasses de voitures américaines rouillent sur des terrains vagues.

→ JE RETIENS

- Une phrase comporte généralement un **groupe sujet (GS)** et un **groupe verbal (GV)**.
- Le **GS** est le groupe nominal qui peut être encadré par **C'est … qui** ou **Ce sont … qui**. Il peut toujours être remplacé par un pronom personnel sujet :
  Les dirigeants pensaient.   **Ce sont** les dirigeants **qui** pensaient.   Ils pensaient.
- Le **GV** comprend l'ensemble des mots qui indiquent ce qu'est ou ce que fait le groupe sujet, et dans quelles circonstances. Le GV est parfois réduit au seul verbe.
- Les deux parties d'un groupe verbal peuvent encadrer le groupe sujet :
  Pour cela (GV), ils (GS) chassèrent les riches (GV).

Objectif : Retrouver l'infinitif
d'un verbe et donner son groupe.

C o n j u g a i s o n

L'infinitif et les groupes des verbes

Cherchons ensemble

- **Lis le texte. Observe les verbes en vert. Donne leur infinitif.
Lequel se termine par -er ? À quel groupe appartient-il ?**
- **Indique le groupe des deux autres verbes.**

> Binti était contente d'habiter à Blantyre, la plus grande ville du Malawi. […] Elle **quitta** la rue principale et **prit** la route en terre battue qui conduisait à la bibliothèque, passant devant les enfants qui vendaient des bonbons dans des boîtes en carton posées à même le sol. Elle était en nage. […] Binti regarda à travers l'une des vitres de la bibliothèque. Elle **était remplie** de gens qui profitaient du week-end pour venir lire.
>
> Déborah Ellis, *Binti, une enfance dans la tourmente africaine*,
> Le Livre de Poche Jeunesse, 2005.

Un jeune vendeur de vêtements sur
le bord de la route au Malawi (Afrique).

1 **Conjugue chaque verbe à la 1ʳᵉ personne du pluriel du présent de l'indicatif, puis indique s'il appartient au 2ᵉ ou au 3ᵉ groupe.**

remplir – dormir – partir – finir – choisir – revenir – brunir – appartenir – accomplir

2 **Trouve l'infinitif des verbes suivants, puis classe-les.**

je vends – nous fournissons – ils exploitaient – tu rougiras – vous fabriquez – on arrêta – nous circulerons – elles prennent – il crie – tu recouds – j'envoie – vous descendez

1ᵉʳ groupe	2ᵉ groupe	3ᵉ groupe
....	....	....

3 **Trouve l'intrus dans chacune de ces listes.**

- danser – mendier – travailler – aller – cultiver – exploiter
- détruire – conduire – connaître – paraître – être – faire
- finir – remplir – éblouir – étourdir – fuir – grandir
- pouvoir – avoir – savoir – recevoir – devoir

4 **Relève les verbes conjugués et les verbes à l'infinitif de ces phrases, puis donne leur groupe.**

- Il y a peu, le gouvernement du Malawi a distribué des terres pour aider les plus pauvres.
- La faim et la misère obligèrent de très jeunes enfants à travailler dur.
- Les problèmes d'insuffisance alimentaire sévissent dans une partie de la population.
- Pour tous, aller à l'école constitue une énorme chance.
- Certains ont réussi à sortir de leur condition misérable.

JE RETIENS

- On classe les verbes en **trois groupes** en fonction de la terminaison de leur infinitif :
- **1ᵉʳ groupe** : verbes terminés par **-er** (sauf aller) : quitter – passer – regarder – profiter…
- **2ᵉ groupe** : verbes terminés par **-ir** qui intercalent l'élément **-ss-** dans certaines formes : remplir (nous remplissons – il remplissait)…
- **3ᵉ groupe** : tous les autres verbes : prendre – conduire – vendre – venir – lire…
- **Être** et **avoir**, qui sont utilisés, soit comme verbes autonomes, soit comme auxiliaires dans les temps composés (ils sont alors vides de sens), n'appartiennent à aucun groupe.

Écrire un récit

Cherchons ensemble

- Lis ce récit. Observe les expressions en orange. Quelle information apportent-elles ?
- Relève les expressions en vert. Que décrivent-elles ?
- Où se passe le récit après la phrase « La voiture s'arrête » ? Quel titre pourrais-tu donner à la partie du texte située après cette phrase ?
- Quel est le personnage principal de ce récit ?
- Quels sont les personnages secondaires ?
- Quel est le temps le plus employé dans ce texte ?
- Relève deux détails qui montrent le courage du condamné.

La mort de Louis XVI, dit Louis Capet (gravure du XVIIIe siècle).

Une tête de roi jetée à l'Europe

Le 21 janvier 1793, tout au long du parcours que doit suivre l'ex-roi pour aller à l'échafaud, la foule s'est rassemblée depuis 7 heures du matin.

On commence à entendre, au loin, du côté du Temple, le roulement des tambours sur la chaussée. Voici, surgissant du brouillard, le cortège qui se devine. Les gendarmes à cheval, les grenadiers de la Garde nationale, l'artillerie, les tambours ; enfin, la voiture, une berline, elle-même entourée de soldats.

De la foule monte seulement le silence.

Chaque tour de roue rapproche Louis de la mort. De la rue Royale, on débouche sur la place Louis-XV qui s'appellera place de la Révolution avant de devenir notre place de la Concorde. L'échafaud et sa guillotine se dessinent sur les nuages noirs du ciel.

La voiture s'arrête. On fait descendre le roi. Il ouvre lui-même le col de sa chemise. Les bourreaux veulent lui lier les mains.

– Me lier ! Non, je n'y consentirai jamais !

L'abbé qui l'accompagne l'exhorte à obéir. Il cède. On le pousse vers les marches de l'échafaud. Il les gravit sans trembler. Arrivé en haut, il échappe à ses bourreaux, se précipite vers la foule, crie :

– Je meurs innocent de tous les crimes qu'on m'impute. Je pardonne aux auteurs de ma mort, et je prie Dieu que le sang que vous allez répandre ne retombe jamais sur la France...

[...]

Le général de la Garde nationale, Santerre, d'un geste ordonne aux tambours de battre. Le bruit couvre la voix de Louis XVI. Les aides du bourreau Sanson le poussent vers la planche, l'y attachent. Le triangle d'acier tombe.

Le plus jeune des bourreaux cherche dans le panier la tête royale, la saisit aux cheveux et, la brandissant à bout de bras, fait le tour de l'échafaud en la montrant au peuple.

Alors un cri immense monte vers le ciel :

– Vive la République !

Alain Decaux, *Alain Decaux raconte la Révolution française aux enfants*, Éditions Perrin, 2001.

1 Lis ces trois textes. Lequel est un récit et présente à la fois le lieu, le moment et le personnage principal ?

Le ci-devant Louis Capet a été exécuté ce matin, 21 janvier 1793, conformément au jugement du tribunal révolutionnaire. Sa tête a été montrée au peuple. Il n'y a eu aucun incident ni mouvement de sympathie envers l'ancien souverain. La Nation marque ainsi sa rupture avec la monarchie et son attachement aux libertés. Le citoyen Robespierre a salué cette exécution.

Texte 1

Ce samedi de mai 1793, par un beau soleil matinal, Charles de Villeneuve, un noble récemment venu de sa province, se promène aux Champs-Élysées. Il semble triste et plein d'ennui. La fraîcheur venant, il retourne vers la place Louis-XV et voit une foule importante. La curiosité le pousse et il s'avance. Il tombe presque sur la guillotine. La vision de l'échafaud le suffoque et l'effraie. Il prend alors aussitôt ses jambes à son cou, et sans doute court-il encore.

Texte 2

– 21 mars 1793 : voilà déjà deux mois que notre roi bien-aimé nous a quittés. La répression continue. J'évite de me montrer sans cocarde à la boutonnière.
– 5 avril 1793 : le comte de La Flournoye et sa famille ont été arrêtés. Leur procès aura lieu dès demain.
– 11 mai 1793 : un ami me propose de rejoindre l'Angleterre. Le risque de cette opération est aussi grand que celui de rester en France.

Texte 3

2 À partir des éléments suivants, raconte l'arrestation de ce suspect. Construis ton récit en respectant l'ordre logique des faits.

• À Paris. La nuit. Un homme dort chez lui.
• Des torches. Du bruit dans la rue. Quelques soldats armés.
• Un coup frappé à la porte. Entrée des soldats.
• Un homme réveillé, ligoté, déclaré suspect.
• Surprise et terreur du suspect.
• Conduite du suspect à la prison.
• Arrivée à la prison. Ouverture des portes.
• Conduite du prisonnier dans son cachot.

3 Imagine une suite à ce récit.

Ce matin de printemps 1793, une vingtaine de soldats s'approche de la demeure du comte de Laruelle. Le chef des soldats s'arrête devant la porte et crie :
« Au nom de la République, ouvrez !
Pas de réponse.
– Enfoncez la porte, dit le chef à ses soldats.
Mais soudain des cris et des exclamations fusent :
– Attention, il s'enfuit ! Où est-il ? Ici ! Non ! Là ? »
Un des soldats montre du doigt une silhouette dans la rue…

JE RETIENS

• Pour écrire **un récit** – événements ou histoires, réels ou imaginaires –, il faut donner des précisions sur **le lieu**, **le moment** et **les circonstances**.
• On décrit ensuite **les personnages** principaux, puis les personnages secondaires.
• Enfin, on relate **les faits** dans un ordre logique, aussi précisément que possible, en introduisant si nécessaire des parties dialoguées pour rendre le texte plus expressif.
• Même si le récit se déroule dans le passé, on emploie souvent le présent de l'indicatif (**présent de narration**) pour donner plus de vie aux événements et captiver le lecteur.

Comment Bonaparte est-il

Cherchons ensemble

- **Qu'est-ce qu'un empereur ?**
- **Que célèbre l'Arc de triomphe situé place de l'Étoile à Paris ?**

? Observe le **Doc. 1**. Décris la position de Bonaparte sur son cheval.

? Comment Bonaparte apparaît-il dans ce tableau ?

J'arrivai à Milan le 20 mai, peu après la victoire de Lodi. Les troupes de Bonaparte, acclamées par la foule, venaient de défiler dans la capitale lombarde, passant sous un arc de triomphe élevé à la Porta Romana. C'était exaltant de savoir que la guerre n'avait pas alors pour but de conquérir et annexer une province, mais de propager les principes de 89.

Jean-Michel Dequeker-Fergon, *Napoléon*, coll. Sur les traces de..., © Gallimard Jeunesse.

? Dans quel but Bonaparte est-il parti combattre en Italie ?

Doc. 1 : Le général Bonaparte à cheval franchissant les Alpes (peinture de Jacques Louis David, XIXᵉ siècle).

▶ Une prise de pouvoir brutale

Après la Terreur, le gouvernement du Directoire est fragile et n'arrive pas à remettre de l'ordre en France. En 1799, un jeune général, Napoléon Bonaparte **(Doc. 1)**, revient en France après avoir remporté de nombreuses victoires militaires en Italie, puis en Égypte. Il apparaît comme un héros de la République et, le 9 novembre, il s'empare du pouvoir par un **coup d'État** (18 Brumaire an VIII). Il met en place un nouveau régime : le Consulat. Peu à peu, il concentre tous les pouvoirs entre ses mains. Il rétablit la paix et réorganise le pays : nomination des préfets à la tête des départements, création des lycées, mise en place du franc germinal, rédaction du **Code civil** **(Doc. 2)**, signature du **Concordat** (1802).

? Qui est concerné par le Code civil **(Doc. 2)** ?

Doc. 2 : Le Code civil des Français (1804).

devenu empereur ?

❓ Qui pose la couronne sur la tête de l'impératrice Joséphine (Doc. 3) ?

❓ Où se trouve le pape ?

Doc. 3 : Le couronnement de l'empereur Napoléon Ier et de l'impératrice Joséphine dans la cathédrale de Paris (détail d'une peinture de Jacques Louis David, XIXe siècle).

▶ Un empereur conquérant

Très populaire, Bonaparte se fait proclamer empereur le 18 mai 1804 sous le nom de Napoléon Ier. Puis il se fait sacrer (Doc. 3). Il s'entoure d'une cour impériale, crée une nouvelle noblesse et établit l'**Empire**. Dès 1805, ayant éliminé toute opposition à l'intérieur du pays, il se lance à la conquête de l'Europe (voir la carte en fin d'ouvrage). Il est victorieux contre l'Autriche, la Prusse et la Russie : Austerlitz (1805), Iéna (1806), Friedland (1807) et Wagram (1809), mais échoue face à l'Angleterre : Trafalgar (1805).

▶ La fin de l'Empire et l'exil

À partir de 1812, Napoléon connaît de nombreuses défaites en Espagne, puis en Russie. En 1814, les armées de Prusse, d'Autriche et de Russie entrent dans Paris. Napoléon est contraint d'**abdiquer**. La monarchie est rétablie. Louis XVIII, le frère de Louis XVI, devient roi. En 1815, Napoléon réussit à revenir au pouvoir. Mais cela ne dure que cent jours. Il est rapidement vaincu par les armées européennes à Waterloo et **exilé**. Les monarchistes reviennent au pouvoir : c'est la Restauration.

Lexique

abdiquer : renoncer au pouvoir.

le Code civil : recueil de lois qui régissent la vie des personnes.

un concordat : accord avec le pape.

un coup d'État : prise du pouvoir par la force.

un Empire : régime politique où un empereur dirige seul.

exiler : forcer quelqu'un à quitter son pays.

→ **JE RETIENS**

• En 1799, le général Bonaparte, très populaire auprès du peuple français, prend le pouvoir pour sauver la République. Il rétablit la paix et réorganise le pays, mais il installe peu à peu un régime autoritaire où il gouverne seul.

• Sacré empereur en 1804, Napoléon Ier entraîne la France dans de nombreuses guerres. Victorieux jusqu'en 1812, il est ensuite vaincu, puis exilé en 1815. La monarchie est alors restaurée.

Objectif : Enrichir les possibilités lexicales d'expression de la gloire.

Les mots de la gloire

Cherchons ensemble

- Lis ce texte. Quel sens donnes-tu au mot en orange ?
- Observe les mots en vert. Que t'apprennent-ils sur Bonaparte ? Explique le lien qui existe entre ces mots et la gloire.

> Sur le pont supérieur de l'*Orient*, on a tendu une tente, rayée de rouge et de blanc, à l'intention du général en chef. Chacun sent à présent l'arrivée en Égypte imminente, et chaque soldat se pose des questions, rêve, imagine…
>
> Lorsque la nuit tombe, Bonaparte vient s'installer à la proue du navire. Lui aussi doit rêver. Il a vingt-huit ans, ses victoires en Italie l'ont auréolé de gloire, de grandes ambitions lui font battre le cœur…
>
> Bertrand Solet, *En Égypte avec Bonaparte*, Le Livre de Poche Jeunesse, 1988.

Napoléon Bonaparte sur le pont d'un bateau (illustration de Job, 1910).

1 Recopie uniquement les mots qui ont un rapport avec la gloire.

la célébrité – une défaite – un succès – les honneurs – la déroute – une victoire – des échecs – la bravoure – l'indifférence – le prestige – la renommée – la splendeur – l'anonymat – brillamment – la déchéance

2 Dans chaque liste, trouve l'intrus qui n'a pas de rapport avec le mot en orange.

- **brave** : courageux – timoré – offensif – entreprenant
- **éclatant** : brillant – lumineux – terne
- **humble** : modeste – simple – ambitieux
- **actif** : audacieux – hardi – hésitant – dynamique
- **hasardeux** : présomptueux – sage – aventureux – imprudent

3 Dans chaque liste, trouve le mot qui n'est pas de la même famille que les autres.

- glorieux – globuleux – glorieusement – glorifier
- célèbre – la célébrité – cérébral – une célébration
- la reconquête – un conquérant – la conséquence – un conquistador
- un prodige – prodigieux – prodiguer – prodigieusement

4 Copie ces phrases en remplaçant les expressions en gras par celles ci-dessous.

la célébrité – une vedette – en l'honneur de – le fleuron

- Une statue a été édifiée **à la gloire de** Napoléon.
- Cette victoire lui a apporté **la gloire**.
- Cet objet est **la gloire** de sa collection.
- Cet homme est **une gloire** nationale.

→ JE RETIENS

- Celui qui accomplit des actions ou des œuvres remarquables acquiert **la gloire**, c'est-à-dire la reconnaissance de ses mérites par le plus grand nombre. Ce terme a de nombreux synonymes : la célébrité – la notoriété – le renom – la considération – le prestige…
- Plusieurs expressions ont été formées sur le terme de **gloire** : se couvrir de gloire – être au sommet de la gloire – s'attribuer toute la gloire – à la gloire de… – les lauriers de la gloire…
- L'expression de la gloire peut quelquefois avoir un sens péjoratif : la vanité – l'orgueil – l'arrogance – la suffisance… pour ceux qui font de la recherche de la gloire leur unique objectif.

Objectif : Savoir placer correctement les marques écrites du pluriel des noms.

Le pluriel des noms

Cherchons ensemble

- **Lis ce texte. Observe les noms en** orange. **Quelles sont les marques du pluriel de ces noms ?**
- **Repère le nom en** vert. **Quelle est sa marque du pluriel ? Mets ce mot au singulier. Quelle est sa terminaison ?**

> De taille moyenne, Napoléon a le teint pâle, les cheveux châtains et les yeux gris-bleu. Ses contemporains notent son regard perçant qui cherche à découvrir les pensées intimes de son interlocuteur. Et s'il est connu pour ses colères, souvent feintes pour impressionner, il sait aussi être calme. Volontaire et sûr de lui, il inspire confiance à ses officiers et à ses soldats.
>
> Irène Delage, *Napoléon Bonaparte, un homme, un empereur*,
> © Hachette Livre, 2004.

Napoléon Ier au château de Malmaison (peinture de F. Gérard, 1804).

1 **Recopie le tableau, puis classe les noms.**

un empereur – des soldats – les noyaux – des canons – le camp – la silhouette – des lieux – le regard – des drapeaux – l'armée – le pouvoir – les contemporains – des expéditions – la troupe

noms au singulier	noms au pluriel
....	....

3 **Écris ces noms au singulier. Tu peux utiliser ton dictionnaire.**

les créneaux – les mois – des oasis – les feux – des boulets – les biens – des succès – des abris – des lois – des bandeaux – des noix

2 **Écris ces noms au pluriel.**

un choix – le château – un turban – un manteau – le couronnement – un gant – un nez – un bivouac – un adieu – un palais – un défaut – un essieu – un fauteuil – la loi – un fardeau – un joyau – un vœu

4 **Copie ces phrases en mettant les noms entre parenthèses au pluriel.**

- Les (**conseiller**) écoutent attentivement l'Empereur.
- De tous ses (**chapeau**), Napoléon préfère le bicorne.
- L'empereur peut dicter plusieurs (**courrier**) à la fois.
- Des (**millier**) de (**gens**) l'acclament après ses (**victoire**).
- Il reçoit ses (**ministre**) et leur dicte ses (**volonté**).

→ JE RETIENS

- Généralement, le **pluriel d'un nom** se marque en ajoutant un **s** au nom singulier :
la pensée → les pensée**s** – sa colère → ses colère**s** – un officier → des officier**s**.
- Les noms terminés par **-eu, -au, -eau** au singulier prennent un **x** au pluriel :
le cheveu → les cheveu**x** – le tuyau → les tuyau**x** – le manteau → les manteau**x**.
- Les noms terminés par **-s, -x, -z** au singulier ne prennent pas la marque du pluriel :
un bois → des bois – une croix → des croix – un gaz → des gaz.
- Certains noms ont un pluriel complètement différent du singulier : un œil → des **yeux**.

Le nom

Cherchons ensemble

- Lis ce texte. Observe les mots en orange, puis les mots qui les précèdent. Que peux-tu en déduire sur la nature des mots en orange ?
- Observe les mots en vert. Par quelle sorte de lettre commencent-ils ? Comment appelle-t-on ces mots ?

Sur la rive gauche, le spectacle était à peu près analogue, sauf que les toits roses et les beffrois du village d'Arcole clôturaient l'horizon. La fumée était plus épaisse sur ce bord : les Autrichiens semblaient plus nombreux et l'on entendait bien qu'ils possédaient plus de canons. Au loin, enjambant la rivière sur deux hautes arches de pierre, s'allongeait le pont pour lequel on s'étripait depuis deux jours. On y voyait des silhouettes hautes comme des fourmis, qui avançaient de manière chaotique, de la gauche vers la droite.

Daniel Vaxelaire, *Une jument dans la guerre*, Castor Poche Flammarion, 2001.

Bonaparte au pont d'Arcole
(peinture d'A. Gros, XVIIIe siècle).

1 Copie ces phrases, puis entoure les noms.

- Les combats se déroulent à une trentaine de kilomètres d'ici.
- Quelle belle victoire nous avons remportée hier !
- Les troupes autrichiennes se replient sur un plateau.
- Cet endroit sera le théâtre d'une nouvelle bataille.

2 Relève les noms propres de ces phrases, puis indique s'ils désignent un être, un lieu, ou une chose en particulier.

- Napoléon part combattre en Autriche.
- La Grande Armée est victorieuse à Austerlitz.
- Les soldats embarquent à Marseille à bord du *Terrible*.
- Bonaparte, à cheval sur Pégase, se dirige vers Arcole.
- Il réunit ses maréchaux : Ney, Murat, Suchet et Masséna.

3 Copie ces phrases en complétant avec les noms ci-dessous.

blessés – retour – Autrichiens – guerre – gens – Français – arrière – Paris – Arcole

- Les ... font face aux ... au pont d'....
- Les pertes de la ... sont impressionnantes.
- Les ... sont évacués vers l'....
- À ..., des milliers de ... saluent le ... des héros.

4 Copie ce texte, puis entoure les noms communs et souligne les noms propres.

Le fusil utilisé par les Français pendant les campagnes de Napoléon tire quatre balles en trois minutes. Il n'est pas précis au-delà de 200 mètres. L'artillerie est équipée du canon de Gribauval, qui envoie deux boulets à la minute. Il est efficace jusqu'à 600 mètres.

JE RETIENS

- Le **nom commun** désigne un être, un lieu, un objet, une idée, une intention, un événement en général. Il est souvent précédé d'un déterminant qui en indique le genre et/ou le nombre :
des habitants – un village – les toits – la manière – la gauche – le spectacle.
- Le **nom propre** désigne un être, un lieu, une chose, une date en particulier. Il prend toujours une majuscule et peut être précédé d'un déterminant :
les Autrichiens – Arcole – la Joconde – Pâques.

Objectif : Retrouver le temps d'un verbe et distinguer les temps simples et les temps composés.

Conjugaison

Les temps simples et les temps composés

Cherchons ensemble

- **Lis ce texte. Observe les verbes en** orange **et en** vert**. Sont-ils conjugués au passé, au présent ou au futur ?**
- **De combien de mots les verbes en** orange **sont-ils formés ? Et les verbes en** vert **? Lesquels sont conjugués à un temps simple ?**

Les Russes, on n'arrivait pas à les empoigner. On aurait voulu engager une vraie bataille, les vaincre et rentrer chez nous. Au lieu de ça, on avait quelques escarmouches, des tirailleries, et ffff… ils s'enfuyaient. […]
Enfin, on a réussi à livrer bataille à Smolensk et on a pris la ville. Malheureusement, selon leur bonne habitude, les Russes y ont mis le feu avant de la quitter. Là, on s'est découragés. On était déjà vers fin août. L'Empereur s'est demandé s'il devait continuer.

Évelyne Brisou-Pellen, *Le Signe de l'Aigle*, © Casterman S.A., 2005.

La retraite de l'armée française en Russie (estampe, 1815).

1 **Recopie le tableau, puis classe ces verbes.**

il neigeait – nous avions perdu – la ville brûlait –
ils sont battus – tu réussis – j'ai grelotté – il a marché –
les loups hurlent – les pieds gèlent – le vent a soufflé

temps simples	temps composés
……….	……….

2 **Copie ces phrases, puis entoure les verbes conjugués à un temps simple.**

- Les troupes franchissent de nouveau la Berezina.
- Les adversaires de la France relèvent la tête.
- Cet homme avait reçu la Légion d'honneur.

3 **Copie les phrases. Indique si les verbes sont conjugués au passé, au présent ou au futur.**

- Les soldats progressaient lentement.
- L'Empereur remarque la désolation dans les rangs de son armée.
- Les cosaques avaient surgi par surprise.
- Les grognards traîneront leur fusil.

4 **Copie ces phrases, puis entoure les verbes conjugués à un temps composé. Écris leur infinitif entre parenthèses.**

- La Grande Armée a conquis l'Europe.
- Les Moscovites ont préféré mettre le feu.
- Un homme sur cinq n'est pas revenu.
- Cette guerre est terrible.

JE RETIENS

- **Le verbe** varie selon **le temps** (passé, présent, futur). Certains mots aident à les retrouver :
Hier, on **arrivait**. (passé) – **Aujourd'hui**, on **arrive**. (présent) – **Demain**, on **arrivera**. (futur)
- Un verbe peut se conjuguer à un **temps simple** : Ils **s'enfuyaient**. (imparfait)
- Il peut aussi se conjuguer à un **temps composé**. Le verbe est alors constitué de deux mots : un auxiliaire (**être** ou **avoir**) suivi du participe passé du verbe conjugué.

On **a réussi**.   L'Empereur **s'est approché**.

auxiliaire **avoir**   participe passé   auxiliaire **être**   participe passé

Comment les paysages urbains

Cherchons ensemble

- **Qu'est-ce que l'urbanisation ?**
- **Sur quels continents se trouvent les 3 plus grandes villes du monde : Tokyo, Mexico et New York ?**

? Quelle ville cette photographie (**Doc. 1**) montre-t-elle ?

? Quel type d'habitation y domine ?

? Distingues-tu l'endroit où finit la ville ?

> Le cri d'un marchand de galettes au sésame s'entendait du carrefour, par-dessus les bruits de la circulation, à cette heure où les gens commençaient à rentrer chez eux. Au milieu du fond sonore de klaxons des bus et du brouhaha de la rue, un coup de sonnette, dans son dos, la fit sursauter.
>
> Anne Thioller, *Le Thé aux huit trésors*, Le Livre de Poche Jeunesse, 2002.

? Relève tous les mots du texte qui montrent que cette ville est bruyante.

Doc. 1 : La ville de Mexico, capitale du Mexique (Amérique centrale).

▶ Une urbanisation croissante

Depuis 1950, l'**urbanisation** de la population (voir la carte en début d'ouvrage) augmente dans tous les pays. Aujourd'hui, 1 habitant sur 2 vit en ville. Cependant le **taux** d'urbanisation reste plus élevé dans les pays développés du Nord que dans les pays pauvres du Sud. Dans les pays riches, la population des villes augmente, mais lentement. Dans les pays pauvres, du fait de la croissance démographique et de l'exode rural, elle s'accroît rapidement. Actuellement, une vingtaine de villes comptent plus de 10 millions d'habitants. Ces **métropoles** sont réparties sur tous les continents : Tokyo, New York, Mexico (**Doc. 1**), Sao Paulo, Bombay, Shanghai, Le Caire…

Doc. 2 : Le quartier d'affaires de Los Angeles, aux États-Unis (Amérique du Nord).

▶ **Des paysages similaires**

Partout dans le monde, les paysages urbains tendent à se ressembler. Tous sont composés d'un centre-ville avec un quartier historique plus ou moins ancien, des quartiers d'habitations aux immeubles et maisons bien entretenus, un quartier d'affaires constitué d'immeubles modernes (Doc. 2) ; puis, autour, d'immenses banlieues qui ne cessent de s'étendre.

Doc. 3 : Un bidonville au pied d'un quartier moderne de Bombay, en Inde (Asie).

Le sais-tu ?

En 1900, on comptait 11 villes de plus de 1 million d'habitants dans le monde. Il y en a maintenant plus de 400...

? Observe et compare ces photographies (Doc. 2 et 3). Quel type d'habitation est commun à ces deux villes ?

? Que distingues-tu au premier plan du Doc. 3 ?

? Que peux-tu en déduire sur le pays où se trouve cette ville ?

▶ **Des quartiers contrastés**

Dans les pays riches, centres-villes et banlieues constituent des zones bien aménagées, même si elles ont aussi leurs îlots de pauvreté.
Dans les pays pauvres, les quartiers modernes côtoient les bidonvilles (Doc. 3) où les habitants ne bénéficient pas d'accès à l'eau ni à l'électricité et n'ont pas d'égouts.

Lexique

un bidonville : groupe d'habitations misérables construites à l'aide de matériaux de récupération (bidons, tôles…).
une métropole : grande agglomération, capitale politique ou économique d'une région.
un taux : un pourcentage.
l'urbanisation : transformation d'une région en ville.

➜ **JE RETIENS**
- L'urbanisation ne cesse de s'accroître dans le monde et d'immenses métropoles se créent sur tous les continents. Cette croissance urbaine est encore plus rapide dans les pays pauvres.
- Partout, les paysages urbains tendent à se ressembler (centre-ville ancien, banlieue étendues, quartiers d'affaires modernes…). Toutefois, les bidonvilles restent une caractéristique des villes des pays pauvres.

Les synonymes

Cherchons ensemble

- Lis le poème, puis observe les mots en vert. De quels noms viennent-ils ?
- Cherche leur définition dans le dictionnaire. Que remarques-tu ?

Les mégalopoles

On voit mourir le soir des villes colossales,
Dans un dédale obscur de routes transversales ;

Des hangars en métal de taille gigantesque
Surplombent les frontons des monuments grotesques,
Tandis que les clochers sous leurs ombres dantesques
Recouvrent par endroits les briques des murs sales,

Et parmi les faubourgs hérissés de pylônes,
Pointés vers les hauteurs où naissent les cyclones,
Sous les néons des bars, nos fières Babylones
Préparent aux humains des nuits paradoxales...

Antoine Antonucci, poème inédit cité par Jacques Charpentreau, *in La Ville des poètes*, Le Livre de Poche Jeunesse, 1997.

Le quartier des affaires à Shenzen, en Chine (Asie).

1 Associe chaque mot à un mot synonyme.

- la périphérie •
- construire •
- raser •
- l'immeuble •
- la demeure •

- • bâtir
- • le bloc
- • la résidence
- • la banlieue
- • démolir

2 Dans chaque liste, trouve l'intrus qui n'est pas synonyme des autres mots.

- une habitation – une université – un logis – un logement – un domicile
- une route – un chemin – un piéton – un trajet – un itinéraire
- une rue – une artère – un lampadaire – une voie – une avenue

3 Écris ces phrases en remplaçant le verbe grandir par un des synonymes de cette liste.

s'est accrue – se sont développées – croître

- Les distances entre le domicile et le lieu de travail n'ont cessé de **grandir**.
- Les métropoles **ont grandi** au détriment des campagnes.
- Dans ces villes, l'offre de services spécialisés **a grandi**.

4 Écris ces phrases en remplaçant les mots en gras par les synonymes de la liste.

diversement – délabrés – chantier – anciens

- Ce groupe d'immeubles est encore en **construction**.
- Les **vieux** quartiers des villes sont parfois **dégradés**.
- La croissance urbaine s'effectue **inégalement**.

→ JE RETIENS

- **Les synonymes** sont des mots de **sens proche**. On les utilise pour éviter les répétitions et enrichir les écrits : gigantesque, colossal, énorme, grandiose sont des adjectifs de sens voisins qui signifient « qui frappe par son impression de grandeur ».
- Un verbe a pour synonyme un autre verbe, un adjectif un autre adjectif, un nom un autre nom, une préposition une autre préposition : voir/distinguer (verbe) – obscur/sombre (adjectif) – un dédale/un labyrinthe (nom) – parmi/au milieu de (préposition).

Attention ! deux mots peuvent être synonymes dans une situation donnée et pas dans une autre : une taille (syn. : la hauteur) gigantesque – la taille (syn. : la coupe) des rosiers.

Objectif : Placer correctement les marques du pluriel de noms particuliers.

O r t h o g r a p h e

Le pluriel des noms (cas particuliers)

Cherchons ensemble

- **Lis le texte. Observe les noms en vert. Par quelle lettre se terminent-ils ? Qu'indique-t-elle ?**
- **Mets ces noms au singulier. Que remarques-tu ?**

Les rues de Dakar sont incroyablement animées. On y trouve de tout : des vendeurs d'eau, de café, de tissus, de produits manufacturés et agricoles, des moutons qui déambulent. Des enfants gambadent comme des cabris et cognent à tout va contre un ballon de fortune au milieu d'une route bondée de voitures. Dans les quartiers populaires, il arrive même parfois que les routes soient barrées de **cailloux** ou de briques à l'occasion de cérémonies (baptêmes, mariages, décès, **bals**, etc.).

Sénégal et Gambie, « Guide Évasion », Hachette Tourisme, 2004.

Des marchands près de la gare à Dakar, au Sénégal (Afrique).

1 **Écris ces noms au pluriel.**

un feu – un bambou – le travail – le fou – un attirail – un détail – un jeu – un écrou – un émeu – le chacal – un cheval – un rival – le journal – un aveu – un carnaval

2 **Copie ces phrases en écrivant les noms en gras au pluriel.**

- Les (**jeu**) des enfants sont parfois bruyants.
- La rue est encombrée de (**pneu**) usés.
- En observant bien les (**bijou**) africains, vous remarquerez la finesse des (**détail**).
- Le fabricant ferme la boîte avec des (**clou**).
- En partant, le villageois salue ses (**neveu**).

3 **Copie ces phrases en écrivant les noms en gras au singulier.**

- Il fait des **trous** dans le sol pour y planter des **pieux**.
- Demain, il vendra des **métaux** au marché de Dakar.
- Afin d'arroser ses cultures, le jardinier creuse des **canaux** d'irrigation.
- Ces artisans utilisent des **matériaux** de récupération.
- On aperçoit les **signaux** des pêcheurs sur le lac.

4 **Écris ces expressions après avoir accordé les noms en gras. Emploie-les dans une phrase.**

un collier de (**cristal**) – faire ses (**adieu**) – nourrir des (**animal**) – travailler à (**genou**) – acheter des (**éventail**) – participer à des (**festival**)

→ JE RETIENS

- Les noms terminés par **-ou** au singulier prennent un **s** au pluriel : un trou → des trous.
Exceptions : des bijoux – des cailloux – des choux – des genoux – des hiboux – des joujoux – des poux.
- Les noms terminés par **-ail** au singulier prennent un **s** au pluriel : un détail → des détails.
Exceptions : des travaux – des vitraux – des coraux – des émaux – des soupiraux.
- Les noms terminés par **-al** au singulier forment leur pluriel en **-aux** : un cheval → des chevaux.
Exceptions : des bals – des carnavals – des chacals – des festivals.
- Les noms terminés par **-eu** au singulier prennent un **x** au pluriel : un feu → des feux.
Exceptions : des pneus – des bleus – des émeus.

Les articles

Cherchons ensemble

Une rue de Lahore, au Pakistan (Asie).

- Lis le texte, puis observe les articles en **vert**. Indique s'ils marquent le masculin ou le féminin, le singulier ou le pluriel. Est-il toujours possible de le savoir ?
- Repère l'article en orange. Par quoi peux-tu le remplacer ?

La maison d'Hussein Khan, **le** maître, se trouvait à la périphérie de Lahore, dans la poussière et la campagne brûlée où venaient paître **les** troupeaux descendus du Nord. C'était **une** grande maison, à moitié en dur et à moitié en tôle ondulée. Dans la cour centrale sale et défoncée se trouvaient le puits, la vieille camionnette Toyota, l'abri de roseaux qui abritait **les** balles de laine et de coton et **au** fond, à demi cachée par les ronces et les herbes sauvages, la porte en fer toute rouillée […].

Francesco d'Adamo, *Iqbal un enfant contre l'esclavage*, Le Livre de Poche Jeunesse, 2002.

1 **Copie ces noms en complétant par des articles définis.**

… métier – … patronne – … tapis – … punition – … paie – … ferme – … ovins – … basse-cour – … fils – … misère – … valet – … filature – … tissage – … moitié

3 **Copie le tableau, puis classe les articles.**

des enfants exploités – l'esclavage – au centre – un village misérable – l'eau – le toit de tôle – la pause – un troupeau – le bout du chemin – aux environs – les bois – l'îlot

	articles singuliers	articles pluriels
articles définis	…	…
articles indéfinis	…	…
articles contractés	…	…

2 **Copie en remplaçant l'article défini l' par un article indéfini.**

l'entrée – l'atelier – l'exploitation – l'étable – l'écurie – l'usine – l'heure – l'apprenti – l'artisan – l'employée – l'arrêt – l'interdiction

4 **Copie ce texte en le complétant par les articles qui conviennent.**

… enfants de Lahore doivent souvent trouver … emploi pour vivre. … patrons leur proposent … salaire dérisoire, ainsi que … conditions et … horaires le plus souvent difficiles. Ils se lèvent tôt pour se rendre … travail et ne rentrent parfois qu'à … nuit.

→ **JE RETIENS**

Un nom est généralement précédé d'**un article**. Un article indique **le nombre**, mais seul un article singulier (le, la, un, une) indique **le genre** (l'article élidé l' ne l'indique pas).
- **Les articles définis** (le, la, l', les) désignent plus précisément un nom :
le maître – la poussière – l'abri – l'herbe – les troupeaux.
- **Les articles indéfinis** (un, une, des) ne précisent pas le nom dont il s'agit :
un puits – une maison – des roseaux.
- **Les articles contractés** (au, du, aux) remplacent une préposition et un article défini :
au (à le) fond – du (de le) Nord – aux (à les) animaux.

Objectif : Mémoriser les formes conjuguées des verbes **être** et **avoir** au présent de l'indicatif.

Le présent des verbes **être** et **avoir**

Cherchons ensemble

- Lis le texte. Observe le mot en orange. Que peux-tu en déduire sur le temps des verbes conjugués ?
- Observe les verbes en vert. Lesquels sont conjugués à la 3e personne du pluriel ?

Le Caire est, aujourd'hui, la grande métropole d'Égypte. Elle approche les 20 millions d'habitants et s'étend sur plus de 65 km du Nord au Sud et 35 km d'Est en Ouest. Pourtant, malgré la construction de nombreuses villes nouvelles à la périphérie, le Grand Caire a du mal à absorber l'accroissement rapide de sa population. Au centre-ville, la place est si rare et les habitants sont si nombreux qu'ils construisent de véritables villages sur les terrasses des immeubles. Parfois même ils ont la chance de pouvoir occuper les mausolées des cimetières.

La ville du Caire, en Égypte (Afrique).

1 Copie ces phrases en les complétant avec les pronoms personnels sujets qui conviennent.

- … sommes sur la terrasse.
- … as du mal à trouver un logement en ville.
- Hier, … ont commencé les travaux.
- Quand avez-… acheté ce terrain ?
- Est-… suffisamment grand pour y bâtir une maison ?
- … suis logé dans un studio voisin du marché.

2 Copie, puis associe chaque pronom personnel avec le groupe verbal qui convient.

Nous •   • est arrivé au centre-ville.
Nous •   • avons circulé à moto.
On •   • sommes des touristes.
Ils •   • ont vu la nouvelle mosquée.
Elles •   • se sont perdus dans les ruelles.

3 Copie ces phrases en mettant les verbes en gras au présent de l'indicatif.

- J'(**avoir**) marchandé avec les commerçants.
- La canalisation d'eau (**être**) enterrée.
- Les plans d'urbanisation ne (**être**) pas respectés.
- Quand (**être**)-vous arrivés en Égypte ?
- À quel aéroport (**avoir**)-ils atterri ?

4 Copie ces phrases en les complétant avec les verbes être et avoir au présent de l'indicatif.

- Le Caire … situé sur le Nil. C'… la plus grande ville d'Afrique.
- Nous … visité son musée d'Art égyptien. Il y … de belles collections. Elles … uniques au monde.
- …-vous aperçu les Pyramides ? J'… une paire de jumelles si vous en … envie.

JE RETIENS

Être : je **suis** – tu **es** – il/elle **est** – nous **sommes** – vous **êtes** – ils **sont**.
Avoir : j'**ai** – tu **as** – il/elle **a** – nous **avons** – vous **avez** – ils **ont**.
- **Être** et **avoir** sont également des **auxiliaires** qui permettent de conjuguer les autres verbes aux temps composés : Elle **est devenue** une métropole. – Ils **ont construit** sur les terrasses.

Décrire un lieu

Cherchons ensemble

- Lis ce texte. De quoi parle-t-il ?
- Lis le titre. Jakarta est-elle une petite ou une grande ville ? Par quelle expression est-elle désignée ?
- Repère la phrase en gras. Quelle image de la ville le verbe « se déployer » donne-t-il ?
- Observe les expressions en vert. Quels éléments du paysage décrivent-elles ?
- Relève les noms en orange. Quels renseignements donnent-ils sur les activités des habitants ?
- Lis le groupe nominal en orange. Quels mots créent une impression de contraste ?

La ville de Jakarta, en Indonésie (Asie).

Jakarta, une métropole tentaculaire

[...] Ses gratte-ciel poussent leurs murailles de verre au milieu d'un gigantesque dédale de ruelles aux maisons basses que viennent gonfler chaque année des milliers de nouveaux arrivants, qui campent dans des baraquements de fortune. **Depuis quelques décennies, Jakarta se déploie dans la fièvre de l'improvisation :** des magasins, des bureaux et des usines s'installent dans les quartiers résidentiels ; des voies express traversent bruyamment une succession de gros bourgs en quête d'un centre inexistant ; des jardins potagers répandent dans les contre-allées une atmosphère de village.

Jakarta a mauvaise réputation auprès des touristes : trop de voitures, trop de monde, trop de chaleur, trop de tout. Pourtant cette métropole à la fois délabrée et futuriste abrite de beaux spécimens d'architecture coloniale, de nombreux temples traditionnels, plus de 1 500 mosquées, des discothèques hallucinantes, des marchés trépidants, des ruelles obscures, des cavernes d'Ali Baba dans l'arrière-boutique des antiquaires, des ciels nocturnes sur lesquels dansent jusqu'à l'aube les marionnettes du théâtre d'ombres, et surtout une sympathique bonne humeur, un rien irrévérencieuse, irrésistible.

Grand Guide de l'Indonésie, © Gallimard Loisirs et APA Publications Gmbh and Cᵒ verlag.

---

1 Observe la photographie, puis réponds aux questions en t'aidant des mots de vocabulaire ci-dessous.

- Quel type de paysage montre cette photographie ?
- Que vois-tu au premier plan ?
- Que vois-tu au second plan ?

tour – toit de tôle – quartier – pauvre – riche – urbain

Une rue de Hong-Kong en Chine (Asie).

2 Observe ces photographies de paysage urbain. Rédige pour chacune d'elles deux ou trois phrases pour décrire ce que tu vois au premier plan et à l'arrière-plan, en insistant sur les impressions de contraste. Aide-toi de la liste de mots si nécessaire.

gratte-ciel/maison – immeuble/maisonnette – quartier d'affaires/quartier résidentiel – moderne/ancien – neuf/vieux – haut/bas – petit/grand – nombreux/rare – beau/laid – près/loin – voiture/charrette – calme/agité

Une vue de San Francisco,
aux États-Unis (Amérique du Nord).

Une vue d'Alexandrie, en Égypte
(Afrique).

3 Observe cette photographie.

- À quel animal penses-tu en regardant la route ?
- Quelle impression donnent ces petites maisons toutes identiques et bien rangées ?
- Décris ce paysage en deux ou trois phrases en utilisant des images.

La banlieue de Las Vegas, aux États-Unis
(Amérique du Nord).

4 Observe cette photographie et décris-la.

Une vue de Sao Paulo, au Brésil
(Amérique du Sud).

JE RETIENS

- Pour **décrire un lieu**, un paysage, on emploie des termes spécifiques à la géographie qui permettent d'évoquer le relief, la végétation, les habitations, les activités et les modes de vie des hommes, etc. : des gratte-ciel – des voies express - des jardins potagers.
- Pour rendre une description plus vivante, il est possible :
– d'utiliser des images : Jakarta se déploie... ;
– ou de procéder par contraste : une métropole à la fois délabrée et futuriste.

Comment la France évolue-t-elle

Cherchons ensemble

- **Qui dirige le pays dans une république ?**
- **Quel est le rôle des députés ?**
- **Qu'est-ce que le suffrage universel ?**

Le sais-tu ?

Lorsque le suffrage universel masculin est établi en 1848, le nombre d'électeurs passe de 250 000 à 9 000 000.

? Quel symbole de la Révolution figure au centre du tableau (Doc. 1) ?

? À quoi vois-tu qu'il y a eu des émeutes ?

? Où est Louis-Philippe ?

? Quelle est l'attitude du peuple de Paris envers lui ?

Doc. 1 : Louis-Philippe et la fin des barricades le 31 juillet 1830, à Paris (peinture d'Horace Vernet, XIXᵉ siècle).

La rue était déserte à perte de vue. Toutes les fenêtres et toutes les portes fermées. Au fond se dressait ce barrage qui faisait de la rue un cul-de-sac ; mur immobile et tranquille ; on n'y voyait personne, on n'y entendait rien ; [...].
C'était la barricade du faubourg du Temple.

Victor Hugo, *Les Misérables*, 1862.

? Relève les mots qui désignent la barricade.

▶ L'échec des monarchies

En 1815, la France redevient une monarchie constitutionnelle dirigée par un roi, Louis XVIII. Charles X, qui lui succède en 1824, prend des mesures **conservatrices**. Mécontent, le peuple de Paris se révolte. Les 27, 28 et 29 juillet 1830 (les Trois Glorieuses), il lutte sur les barricades et contraint le roi à s'enfuir à l'étranger. Une monarchie, plus **libérale**, se met en place. Le roi Louis-Philippe (Doc. 1) adopte le drapeau tricolore et accepte de partager le pouvoir avec les députés. Mais, peu à peu, le régime devient plus autoritaire. En février 1848, les Parisiens se soulèvent à nouveau et chassent le roi. La IIᵉ République est proclamée.

de 1815 à 1870 ?

▶ La tentative républicaine

Dès l'avènement de la IIe République (24 février 1848), le gouvernement provisoire met en place un régime plus libéral : il instaure le **suffrage universel masculin** (Doc. 2), rétablit la liberté de la presse, et, sous l'influence de Victor Schœlcher, abolit l'esclavage dans les colonies. En décembre 1848, le neveu de Napoléon Ier, Louis Napoléon Bonaparte, est élu président de la République. Mais, il organise un coup d'État le 2 décembre 1851, rétablit l'Empire et prend le nom de Napoléon III.

? Où se trouve Napoléon III (Doc. 3) ?

? Que font les ouvriers du chantier ?

Doc. 3 : Napoléon III visitant le chantier du nouveau Louvre (peinture de Nicolas Gosse, 1854).

? Que signifie le geste de l'homme mettant son bulletin dans l'urne (Doc. 2) ?

? Qu'y a-t-il d'inscrit sur l'urne ?

Doc. 2 : Le suffrage universel (gravure, 1848).

▶ Le retour à l'Empire

Au début de son règne, Napoléon III prend des mesures autoritaires (contrôle de la presse et des opposants). Toutefois, à partir de 1860, le régime du IInd Empire s'adoucit. Le droit de **grève** est accordé aux ouvriers (1864). C'est une période de développement et de modernisation : construction de chemins de fer, transformation de Paris (Doc. 3) par le baron Haussmann. Mais, en 1870, la défaite de l'armée française à Sedan contre l'Allemagne oblige Napoléon III à abdiquer.

Lexique

conservateur : qui est contre les changements politiques et le partage du pouvoir, donc favorable au régime monarchique.

une grève : fait de cesser son travail pour revendiquer une amélioration de sa condition.

libéral : qui est pour les changements politiques et plus de liberté pour les citoyens, donc favorable au régime républicain.

le suffrage universel masculin : droit de vote pour tous les hommes majeurs.

→ JE RETIENS

- À partir de 1815, deux monarchies constitutionnelles tentent de revenir à un régime plus autoritaire. Mais le peuple mécontent se soulève et oblige les rois à renoncer au pouvoir.
- En 1848, la IIe République réussit à imposer le suffrage universel masculin et l'abolition de l'esclavage. Cependant, elle ne résiste pas au coup d'État de 1851 qui rétablit l'Empire.
- Le IInd Empire revient peu à peu à des idées plus libérales. Il favorise le développement économique du pays, mais s'effondre avec la défaite militaire de Sedan en 1870.

Les contraires

Cherchons ensemble

- Lis le texte. Repère les mots en orange. Que signifient-ils ? Qu'en déduis-tu ?
- Cherche dans ton dictionnaire le contraire des mots en vert.

> Le 25 juillet 1830, Charles X signe quatre ordonnances. Elles suppriment la liberté de la presse, réduisent le nombre de députés. La Chambre est dissoute, de nouvelles élections sont fixées. On assiste alors à trois journées d'insurrection parisienne, appelées les Trois Glorieuses, les 27, 28 et 29 juillet 1830.
>
> Étudiants, ouvriers, artisans, riches et pauvres dressent des barricades. Bientôt, l'armée se range du côté des insurgés.
>
> *La France au XIXᵉ siècle*, coll. « Bonjour l'histoire », PEMF, 1998.

Un combat de rue à Paris, le 29 juillet 1830 (peinture de Lecomte, XIXᵉ siècle).

1 Copie, puis relie chaque mot à son contraire.

éloigné •	• définitif
provisoire •	• rare
important •	• différent
rester •	• proche
nombreux •	• dérisoire
identique •	• partir

2 Écris ces phrases en remplaçant les mots en gras par leur contraire pris dans la liste ci-dessous.

autorisée – ouvrez – davantage – se révolter – fragile

- En 1830, les Français veulent **moins** de liberté.
- Les Parisiens décident de **se soumettre**.
- **Barricadez** cette porte !
- L'expression de ces idées est **interdite**.
- Le régime de Charles X est **solide**.

3 Récris ces phrases en remplaçant les mots en gras par leur contraire.

- Les barricades sont **rapidement dressées** dans les rues.
- Les troupes royales **descendent** vers le pont.
- Les enfants **rient** en entendant les coups de feu.
- Gavroche **se cache** et **se tait**.
- Ils finissent par **avancer**.
- Les révoltés **attaquent** le bâtiment avec courage.

4 Copie en remplaçant le mot douce par les contraires qui conviennent.

agitée – amère – salée – rêche – brutale

- Cette étoffe est très **douce**.
- passer une **douce** après-midi
- se baigner dans de l'eau **douce**
- avoir une réaction **douce**
- C'est une boisson **douce**.

→ JE RETIENS

- Pour dire **le contraire**, on peut utiliser **l'opposé** d'un mot : le jour/la nuit – riche/pauvre – réduire/augmenter – bientôt/plus tard.
- Le contraire d'un mot peut être différent selon le contexte : une terre **pauvre** (une terre **fertile**) – un homme **pauvre** (un homme **riche**) – Quel **pauvre** homme ! (Quel **heureux** homme !) – la **liberté** de la presse (la **censure** de la presse) – vivre en **liberté** (vivre en **captivité**).

Objectif : Savoir repérer deux formes du verbe **être**, homophones d'un mot de liaison.

Distinguer es - est / et

Cherchons ensemble

- Lis ce texte, puis essaie de remplacer les mots en orange par était. Que remarques-tu ?
- Remplace les mots en vert par et puis. Que remarques-tu ?
- Essaie de faire l'inverse. Que peux-tu en déduire ?

> Y avait un de ces mondes au Champ-de-Mars hier pour danser autour de l'arbre de la Liberté !
> – Ouais… mais la liberté, on la voit pas trop…
> – T'es malade ! Tu préférais Louis-Philippe ?
> – J'ai pas dit ça ! Mais la République n'a pas apporté que de bonnes choses, y a qu'à regarder en arrière ! Et la liberté, c'est un joli mot, mais pour nous, rien n'a changé. On travaille seize heures par jour pour un salaire de misère.
> – Quand même, on a élu huit républicains sur neuf et ça, c'est un fameux pas en avant…
>
> Anne-Marie Desplat-Duc, *La Soie au bout des doigts*, Le Livre de Poche Jeunesse, 2002.

Le roi Louis-Philippe prêtant serment sur la Charte de 1830 (peinture de François Gérard, 1834).

1 Copie ces phrases en écrivant les verbes en gras au présent de l'indicatif.

- C'**était** Louis-Philippe qui **était** le nouveau roi.
- Tu **étais** mécontent.
- Après la révolte, la IIᵉ République **sera** instaurée.
- Tu **seras** tenu éloigné du pouvoir.
- Le suffrage universel **était** enfin proclamé.

2 Transforme ces phrases en mettant les mots en gras au singulier.

- **Les drapeaux** sont plantés et flottent au vent.
- **Vous** êtes sur les barricades.
- **Ces mesures** sont injustes et inégalitaires.
- **Vous** êtes intolérants et exigeants.

3 Utilise les mots de chaque liste pour former une phrase, comme dans l'exemple.

Ex. bourgeois – Paris – riche – habile
→ Ce bourgeois de Paris **est** riche **et** habile.

- décision – roi – maladroite – provocatrice
- réaction – peuple – dure – violente
- dirigeant – pays – autoritaire – puissant

4 Copie et complète ce texte par et, es ou est.

- Ce matin, tu … allé voter pour la première fois. C'… un acte important.
- Le bureau de vote … éloigné d'une lieue … demie de notre village. Tu t'y … rendu à pied.
- Artisans … paysans sont heureux !

→ JE RETIENS

- **Es** et **est** sont des formes conjuguées du verbe **être** au présent de l'indicatif. Elles peuvent être remplacées par d'autres formes de ce verbe à l'imparfait ou au futur simple :
Tu **es** malade. (présent) – Tu **étais** malade. (imparfait) – Tu **seras** malade. (futur simple)
C'**est** un joli mot. (présent) – C'**était** un joli mot. (imparfait) – Ce **sera** un joli mot. (futur simple)
- **Et** est un mot invariable qui relie des groupes de mots ou des phrases. Il peut être remplacé par **et puis** : Il a discuté **et** il s'est fâché. – Il a discuté **et puis** il s'est fâché.

Les déterminants

Cherchons ensemble

- **Lis ce texte. Repère les mots en** orange**. Quelle est la nature des mots qui les suivent ? Sont-ils du même genre et du même nombre ?**

- **Essaie de remplacer ces mots par des articles définis ou indéfinis. Que constates-tu ?**

Article 8

À l'avenir, même en pays étranger, il est interdit à tout Français de posséder, d'acheter ou de vendre des esclaves, et de participer, soit directement, soit indirectement à tout trafic ou exportation de ce genre. Toute infraction à ces dispositions entraîne la perte de la qualité de citoyen français. Néanmoins, les Français qui se trouveront atteints par ces prohibitions, au moment de la promulgation du présent décret, auront un délai de trois ans pour s'y conformer. Ceux qui deviendront possesseurs d'esclaves en pays étrangers, par héritage, don ou mariage, devront sous la même peine, les affranchir ou les aliéner dans le même délai, à partir du jour où leur possession aura commencé.

Décret du 27 avril 1848 sur l'abolition de l'esclavage dans les colonies.

Proclamation de l'abolition de l'esclavage dans les colonies françaises (peinture d'Auguste Biard, XIXᵉ siècle).

1 **Copie ces phrases. Souligne les noms, puis entoure leur déterminant (y compris les articles).**

- Ce député a su convaincre ses collègues de voter la loi.
- Aucun homme ne s'élève contre cette décision.
- Tous les esclaves sont heureux d'être libres.
- Chaque bulletin de ce vote comptera pour gagner notre liberté.
- Plus de cent députés se sont levés pour l'applaudir.

2 **Associe ces déterminants démonstratifs aux phrases qui conviennent.**

Cet •   • planteur refuse d'appliquer la loi.
Cette •   • esclave vient d'être affranchi.
Ces •   • loi interdit d'avoir des esclaves.
Ce •   • hommes sont libres maintenant.

3 **Copie ces phrases en les complétant avec l'un de ces déterminants possessifs.**

leurs – ma – tes – notre – sa – mon – leur

- Tu as défendu … idées avec vigueur.
- Que ferais-tu à … place ?
- Ils ont gagné … liberté.
- … opposants se sont tus.
- Nous retournons dans … pays.
- Je lui montre … joie et … enthousiasme.

JE RETIENS

- Les noms sont souvent précédés par des articles, mais d'autres **déterminants** peuvent aussi être placés devant les noms.

déterminants	possessifs	démonstratifs	indéfinis	numéraux
singuliers	mon, ma, ton, ta, son, sa, notre, votre, leur	ce, cet, cette	quelque, chaque, tout, toute, aucun, aucune, même…	un
pluriels	mes, tes, ses, nos, vos, leurs	ces	quelques, plusieurs, tous, toutes, mêmes…	deux, quatre, dix, vingt, cent, mille…

- Il est possible de placer un article et un autre déterminant devant un nom : **le même** délai.

Objectif : Placer les terminaisons des verbes du 1er groupe au présent de l'indicatif.

Conjugaison

Le présent des verbes du 1er groupe

Cherchons ensemble

- **Lis le texte. Donne l'infinitif des verbes en** orange. **À quel groupe appartiennent-ils ?**
- **À quel temps sont-ils conjugués ?**

> Le 1er septembre à 17 heures, l'armée française, encerclée par 240 000 Allemands, mitraillée de toute part, reflue dans la cuvette de Sedan. Elle s'entasse dans l'étroite enceinte ; des masses humaines emplissent les rues ; les obus pleuvent…
>
> Pour éviter un massacre inutile, Napoléon III fait arborer le drapeau blanc. Puis il écrit au roi de Prusse : « Monsieur mon Frère, n'ayant pu mourir au milieu de mes troupes, il ne me reste qu'à remettre mon épée entre les mains de Votre Majesté. »
>
> Fernand Deleam, *Sedan 1870*, Institut coopératif de l'école moderne, pédagogie Freinet, 1970.

La capitulation de Napoléon III à Sedan (gravure, 1871).

1 **Associe ces pronoms personnels au groupe verbal qui convient.**

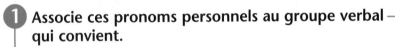

Je • • donnons l'assaut.
Tu • • formez un gouvernement.
Ils • • dénonces cette guerre.
Nous • • assiègent Paris.
Il • • pense qu'il faut résister.
Vous • • rêve de la gloire de son oncle.

2 **Écris ces phrases en choisissant la forme correcte des verbes.**

- Le siège de Paris (**provoque/provoques**) une famine.
- Les armées (**se replient/se repliez**).
- Nous (**hissons/hissent**) le drapeau blanc.
- Tu (**souhaitent/souhaites**) le retour de la république.

3 **Conjugue les verbes de ces expressions au présent de l'indicatif.**

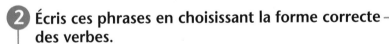

- **accepter** la défaite
- **libérer** les prisonniers
- **encercler** la ville
- **souhaiter** la paix

4 **Écris ces phrases en mettant les verbes entre parenthèses au présent de l'indicatif.**

- L'officier (**tirer**) son sabre du fourreau et (**lancer**) la charge de cavalerie.
- Les troupes ennemies (**percer**) nos défenses et (**décimer**) nos troupes.
- Le clairon (**sonner**) le signal de la retraite.
- Les Prussiens (**arriver**) aux portes de Paris.
- L'empereur (**signer**) la capitulation.

5 **Copie ce texte. Entoure les verbes du 1er groupe à l'infinitif et souligne ceux conjugués au présent de l'indicatif.**

Le conflit éclate entre la France et la Prusse. Napoléon III espère que cette guerre va rassembler les Français autour de lui. Il veut mener lui-même les troupes à la bataille, mais se révèle un piètre chef de guerre. Ses troupes se laissent encercler dans Sedan le 2 septembre 1870. Deux jours plus tard, à Paris, on proclamera la république.

→ JE RETIENS

Au **présent de l'indicatif**, tous les **verbes du 1er groupe** prennent les mêmes terminaisons :
rester : je rest**e** – tu rest**es** – il/elle rest**e** – nous rest**ons** – vous rest**ez** – ils/elles rest**ent**.

Comment les pays deviennent-ils

⊙herchons ensemble

- **Combien faut-il de temps pour aller de Paris à New York en avion ?**
- **Dans quels pays tes vêtements ont-ils été fabriqués ?**
- **Comment peux-tu savoir ce qui se passe en Chine ?**

❓ Observe la carte (**Doc. 2**). Sur quels continents les pays de départ sont-ils en majorité situés ?

❓ Quels sont les principaux pays d'accueil ?

❓ Où ces personnes se trouvent-elles (**Doc. 1**) ?

❓ Quel moyen de transport s'apprêtent-elles à prendre ?

Doc. 1 : Quelques personnes qui embarquent à l'aéroport de Londres, au Royaume-Uni (Europe).

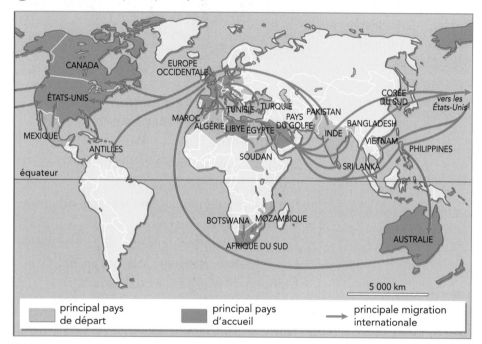

Doc. 2 : Les migrations internationales du travail.

▶ Des populations très mobiles

Grâce à la modernisation des transports (**Doc. 1**), les populations se déplacent beaucoup. Elles le font pour leurs loisirs, c'est le tourisme, ou pour aller vivre et travailler ailleurs que dans leur pays d'origine (**Doc. 2**). Dans les années 2000, plus de 150 millions de personnes ont ainsi quitté leur pays. Ces **migrations internationales** concernent essentiellement les habitants des pays pauvres qui fuient la misère ou la guerre pour aller dans les pays développés où les conditions de vie sont meilleures. Ces mouvements de population multiplient les relations et les liens entre les différents peuples de la planète.

Un jour enfin, Binh nous conduisit dans le bureau d'une femme responsable des destinations des réfugiés. Nous n'osions croire que les Américains voulaient bien de nous, que l'heure du départ approchait et que nous allions quitter Hong Kong et ce camp monstrueux.

Gloria Wheelan, *Vers la ville d'argent*, © Castor Poche Flammarion, 1995.

❓ Où se trouvent les réfugiés ?

❓ Dans quel pays espèrent-ils se rendre ?

interdépendants ?

Doc. 3 : Un restaurant McDonald's à Pékin, en Chine (Asie).

 Dans la photographie (Doc. 3), quels éléments montrent que McDonald's est une entreprise multinationale ?

Le sais-tu ?

L'ONU a été créée en 1945, après la Seconde Guerre mondiale, pour essayer de maintenir la paix dans le monde et favoriser la coopération internationale. Elle dispose d'une force armée, les Casques bleus.

▶ Des échanges économiques nombreux

Dans le monde entier, les échanges économiques se multiplient, entraînant la création de sociétés **multinationales** (Doc. 3). Le commerce de marchandises progresse du fait du développement des transports et de l'utilisation de **conteneurs**. La circulation des **capitaux** et des informations augmente grâce aux nouveaux moyens de communication comme les satellites ou Internet. C'est la **mondialisation** des échanges où trois pôles dominent : les États-Unis, l'Union européenne et le Japon.

▶ Des pays tous liés entre eux

Progressivement, tous les pays du monde deviennent **interdépendants** du fait des différents accords, politiques ou économiques, qu'ils signent ou de leur participation à des organismes internationaux, comme l'Organisation des nations unies (ONU) qui tente de préserver la paix sur l'ensemble de la planète ou l'Organisation mondiale du commerce (OMC) qui cherche à réguler les échanges économiques.

Lexique

des capitaux : somme d'argent qu'une personne investit dans une entreprise.

un conteneur : très grande caisse.

interdépendant : dépendant les uns des autres.

international : qui concerne différents pays du monde.

une migration : déplacement de population d'un territoire vers un autre.

la mondialisation : phénomène récent qui conduit à l'internationalisation de tous les échanges.

une multinationale : entreprise qui est installée dans plusieurs pays.

→ JE RETIENS

• Partout dans le monde, grâce à l'amélioration des transports, la circulation des personnes ne cesse de s'accroître. Le tourisme et les migrations s'internationalisent.

• Les échanges commerciaux entre les pays se multiplient également, de même que la circulation des capitaux et des informations : c'est la mondialisation.

• Les pays participent presque tous à la vie politique et économique internationale. Les accords qui les lient et les échanges qu'ils font les rendent interdépendants.

Les mots d'origine étrangère

Cherchons ensemble

• **Lis le texte, puis repère les noms en vert. Cherche leur définition dans un dictionnaire. Y sont-elles ?**

– Alors tu as enfin **Internet**, Peter, dit Miranda.
Peter Hamilton fit une grimace.
– Je n'en reviens pas. Il y avait des mois que je tannais mon père pour qu'il m'ouvre un compte. Je n'y croyais plus ! Et dire qu'en plus, tout a été réglé avant les vacances !
– On pourrait chercher un site **web** sur James Bond, s'enthousiasma Jenny, repoussant ses cheveux clairs derrière ses oreilles. On apprendrait des tas de techniques d'espionnage géniales.

Fiona Kelly, *Piège sur le Net*, © Hodder Children's Books.

Deux enfants utilisant un ordinateur.

1 **Copie ces phrases en les complétant avec l'un des mots ci-dessous.**

match – surfer – squatter – shoot – interview – mail

• Tu as envoyé un ... à ton correspondant allemand.
• Ce ... est retransmis par les télévisions du monde entier.
• Mon frère peut ... l'ordinateur des heures entières !
• L'... de cette personnalité s'est faite par téléphone.
• Ce magnifique ... a été filmé par tous les reporters.
• Grâce à ce modem, vous pouvez ... plus vite sur la toile.

2 **Associe chaque nom d'origine étrangère à son équivalent français.**

• le bazar – un spray – une star – un spot – le look – un building – un toubib – un Walkman – un sofa
• un gratte-ciel – un atomiseur – un baladeur – une vedette – un divan – l'allure – le désordre – un docteur – un projecteur

3 **Donne le nom d'origine étrangère correspondant à ces définitions.**

• petit film qui accompagne une chanson ou une publicité → un cl...
• aliment fabriqué à partir de la graine de cacao → le ch...
• campement provisoire → un biv...
• instrument de musique à soufflet et à clavier → un acc...
• programme de travail → un pla...
• chapeau à larges bords d'Amérique du Sud → un som...

4 **Cherche dans un dictionnaire l'origine et la définition de ces mots, puis utilise-les dans une phrase.**

zéro – un challenger – une régate – le zapping – un robot – un piano – un wagon – un kimono

→ JE RETIENS

• Dans le langage courant, on utilise parfois des mots qui viennent d'**autres langues** :
– l'anglais : un bifteck – le chewing-gum
– l'italien : les spaghettis – une tombola
– l'espagnol : la corrida – la pacotille
– l'arabe : le burnous – le caïd
• Lorsqu'il existe un synonyme qui appartient au français depuis longtemps, il est préférable de l'employer à la place du mot d'origine étrangère : un match → **une partie**.

Objectif : Savoir repérer deux formes du verbe **avoir**, homophones d'une préposition.

Distinguer as - a / à

Cherchons ensemble

- Lis ce texte. Observe les deux petits mots en vert. Qu'est-ce qui les distingue ?
- Mets les deux phrases dans lesquelles se trouvent ces mots au passé. Que remarques-tu ?

> Le tourisme est aujourd'hui la première activité économique mondiale. Plus de 500 millions de personnes voyagent à l'étranger et dans leur pays chaque année. La population des pays développés a plus d'argent et de loisirs pour voyager. Mais les sommes injectées dans l'économie locale ne profitent pas toujours aux habitants. Ceux-ci sont parfois contraints d'accepter des emplois mal payés, et le tourisme peut être vécu comme une intrusion dans leur vie.
>
> Collectif, *L'Atlas Gallimard Jeunesse*, coll. Atlas, © Gallimard Jeunesse.

Deux touristes asiatiques à Milan, en Italie (Europe).

1 Copie ces phrases en écrivant les verbes en gras au présent de l'indicatif.

- Hugo **avait** acheté des souvenirs à Bruges.
- Tu **avais** préféré partir en croisière.
- Simon **avait** adoré ses vacances au Maroc.
- Cet été, Wendeline **aurait** souhaité aller à Bali.
- Tu **avais** recherché un endroit calme à la montagne.
- Cet artiste **aura** visité presque tous les musées.

2 Copie ces phrases en écrivant les mots en gras au singulier. Effectue les accords indispensables.

- **Ces parcs** d'attractions ont séduit les enfants.
- **Les tarifs** des voyages ont beaucoup augmenté.
- **Vous** avez fait une croisière sur le Nil.
- **Les clubs** de vacances ont du succès.
- **Vous** avez beaucoup de soleil en Grèce.

3 Conjugue les verbes de ces expressions aux trois premières personnes du présent de l'indicatif.

- **avoir** des congés
- **avoir** trop de bagages
- **avoir** un billet
- **avoir** envie de voyager
- **avoir** du temps
- **avoir** un appareil photo

4 Copie ces phrases en les complétant par a, as ou à.

- Cette année encore, François … choisi de passer des vacances … l'étranger.
- Tu … repéré dans ce catalogue un circuit en Chine … un tarif exceptionnel, mais tu n'… pas assez économisé pour te l'offrir.
- Mon voisin … réservé un séjour … Rio de Janeiro pour ses vacances d'hiver.
- L'avion … destination de Tahiti … fait quatre escales. …-tu trouvé le temps long ?

→ JE RETIENS

- **As** et **a** sont des formes conjuguées du verbe **avoir** au présent de l'indicatif. Elles peuvent être remplacées par d'autres formes de ce verbe à l'imparfait ou au futur simple :

Tu **as** le temps. (présent) – Tu **avais** le temps. (imparfait) – Tu **auras** le temps. (futur simple)

Elle **a** le temps. (présent) – Elle **avait** le temps. (imparfait) – Elle **aura** le temps. (futur simple)

- Dans tous les autres cas, **à** s'écrit avec un accent grave. C'est une **préposition invariable** :

voyager **à** l'étranger – une somme **à** dépenser.

Objectif : Retrouver différents types de phrases.

Les phrases simples, complexes et nominales

Cherchons ensemble

- Lis ce texte. Observe la phrase en vert, puis trouve le verbe conjugué.
- Observe maintenant la phrase en orange. Combien a-t-elle de verbes conjugués ?
- Lis la phrase de titre. Que remarques-tu ?

Des affiches publicitaires pour Pepsi et Coca-Cola à Varsovie, en Pologne (Europe).

> **Des économies dépendantes**
> La mondialisation renforce les liens entre les économies. Une crise dans un pays a des répercussions sur la croissance des États avec lesquels celui-ci commerce. La menace de voir s'enfuir les capitaux et les entreprises étrangères pèse sur les politiques menées par les gouvernements. Pour prendre leurs décisions, ils doivent tenir compte de l'environnement mondial comme des stratégies des multinationales, lesquelles ne raisonnent pas forcément en terme d'intérêt national.
>
> *Zoom 2005, le monde d'aujourd'hui expliqué aux jeunes, Hachette Livre, 2004.*

1 Lis ces phrases, puis copie celles qui sont des phrases simples.

- Hier, la Bourse de Tokyo a clôturé à la baisse.
- Des entreprises françaises s'implantent à l'étranger, où elles se développent avec succès.
- L'Union européenne favorise la libre circulation des marchandises entre pays membres.

2 Copie en associant ces éléments pour former des phrases complexes.

L'OMC réfléchit à des mesures	et regardent les mêmes films.
Les citoyens du monde écoutent la même musique	où les conditions sont favorables.
Les multinationales se développent là	pour que les échanges soient mieux régulés.

3 Écris ces phrases simples sous forme de phrases nominales.

Ex. Les experts **se sont réunis** à Pékin.
→ **Réunion** des experts à Pékin.

- Le trafic maritime se développe.
- Les échanges mondiaux explosent.
- Les pays riches exportent des produits de haute technologie.

4 Copie ce texte. Précise après chaque phrase s'il s'agit d'une phrase simple (S), complexe (C) ou nominale (N).

Depuis cinquante ans, le commerce se développe considérablement entre les pays. Évolution positive ou négative ? La mondialisation nous permet d'accéder plus rapidement et plus facilement à des produits étrangers, mais elle uniformise les choix : on trouve les mêmes produits partout dans le monde.

→ JE RETIENS

- Une **phrase simple** ne comporte qu'un seul verbe conjugué :
  La mondialisation **renforce** les liens entre les économies.
- Dans une **phrase complexe**, il y a au moins deux verbes conjugués :
  Une crise dans un pays **a** des répercussions sur les États avec lesquels celui-ci **commerce**.
- Une **phrase nominale** est une phrase sans verbe : Des économies dépendantes.

Le présent des verbes du 2ᵉ groupe

Cherchons ensemble

- **Lis le texte. Observe les verbes en vert, puis donne leur infinitif, leur radical et leur terminaison.**
- **À quelle personne le verbe aboutir est-il conjugué ? Remplace son sujet par il. Quel élément a disparu entre le radical et la terminaison ?**

> Par ailleurs, depuis vingt et trente ans, le monde est très activement engagé dans de multiples négociations dont résultent des conventions, des traités et des accords internationaux. Ceux-ci concernent aussi bien le désarmement, l'environnement (les risques climatiques, la biodiversité) que la défense des droits de l'homme ou la création d'une justice pénale internationale. Ces négociations aboutissent à des engagements réciproques entre les différents pays. [...] Il s'agit là d'un processus *pacifique* d'organisation du monde qu'on pourrait appeler une « mondialisation organisée », plus civilisée.
>
> Collectif, *L'État du monde junior*, Éditions La Découverte & Syros, 2002, La Découverte, 2004.

**LES DROITS DE L'ENFANT
THE RIGHTS OF THE CHILD**

Affiche de l'UNESCO pour la défense des droits de l'enfant (1989).

1 **Copie ces phrases en ajoutant un pronom personnel qui convient.**

- … agis pour l'UNESCO.
- … accomplissons un geste pour l'environnement.
- … remplissez des cartons de médicaments.
- Depuis des mois, … réfléchissent pour trouver une solution.

2 **Conjugue les verbes de ces expressions au présent de l'indicatif.**

- **investir** dans l'humanitaire
- **accomplir** son devoir
- **réunir** des fonds
- **saisir** sa chance

3 **Copie ces phrases en mettant les sujets en gras au pluriel. Effectue les accords correspondants.**

- **Ce chef** d'État trahit l'esprit de l'ONU.
- **Le ministre** choisit de participer au débat.
- **Un pays membre** obéit aux résolutions votées.
- **Cet homme** resplendit de joie à l'annonce de la paix.

4 **Copie ces phrases en mettant les verbes entre parenthèses au présent de l'indicatif.**

- Après des années de négociations, nous (**aboutir**) enfin à la signature d'un accord.
- Les diplomates (**rétablir**) le dialogue entre les deux pays.
- Comment (**réagir**)-vous aux images de milliers de personnes maltraitées dans le monde ?
- Certaines nations (**s'unir**) pour venir en aide aux enfants les plus pauvres.

→ JE RETIENS

- Les verbes qui se terminent par **-ir** à l'infinitif et **-issent** à la 3ᵉ personne du pluriel du présent de l'indicatif appartiennent au **2ᵉ groupe**. Ils se conjuguent tous comme le verbe **agir** :

  j'agi**s** – tu agi**s** – il/elle agi**t** – nous agi**ssons** – vous agi**ssez** – ils/elles agi**ssent**.

- Aux personnes du pluriel, il faut intercaler l'élément **-ss-** entre le radical et la terminaison.

Commenter une photographie

Cherchons ensemble

- Observe la photographie. Où et quand a-t-elle été prise ? Que représente-t-elle ? Décris-la.
- Lis maintenant le texte qui l'accompagne.
- Observe les expressions en vert. Retrouves-tu les mêmes éléments que dans ta description de la photographie ?
- Observe les expressions en orange. Qu'apportent-elles de plus comme information. Décrivent-elles des éléments de la photographie ?

Une barre d'immeuble à Budapest, en Hongrie (Europe), vers 2002.

Cette photographie, prise à Budapest (capitale de la Hongrie), montre une simple barre d'immeuble et semble tout à fait banale.

On voit un immeuble immense, gris et monotone qui donne l'impression d'une succession de petites cases. Il n'est pas très haut puisqu'il ne compte qu'une dizaine d'étages et, d'après son architecture, il s'agit vraisemblablement d'un immeuble construit dans les années 1970.

Au pied de l'immeuble, on remarque un joli espace vert arboré qui contraste fortement avec la grisaille des murs. Puis, devant cet espace vert, au premier plan, on note la présence de ruines antiques, vestiges d'une époque lointaine.

Enfin, en haut de la photo, se détache en rouge le panneau publicitaire « Coca-Cola » qui attire le regard. Celui-ci nous indique que la photographie est récente (2002). Il montre aussi que les entreprises multinationales (Coca-Cola) réussissent à s'implanter dans bien des endroits (Hongrie).

Ainsi, cette photographie qui présente un paysage actuel, au premier abord peu original, est aussi le témoignage que le paysage garde les traces de son passé.

1 Observe cette photographie et réponds aux questions.

La place de Piccadilly à Londres, au Royaume-Uni (Europe).

- Lis la légende. Que montre cette photographie ?
- Que vois-tu au premier plan ? À ton avis ces personnes semblent-elles habiter ici ou être en voyage ?
- Qu'y a-t-il au centre de la photo, au deuxième plan ? Est-ce un élément moderne ou ancien ?
- Que vois-tu à l'arrière-plan, à gauche et à droite ?
- Qu'indique la présence de tous ces panneaux publicitaires ?

3 Décris cette photographie, puis ajoute ton commentaire.

Des enfants de différents pays (Chine, Australie, Royaume-Uni, Allemagne, États-Unis, Afrique du Sud).

2 Observe cette photographie, puis lis le texte qui l'accompagne. Recopie en bleu les éléments qui décrivent la photographie et en vert ceux qui appartiennent au commentaire.

Un boulevard dans le centre-ville de Casablanca, au Maroc (Afrique).

Cette photographie nous montre un grand boulevard du centre-ville de Casablanca au Maroc. On voit essentiellement des immeubles modernes et une rue animée avec des piétons et des voitures. Il s'agit donc d'une vue classique d'une grande ville actuelle. On remarque aussi la présence du sigle Internet sur une enseigne de magasin, ce qui laisse penser que les habitants utilisent des moyens de communication modernes. On note aussi la présence du panneau publicitaire « Toyota », une marque de voiture japonaise. C'est donc que ce pays commerce avec des pays étrangers.

→ **JE RETIENS**

- Pour **commenter une photographie**, il ne faut pas simplement la décrire, mais donner des explications ou faire des remarques sur ce qu'elle montre.
- On lit d'abord **la légende** qui situe le contexte géographique (Budapest) et historique (2002).
- Ensuite, on examine **les différents plans** en relevant les points caractéristiques (une barre d'immeubles – un espace vert – des ruines – un panneau publicitaire). Chacun d'eux est décrit et mis en relation avec d'autres éléments de la photographie ou des connaissances personnelles. Les remarques qui en découlent constituent le commentaire : On **observe** sur la photographie les immeubles et les ruines. → On **remarque** qu'il s'agit de traces d'époques différentes.

Quelles sont les innovations

Cherchons ensemble

- Qu'est-ce qu'une locomotive à vapeur ?
- Quelle est l'énergie qui permet de faire rouler les voitures ?
- À ton avis, depuis quand le téléphone existe-t-il ?

– Où sommes-nous ? demanda Sir Francis Cromanty.
– Au hameau de Kholby, répondit le conducteur.
– Nous nous arrêtons ici ?
– Sans doute le chemin de fer n'est point achevé…

Jules Verne, *Le Tour du monde en quatre-vingts jours*, 1872.

? Pourquoi les voyageurs s'arrêtent-ils ?

Doc. 1 : Un train tiré par une locomotive à vapeur en Angleterre (gravure, 1845).

? À quoi vois-tu qu'il s'agit d'une locomotive à vapeur (Doc. 1) ?

? Que transporte le petit wagon situé immédiatement après la locomotive ?

▶ Des techniques et des machines nouvelles

Tout au long du XIXᵉ siècle, les progrès techniques, en particulier dans le domaine de l'**énergie**, entraînent des inventions nouvelles. En 1769, James Watt invente la machine à vapeur qui permet, au moyen de charbon, de transformer la vapeur en mouvement. Cette innovation conduit à la création de machines pour l'industrie et l'agriculture, et à un développement très important des transports (locomotive (**Doc. 1**), navire à vapeur…). En 1876, le moteur à combustion, qui fonctionne avec du pétrole, est mis au point. Il contribue au progrès de l'automobile (**Doc. 2**) et de l'aviation. Enfin, en 1878, Thomas Edison réussit à utiliser l'électricité pour produire de la lumière et invente l'ampoule électrique.

? Décris la voiture (Doc. 2).

? Par qui est-elle conduite ?

Doc. 2 : Une voiture avec un moteur à combustion (gravure, 1895).

du XIXᵉ siècle ?

❓ À quoi vois-tu que Pasteur est un scientifique (Doc. 3) ?

Doc. 3 : Louis Pasteur dans son laboratoire (peinture d'Albert Edelfelt,1885).

Le sais-tu ?

Au début du XIXᵉ siècle, il faut encore un mois pour aller en bateau de Paris à New York. Dès 1820, grâce au bateau à vapeur, la traversée de l'Atlantique ne dure plus que 15 jours.

▶ Des appareils nouveaux

Au XIXᵉ siècle, on invente aussi une multitude d'appareils qui améliorent la vie quotidienne : en 1837, est inventé le télégraphe puis, en 1876, le téléphone (Doc. 4), qui permettent de communiquer plus rapidement ; en 1839, la bicyclette et la photographie ; en 1857, l'ascenseur ; en 1895, le cinématographe, etc.

▶ Des découvertes scientifiques

En 1885, Louis Pasteur (Doc. 3) découvre le rôle des microbes et met au point le principe de la **vaccination** qui permet d'éviter de contracter certaines maladies comme la rage. Il découvre aussi pourquoi les aliments s'abîment et invente le moyen de mieux les conserver : la **pasteurisation**. Grâce à ces découvertes scientifiques, la santé des gens s'améliore.

❓ Par quoi les deux téléphones sont-ils reliés (Doc.4) ?

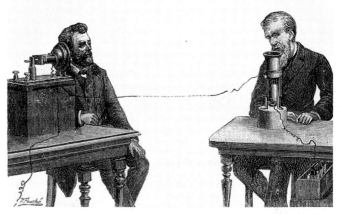

Doc. 4 : Alexander Graham Bell et Elisha Gray présentant le premier téléphone (gravure du XIXᵉ siècle).

Lexique

l'énergie : élément qui peut produire de la chaleur ou une force motrice (charbon, pétrole, électricité).

la pasteurisation : destruction des microbes contenus dans les aliments en les chauffant.

la vaccination : injection d'un produit fabriqué à partir d'un virus ou d'un microbe et qui protège contre la maladie (rage, tuberculose…).

➡ JE RETIENS

• Au XIXᵉ siècle, les progrès techniques contribuent à de nombreuses innovations. Les plus importantes concernent l'industrie et les transports, en particulier le chemin de fer.
• En médecine, les progrès scientifiques apportent une amélioration de la santé.
• Dans tous les domaines, des appareils nouveaux qui facilitent la vie quotidienne sont inventés : le téléphone, la bicyclette, la photographie…

Les mots de la technologie

Cherchons ensemble

- **Lis le texte, puis observe les mots en** orange. **Recherche dans le dictionnaire la définition des mots que tu n'as jamais rencontrés. Quel est leur point commun ?**

- **Observe maintenant les mots en** vert. **Que désignent-ils ?**

Un moteur à combustion fonctionnant à l'essence (1883).

Le moteur à combustion interne (1876)

Dès son invention, en 1876, le moteur à combustion interne soumet la machine à vapeur à une redoutable concurrence ! Il démarre vite, il est léger, peu encombrant et son rendement est bien meilleur. Son énergie est fournie par la combustion d'un mélange d'air et de carburant à l'intérieur d'un cylindre. Là, l'explosion repousse violemment le piston qui effectue un cycle en quatre temps. Son mouvement de va-et-vient est transmis par un système de bielle-manivelle et il est transformé en un mouvement rotatif. Le premier moteur de ce type fonctionne au gaz. Il est conçu par l'Allemand Nikolaus Otto qui le modifie peu après pour utiliser un nouveau carburant bon marché et facile à stocker : l'essence.

Les Grandes Inventions, © Hachette Livre, 1997.

2 **Les noms ci-dessous désignent tous une** pièce d'un moteur, **mais ils possèdent également un autre sens. Cherche lequel dans ton dictionnaire, puis écris une phrase avec ce mot.**

une bougie – un arbre – un piston

3 **Dans chaque liste, trouve l'intrus.**

- un gaz – la gazoline – un gazoduc – un gazier – gazouiller – un gazogène
- le pétrole – un pétrolier – un pétard – une pétrolette – pétrolifère
- la vapeur – la varappe – un vaporisateur – s'évaporer – vaporeux

1 **Recopie seulement les mots ou groupes nominaux qui ont un rapport avec** l'automobile.

un filtre à café – un filtre à pollen – une clé de contact – une clé de sol – une clé anglaise – une pompe à bras – une pompe à air – une pompe à vélo – un filtre à air – une lunette astronomique – un pare-chocs – un pare-feu – un pare-soleil – un pare-brise – la lunette arrière

4 **Classe ces expressions selon qu'elles désignent un moteur qui fonctionne bien ou un moteur qui fonctionne mal.**

il tourne rond – il cale – il ronronne – il a des ratés – il tousse – il s'emballe – il est poussif – il vrombit – il pétarade

→ JE RETIENS

- Pour décrire des réalisations technologiques (machines, appareils, outils, procédés, méthodes…), il faut employer un vocabulaire précis.
- Généralement, chaque pièce d'une machine porte un nom spécifique qui permet de la distinguer. Par exemple, dans un moteur à combustion, on trouve : le cylindre – le piston – la bougie – la soupape – la culasse – les bielles – le carburateur…
- Pour expliquer son fonctionnement, on indique l'énergie qui est utilisée : la vapeur – l'électricité – l'essence – le gaz – l'énergie solaire – la géothermie… et les mouvements qui sont effectués : un cycle – le va-et-vient – le mouvement rotatif…

Distinguer ont / on

Cherchons ensemble

La locomotive à vapeur inventée par George Stephenson (gravure du XIXᵉ siècle).

- **Lis le texte. Observe les mots en** orange. **Quelle différence remarques-tu ?**
- **Essaie de les remplacer par** avaient, **puis par** il. **Que remarques-tu ?**

On peut dire que l'histoire du train commence en Angleterre. En 1803, l'ingénieur anglais Richard Trevithick adapte une machine à vapeur sur des rails : elle atteint 8 km/heure. En 1813, George Stephenson, un Anglais aussi, met au point la locomotive à vapeur. En 1827, en Angleterre encore, on construit la première ligne de chemin de fer. Ce n'est qu'ensuite que les pays d'Europe et les États-Unis ont développé leurs réseaux ferroviaires et ont construit des lignes de chemin de fer traversant les continents.

1 **Copie ces phrases en complétant par** on **ou** ils.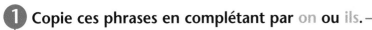

- ... achète son billet au guichet.
- Sur la ligne droite, ... ont foncé à toute vapeur.
- À l'arrivée du train, ... se presse sur le quai.
- ... ont oublié de poinçonner leur ticket.
- ... s'arrête à toutes les gares du parcours.

2 **Copie ces phrases en complétant par** ont **ou** elle.

- Les locomotives à vapeur ... remplacé les chevaux.
- ... accompagne les voyageurs jusqu'à leur wagon.
- Les cheminots ... vérifié l'aiguillage.
- ... a entendu le coup de sifflet avant le départ.
- Ces trains ... beaucoup de retard.
- ... avait surveillé la pression à l'aide du manomètre.

3 **Copie ces phrases en mettant les verbes en gras au présent de l'indicatif.**

- En quelques années, les Français **auront** construit 17 000 km de voies ferrées.
- Des paysans **avaient** accusé le train d'effrayer le bétail et **avaient** demandé qu'il ne passe plus.
- Les passagers **auront** le temps d'admirer le paysage.
- Les trains **avaient** du mal à arriver à l'heure.

4 **Copie ces phrases en complétant par** on **ou** ont.

- Avec le train, ... voyage en quelques heures, là où, il y a peu de temps, ... mettait des jours.
- Le mécanicien et le chauffeur ... le visage noir de poussière à cause du charbon.
- ... ne doit pas se pencher par la fenêtre.
- Les marchandises ... été chargées dans les wagons, puis ... a sifflé le départ.

→ JE RETIENS

- **Ont** est une **forme conjuguée** du verbe **avoir** au présent de l'indicatif. Elle peut être remplacée par une autre forme de ce verbe à l'imparfait ou au futur simple :
Les États **ont** développé leurs réseaux. → Les États **avaient** (**auront**) développé leurs réseaux.
- **On** est un **pronom personnel** de la 3ᵉ personne du singulier. Il est toujours sujet du verbe et peut être remplacé par un autre pronom personnel de la 3ᵉ personne du singulier (**il** ou **elle**) ou par un nom au singulier : **On** construit la première ligne. → **Il/Elle** construit la première ligne.
→ **Un Anglais** construit la première ligne.

Les phrases déclaratives et interrogatives

Cherchons ensemble

- **Lis le texte, puis observe la phrase en vert. Par quel signe se termine-t-elle ?**
- **Observe maintenant les phrases en orange. Par quel signe se terminent-elles ? Qu'en déduis-tu ?**

Appareil photographique du XIXe siècle.

> Le 19 août 1839. On se presse à l'Académie des sciences. Le Tout-Paris a abandonné champs de course et salons. Que se passe-t-il ? C'est qu'en ce jour, une invention révolutionnaire va être révélée au public : la daguerréotypie. Que cache ce nom barbare ? Simplement le nom de l'inventeur de ce que nous appelons la photographie : Louis Jacques Mandé Daguerre. L'État vient de décider de lui accorder une rente confortable en échange de son procédé.
>
> Didier Gille, *L'Histoire des grandes inventions*, D.R.

1 **Copie ces phrases. Souligne en bleu celles qui sont déclaratives et en rouge celles qui sont interrogatives.**

- Les premiers appareils photo étaient encombrants.
- Connais-tu l'École nationale de la photographie ?
- Avez-vous visité le musée Niepce ?
- Quand la photographie est-elle devenue populaire ?
- Je me demande qui était Daguerre.

2 **À l'aide des mots suivants, forme des phrases interrogatives correspondant aux réponses ci-dessous.**

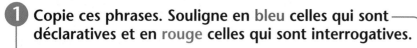

pourquoi – qui – quand – combien – où

- La première photographie est créée en 1827.
- Nadar a réalisé la première photographie aérienne.
- Le sujet à photographier est placé devant l'appareil.
- Niepce et Daguerre sont célèbres parce qu'ils ont inventé la photographie.
- Avec cet appareil, il faut garder la pose une minute.

3 **Transforme ces phrases interrogatives en phrases déclaratives.**

- Nicéphore Niepce fut-il le premier photographe ?
- Les passionnés de photo sont-ils nombreux ?
- Sais-tu te servir d'un daguerréotype ?
- Cet appareil photo est-il plus maniable ?

4 **Transforme ces phrases en phrases interrogatives en reprenant le sujet par un pronom personnel après le verbe.**

- La plaque de verre sera remplacée par la pellicule.
- Les négatifs ont été développés.
- Daguerre est devenu riche.

JE RETIENS

- **La phrase déclarative présente un fait, une affirmation. Elle se termine par un simple point :** On se presse à l'Académie des sciences.
- **La phrase interrogative pose une question. Elle se termine par un point d'interrogation.**
  – Lorsque le sujet est un pronom, il est placé après le verbe : Que se passe-t-il ?
  – Lorsque le sujet est un groupe nominal, il peut être placé après le verbe ou bien repris par un pronom placé après le verbe : Que cache **ce nom barbare** ? – **L'inventeur** a-t-il présenté son appareil ?

Objectif : Savoir conjuguer les verbes du 3ᵉ groupe au présent de l'indicatif.

Le présent des verbes du 3ᵉ groupe

Cherchons ensemble

- **Lis le texte, puis repère les verbes en** orange**. Quel est leur infinitif ? À quel groupe appartiennent-ils ?**
- **À quel temps sont-ils conjugués ?**

En 1865, Pasteur tente d'aider des éleveurs dont le bétail souffre de maladies contagieuses. Il met en évidence l'existence de micro-organismes, appelés communément « microbes », qui sont à l'origine de la maladie et qui se propagent d'un animal à un autre. En injectant par accident une faible dose de ces microbes à des bêtes, il réussit à les protéger de la maladie qui se répand dans le troupeau. Il découvre ainsi le principe de la vaccination et sauve non seulement des animaux, mais aussi beaucoup de vies humaines.

© Anousheh Karvar, *Histoire des sciences*, 1996.

Une séance de vaccination contre la rage, en 1886 (gravure du XIXᵉ siècle).

1 **Copie ces phrases en choisissant la forme verbale correcte.**

- L'infirmière (**maintient/maintiens**) le bras du patient.
- Les animaux (**meurent/meurt**) encore de la rage.
- La guérison (**dépend/dépendent**) de la gravité du mal.
- Tu (**dors/dort**) beaucoup pour te rétablir rapidement.

2 **Copie ces phrases et complète avec le pronom qui convient.**

- … attends la cicatrisation de ta plaie.
- … craint les piqûres.
- … faites des études de médecine.
- … se rendent à l'hôpital.
- … apprends à faire un pansement.
- … découvres un remède.
- … revenons de chez notre médecin.
- … prenez un médicament.

3 **Conjugue les verbes de ces expressions au présent de l'indicatif.**

recevoir des soins – **souffrir** d'une maladie – **suivre** un traitement

4 **Copie ces phrases en écrivant les verbes entre parenthèses au présent de l'indicatif.**

- La vaccination (**devenir**) une pratique courante.
- Les travaux de Pasteur (**ouvrir**) de nouvelles perspectives à la médecine.
- Soudain, le chien (**mordre**) le petit enfant : on (**devoir**) rapidement lui faire une piqûre.

→ JE RETIENS

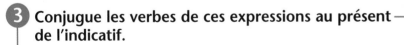

- Au **présent de l'indicatif**, les **verbes du 3ᵉ groupe** prennent tous les mêmes terminaisons :
mettre : je mets – tu mets – il/elle met – nous mettons – vous mettez – ils/elles mettent.
- À la **3ᵉ personne du singulier**, la plupart des verbes terminés par **-dre** à l'infinitif n'ont pas de terminaison : se répandre : il/elle se répand – comprendre : il/elle comprend.
- **Attention !** certains verbes comme souffrir, cueillir, ouvrir, découvrir, offrir se conjuguent comme les verbes du 1ᵉʳ groupe : je souffre – tu souffres – il/elle souffre – nous souffrons – vous souffrez – ils/elles souffrent.

Quels sont les effets de la

Cherchons ensemble

- **Comment les produits sont-ils fabriqués dans une usine ?**
- **À quoi sert une banque ?**

? Décris ce paysage (Doc. 1).

? Comment les usines sont-elles représentées ?

Doc. 1 : La ville de Leeds et ses usines en Angleterre (lithographie, 1840).

Doc. 2 : Une usine de fabrication de bicyclettes en France (gravure, 1890).

? Quelle sorte de travail effectuent ces ouvriers (Doc. 2) ?

? Pourquoi sont-ils aussi nombreux ?

▶ Le développement de l'industrie

Au XIXe siècle, l'invention de nouvelles machines conduit à un bouleversement complet aussi bien dans l'agriculture que dans l'industrie : c'est la « révolution industrielle ». Le travail manuel dans de petits ateliers est remplacé par le travail avec des machines (Doc. 2) dans d'immenses usines (Doc. 1). L'industrie textile et la **métallurgie** se développent, de même que l'exploitation des mines à cause des importants besoins en charbon pour faire fonctionner les machines.
La révolution industrielle a débuté en Angleterre, puis s'est répandue en France et en Allemagne, avant de gagner le reste de l'Europe (voir la carte en fin d'ouvrage) et les États-Unis.

Tous deux causèrent un instant à voix basse. Puis, le banquier déclara :
– Eh bien ! j'examinerai l'affaire… Elle est conclue, si votre vente de lundi prend l'importance que vous dites.
Ils se serrèrent la main, et Mouret, l'air ravi, se retira, car il dînait mal, quand il n'allait pas, le soir, jeter un coup d'œil sur la recette du Bonheur des Dames.

Émile Zola, *Au Bonheur des dames*, 1883.

? Relève les mots du texte qui ont un rapport avec l'argent.

? Quel est le métier de chacun des deux personnages ?

révolution industrielle ?

❓ Où passera le métro (Doc. 3) ?

❓ À ton avis, quelle amélioration apportera-t-il dans la ville ?

Doc. 3 : La construction du métro sous la place du Palais-Royal à Paris, vers 1900.

▶ L'essor du monde urbain

Dans les campagnes, la mécanisation de l'agriculture réduit considérablement les besoins de main-d'œuvre tandis qu'au contraire, dans l'industrie, ceux-ci augmentent. Beaucoup de paysans quittent donc leurs terres pour aller travailler dans les usines ou dans les mines et s'installent dans les villes qui sont à proximité : c'est l'**exode rural**. Les villes s'étendent et s'entourent de quartiers où se regroupe la population ouvrière : les banlieues. Elles se modernisent et les capitales, comme Londres et Paris, s'équipent d'un **métro** (Doc. 3).

Le sais-tu ?

Le métro parisien fut inauguré en 1900. La première ligne faisait 8 km et reliait la station Nation à celle de l'Étoile.

▶ Le début du capitalisme

Comme la construction des usines et des machines coûte cher, les industriels ont besoin de beaucoup d'argent. Ils choisissent, soit d'avoir recours à des capitaux privés et de constituer des sociétés avec des **actionnaires**, soit d'emprunter à des banques qui deviennent alors très puissantes : c'est la naissance du **capitalisme**.

Lexique

un actionnaire : personne qui possède une partie du capital d'une entreprise.

le capitalisme : système économique où les entreprises appartiennent à des personnes privées et non à l'État.

l'exode rural : départ massif des paysans vers les villes.

la métallurgie : extraction et travail des métaux.

le métro (ou métropolitain) : chemin de fer souterrain qui circule en ville.

➡ JE RETIENS

- Au XIXe siècle, l'utilisation des machines se développe dans tous les domaines (agriculture, textile, métallurgie, mine). De grandes usines se construisent. C'est la révolution industrielle.
- Pour financer la révolution industrielle et obtenir des capitaux, les entrepreneurs se regroupent ou font appel à des banques. C'est le début du capitalisme.
- La mécanisation et le besoin de main-d'œuvre dans l'industrie provoquent un important exode rural vers les villes. Celles-ci s'étendent et se transforment.

Les mots de l'économie

Cherchons ensemble

- **Lis ce texte. Cherche la définition du mot** capitalisme **dans le dictionnaire. Quel est son point commun avec les autres mots en** orange **?**
- **Repère les mots en** vert, **puis cherche leur sens dans le dictionnaire. Que constates-tu ?**

> La révolution industrielle coûte cher. Nobles et bourgeois, qui participent de près à cette révolution, se chargent de mettre l'argent disponible au service de l'industrie. Ils créent des banques destinées à financer les entreprises très coûteuses, comme les chemins de fer. De grandes sociétés et de puissantes banques apparaissent. C'est l'essor du capitalisme.
>
> Jean-Paul Dupré, *Méga Histoire*, © Éditions Nathan, 1992.

Le Banquier (gravure de Daumier, 1835).

1 **Relève l'intrus dans chacune de ces listes.**

- la finance – la banque – l'argent – l'atelier – la bourse
- le chèque – le jeton – les espèces – le billet – la monnaie – la pièce
- la faillite – la banqueroute – la ruine – la réussite
- débourser – épargner – dilapider – dépenser – claquer

2 **Copie ce texte et complète avec les noms de la liste ci-dessous.**

capital – actions – argent – actionnaires

Pour obtenir de l'…, les entreprises peuvent diviser leur … en petites parts que l'on appelle des …. Elles sont achetées en Bourse par des personnes qui deviennent propriétaires de parts de l'entreprise. Ces personnes sont appelées des ….

3 **Copie ces phrases, puis donne le sens des mots en gras.**

- La **valeur** de cette action est à la hausse.
- J'emporte de l'argent **liquide**.   • Il laisse **dormir** son argent.

4 **Copie et relie les mots de sens contraire.**

le débit •   • le retrait
rembourser •   • le crédit
le dépôt •   • la vente
avare •   • s'enrichir
s'endetter •   • dépensier
l'achat •   • emprunter

5 **Cherche dans le dictionnaire la définition du mot** économie. **Trouve des mots de la même famille, puis forme des phrases avec chacun d'eux.**

→ JE RETIENS

- **L'économie** décrit l'organisation de la production et de la consommation des produits d'un pays.
- **La production** se fait dans des ateliers, des usines, des fabriques et des entreprises. Les biens qui sont produits sont ensuite acheminés sur les lieux de vente (magasins ou hypermarchés) où des commerçants les vendent aux consommateurs qui les achètent en payant avec de l'argent (au comptant ou à crédit) en espèces, au moyen de chèques ou de cartes bancaires.
- **Les banques** sont des entreprises où l'on peut déposer de l'argent ou en emprunter ; elles peuvent aider les entrepreneurs à développer leurs activités et les consommateurs à acheter.

Objectif : Utiliser un procédé simple pour distinguer des formes de verbes du 1ᵉʳ groupe aux terminaisons homophones.

Participe passé en -é ou infinitif en -er ?

Cherchons ensemble

- **Lis ce texte, puis observe les verbes en** vert **et en** orange. **À quel groupe appartiennent-ils ?**
- **Lis-les à voix haute. Que remarques-tu à propos de leur terminaison ?**
- **Remplace-les par un verbe du 3ᵉ groupe comme** prendre. **Que constates-tu ?**

> Bastien est déjà à table, son couteau à la main. Il est content, lui aussi : dès lundi, il ira s'engager à la mine de fer de Privas. C'est bien payé. Son père a été long à donner son accord. Mais l'été a été si chaud que la récolte est nulle et il faudra de l'argent pour les semences et les impôts. Lui aussi d'ailleurs a trouvé à s'embaucher à la mine de fer de Charmes. Ce qu'il craint, c'est que Bastien ne prenne goût à ce travail et ne veuille pas revenir à la ferme au printemps.
>
> Anne-Marie Desplat-Duc,
> *La Soie au bout des doigts*, Le Livre de Poche Jeunesse, 2002.

Des paysans marchant derrière un mineur (lithographie, 1910).

1 **Copie ces phrases en choisissant la forme du verbe qui convient.**

- Il part (**travaillé/travailler**) à la mine.
- Tu as (**abandonné/abandonner**) ton village pour la ville.
- Je suis las de (**cherché/chercher**) du travail.
- Ce champ est (**resté/rester**) sans culture.
- Vous avez (**décidé/décider**) de faire vos bagages.

2 **Transforme comme dans l'exemple.**

Ex. Je vais quitter la ferme. → J'ai quitté la ferme.

- Ils vont réparer la batteuse.
- Le patron va licencier sept ouvriers agricoles.
- La production de charbon va augmenter.
- Vous allez acheter une machine.

3 **Copie ces phrases en ajoutant aux verbes la terminaison** -er **ou** -é.

- L'usage de la batteuse a contribu… à amélior… les récoltes, mais aussi à accélér… les pertes d'emploi.
- Quel travail pensez-vous effectu… à l'usine ?
- Les responsables de la mine ont annonc… qu'ils pourront embauch… de nouveaux employés.
- Certains paysans n'ont plus trouv… de travail dans leur village et ils ont préfér… émigr… vers les villes.
- Les patrons vont recrut… les mineurs parmi les paysans qui ont cess… de cultiv… la terre.

→ **JE RETIENS**

Pour **les verbes du 1ᵉʳ groupe**, la terminaison de l'infinitif en **-er** et celle du participe passé en **-é** sont identiques **à l'oral**. Pour les distinguer, on peut remplacer :
- l'infinitif en **-er**, par l'infinitif d'un verbe du 2ᵉ ou du 3ᵉ groupe : finir, prendre, faire…
Il ira **chercher**. → Il ira **finir**. – Il ira **prendre**. – Il ira **faire**.
- le participe passé en **-é**, par le participe passé d'un verbe du 2ᵉ ou du 3ᵉ groupe : fini, pris, fait…
Il a **cherché**. → Il a **fini**. – Il a **pris**. – Il a **fait**.

Les phrases exclamatives et impératives

Cherchons ensemble

- **Lis ce texte. Observe la phrase en** orange**. Par quel point se termine-t-elle ? Que signifie-t-il ?**
- **Observe la phrase en** vert **et repère le verbe conjugué. Qu'exprime-t-il ?**

Quand Nick remonta lourdement de son trou ténébreux, il reprocha en jurant à Jim d'avoir laissé s'éteindre le feu dans le poêle.

« Idiot, on croirait qu'on n'a pas assez d'charbon à bord ! »

Il rit de sa propre plaisanterie – un grand rire bruyant qui réveilla Snip en sursaut. Jim essaya de rire avec lui. « Va chercher d'l'eau, grommela Nick. Qu'est-ce que t'attends ? »

Quand Jim revint avec son seau plein à ras bord, Nick faisait griller du poisson sur le poêle.

Berlie Doherty, *L'Enfant des rues*, Le Livre de Poche Jeunesse, 1998.

Les Déchargeurs de charbon (peinture de Claude Monet, 1875).

1 **Copie ces phrases, puis indique s'il s'agit de phrases exclamatives ou de phrases impératives.**

- Quelle chaleur près de ce haut-fourneau !
- Viens voir notre nouvelle machine.
- C'est fatigant de porter du charbon !
- La production a augmenté de 20 % !
- Fais attention de ne pas te blesser !

2 **Transforme ces phrases déclaratives en phrases exclamatives.**

- Dans les mines, le travail est pénible.
- Une journée de travail dure jusqu'à 12 heures.
- Parfois, il y a de terribles explosions.
- La poussière se dépose partout.
- La fumée qui sort des cheminées est noire.

3 **Transforme ces phrases déclaratives en phrases impératives.**

- Tu ajoutes du charbon dans le fourneau.
- Nous chargeons le minerai dans les wagonnets.
- Tu ne sors pas de l'usine avant d'avoir fini.
- Vous ne devez pas respirer ces fumées.
- Tu prends une douche à la sortie de la mine.

4 **Copie ce texte, puis souligne en** bleu **les phrases exclamatives et en** rouge **les phrases impératives.**

Suite à un coup de grisou, un éboulement vient de se produire dans la mine. Quelques mineurs sont restés coincés. C'est l'affolement chez les autres !

« Dépêchons-nous de creuser ! commande le chef. Des hommes sont peut-être blessés. Il faut essayer de les sauver !

– Allez-y doucement ! dit un mineur.

– Nous y sommes… Vite, il y a un blessé ! Remontez-le là-haut. L'air frais lui fera du bien ! »

JE RETIENS

- La phrase **exclamative** exprime un sentiment, une réflexion, une émotion. Elle se termine par un **point d'exclamation** : On croirait qu'on n'a pas assez de charbon à bord !
- La phrase **impérative** sert à donner un ordre, un conseil ou à interdire quelque chose. Elle se termine par un simple **point** ou un **point d'exclamation** : Va te laver. – Ne tirez pas si fort !

Objectif : Choisir l'auxiliaire qui convient pour former le passé composé de l'indicatif.

Conjugaison

Le passé composé

Cherchons ensemble

- **Lis ce texte, puis observe le verbe en** orange. **De quels mots est-il formé. Quel est son infinitif ?**
- **Le verbe en** vert **est-il formé de la même manière ? Quelle différence remarques-tu ?**

On n'arrête pas de construire des bâtiments dans l'usine, des logements pour les ouvriers et pour tous ceux que la richesse de la ville attire. D'ailleurs, le bois où j'avais l'habitude d'aller n'existe plus : on y **a abattu** les arbres pour construire des maisons.

C'est un vrai spectacle. Il n'est pas rare que je voie les ouvriers quand je vais à l'usine, et que je croise les mêmes alors que je reviens. Hier, je me **suis arrêté** pour observer le travail des garçons de mon âge.

Thierry Aprile, *Pendant la révolution industrielle*, coll. Le Journal d'un enfant, © Gallimard Jeunesse.

La cité ouvrière de Monthois dans les Ardennes, vers 1900.

1 **Recopie les verbes de ces phrases conjugués au passé composé. Souligne en** bleu **l'auxiliaire** être, **en** rouge **l'auxiliaire** avoir.

- J'ai déménagé pour un logement plus grand.
- Quand nous sommes arrivés, il n'y avait plus rien.
- Il a construit sa maison près de l'usine.
- Depuis quand êtes-vous installés au Creusot ?
- Ils n'ont pas choisi de vivre près de la voie ferrée.

2 **Copie ces phrases en les complétant avec l'auxiliaire qui convient, au présent de l'indicatif.**

- Les cités ouvrières se … beaucoup développées.
- Les familles … parfois vécu dans une ou deux pièces.
- La vie des ouvriers s'… améliorée peu à peu.
- Les loyers … devenus trop chers pour certains.
- Le prix de ces terrains … bien augmenté.

3 **Écris ces phrases en mettant les verbes entre parenthèses au passé composé.**

- Les ouvriers (**construire**) des logements.
- Ce patron (**choisir**) de bons matériaux.
- Cette famille (**partir**) vivre ailleurs.
- Ils (**inciter**) les ouvriers à s'installer ici.

4 **Écris ce texte en mettant les verbes en gras au passé composé.**

La ville **se modernise** et **s'étend** en surface. Les démolisseurs **abattent** les vieux quartiers et **élargissent** les rues. À la place des anciennes bâtisses, les entreprises **construisent** de nouveaux immeubles. On y **installe** une arrivée d'eau potable. Dans les rues, les services de l'équipement **mettent** des réverbères au gaz pour assurer un meilleur éclairage. La vie des habitants **devient** plus agréable.

→ JE RETIENS

- Pour former **le passé composé**, on utilise l'auxiliaire **avoir** ou **être** conjugué au présent de l'indicatif suivi du **participe passé** du verbe à conjuguer : On **a abattu** les arbres. – Je me **suis arrêté**.
- Généralement, un verbe se conjugue toujours avec le même auxiliaire. Mais certains verbes, selon le contexte, peuvent être employés avec l'un ou l'autre des deux auxiliaires :
J'**ai descendu** l'escalier. – Je **suis descendu** dans la mine.

Écrire un récit de science-fiction

Cherchons ensemble

- Lis ce texte. Où se passe la scène ?
- Qui sont les personnages en présence ? Lequel pose des questions ? Lequel donne des réponses ?
- Relève les mots de la première colonne qui appartiennent au vocabulaire scientifique.
- Observe les phrases en orange. Le personnage qui parle connaît-il l'usage de tous les instruments ?
- De quel « agent puissant, obéissant, rapide, facile » Nemo parle-t-il ? Quelle utilisation en fait-il ?
- Pourquoi l'utilisation de cet « agent » surprend-il au xixe siècle à l'époque de Jules Verne ? Est-ce encore surprenant aujourd'hui ?
- Observe la phrase en vert. En quoi indique-t-elle que le texte relève de la fiction ?

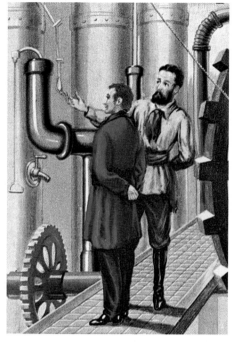

Le capitaine Nemo montrant au professeur Aronnax les moteurs du *Nautilus* (gravure, 1940).

– Monsieur, dit le capitaine Nemo, me montrant les instruments suspendus aux parois de sa chambre, voici les appareils exigés par la navigation du *Nautilus*. [...]
– Ce sont les instruments habituels au navigateur, répondis-je, et j'en connais l'usage. Mais en voici d'autres qui répondent sans doute aux exigences particulières du *Nautilus*. Ce cadran que j'aperçois et que parcourt une aiguille mobile, n'est-ce pas un manomètre ?
– C'est un manomètre, en effet. Mis en communication avec l'eau dont il indique la pression extérieure, il me donne par là même la profondeur à laquelle se maintient mon appareil.
– Et ces sondes d'une nouvelle espèce ?
– Ce sont des sondes thermométriques qui rapportent la température des diverses couches d'eau.
– Et ces autres instruments dont je ne devine pas l'emploi ?
– Ici, monsieur le professeur, je dois vous donner quelques explications, dit le capitaine Nemo. Veuillez donc m'écouter.

Il garda le silence pendant quelques instants, puis il dit :
– Il est un agent puissant, obéissant, rapide, facile, qui se plie à tous les usages et qui règne en maître à mon bord. Tout se fait par lui. Il m'éclaire, il me chauffe, il est l'âme de mes appareils mécaniques. Cet agent, c'est l'électricité.
– L'électricité ! m'écriai-je assez surpris.
– Oui, monsieur.
– Cependant, vous possédez une extrême rapidité de mouvements qui s'accorde mal avec le pouvoir de l'électricité. Jusqu'ici sa puissance dynamique est restée très restreinte et n'a pu produire que de petites forces !
– Monsieur le professeur, répondit le capitaine Nemo, mon électricité n'est pas celle de tout le monde. [...]
– Capitaine, répondis-je, je me contente d'admirer. Vous avez évidemment trouvé ce que les hommes trouveront sans doute un jour, la véritable puissance dynamique de l'électricité.

Jules Verne, *Vingt Mille Lieues sous les mers*, 1870.

1 Lis ce texte. Relève les mots qui appartiennent au vocabulaire scientifique.

Autre application de l'électricité. Ce cadran, suspendu devant nos yeux, sert à indiquer la vitesse du *Nautilus*. Un fil électrique le met en communication avec l'hélice du loch, et son aiguille m'indique la marche réelle de l'appareil. Et tenez, en ce moment, nous filons avec une vitesse modérée de quinze milles à l'heure.
– C'est merveilleux, répondis-je, et je vois bien, capitaine, que vous avez eu raison d'employer cet agent, qui est destiné à remplacer le vent, l'eau et la vapeur.

Jules Verne, *Vingt Mille Lieues sous les mers*, 1870.

2 Lis ce texte. Recopie en bleu les éléments qui se rapportent à la réalité et en vert ceux qui relèvent de la fiction.

Un doute terrifiant s'empara de Mika, qui s'empara du couteau resté dans sa poche. Il saisit le journaliste par l'épaule et l'obligea à se retourner.
« Monsieur Bernard ? Une seconde ! J'aimerais vérifier quelque chose… »
Avant que le journaliste ait pu protester, Mika lui prit le bras et lui taillada légèrement la main de la pointe de son couteau.
« Eh ! protesta l'autre. Mais que ?… »
La peau se déchira sans saigner, laissant apparaître une matière qui rappelait le plastique, et sous laquelle se devinait un réseau de fils colorés.

Christian Grenier, *Cyberpark*, coll. « Vertige », © Hachette Jeunesse, 1997.

3 Lis ces textes et indique celui qui relève de la science-fiction. Justifie ta réponse.

Cette fois encore, ils furent impressionnés. Scott étudia le système radio et Gina observa un écran vert.
« Qu'est-ce que c'est ? demanda-t-elle.
– Un radar météo. Je vais te montrer. »
Cy tapota sur un clavier et l'écran fit apparaître les Caraïbes tout entières. On y distinguait nettement de nombreuses masses nuageuses.

Jack Dillon, *Alerte ! tempête en mer*, trad. Frédérique Revuz, coll. « Bibliothèque verte », © Hachette Livre, 2000.

Texte 1

– Voiture : démarre, ordonna Jobs.
La voiture lut ses empreintes digitales sur le volant et le moteur se mit en marche. Il ne faisait presque pas de bruit. C'était un moteur hybride. Comme les batteries étaient en charge maximale, l'ordinateur de bord avait basculé sur les moteurs électriques.
– Avec plaisir, répondit une voix de synthèse féminine.

K. A. Applegate, *Les Survivants, dernier refuge*, trad. Julie Guinard, © Éditions J'ai lu, 2003.

Texte 2

Vers 2020 sans doute, des avions spatiaux iront dans le cosmos aussi simplement que les gros porteurs qui traversent aujourd'hui l'Atlantique. Vers 2025, l'homme s'installera alors pour toujours sur la Lune.

Alain Dupas, *À la conquête de l'espace*, © Hachette Livre, 2002.

Texte 3

→ **JE RETIENS**

• **Un récit de science-fiction** raconte une **histoire imaginaire** qui s'appuie sur des réalités scientifiques. Pour écrire un récit de science-fiction, il faut :
– situer l'histoire à l'**époque actuelle ou dans le futur**, sur Terre ou dans l'Univers ;
– imaginer une histoire autour de **faits scientifiques irréels** (voyage dans le temps, homme qui devient tout petit ou qui vit des millions d'années, etc.).
• Parfois, il arrive que des récits de science-fiction deviennent des réalités au fil des ans.
C'est le cas de plusieurs romans de Jules Verne (machines qui fonctionnent à l'électricité, voyage des hommes vers la Lune), mais d'autres demeurent des utopies (voyage au centre de la Terre).

Comment l'espace européen est-il

Cherchons ensemble

- **De quels pays ces 3 grandes villes d'Europe (Madrid, Berlin, Budapest) sont-elles les capitales ?**
- **Qu'est-ce qu'une région touristique ?**

Le sais-tu ?

L'Union européenne est la première région d'immigration du monde. Chaque année, elle accueille environ 1,4 million de personnes et presque 400 000 tentent d'y entrer clandestinement.

❓ Que représente cette photographie (**Doc. 1**) ? Décris-la.

Doc. 1 : Une vue aérienne de la ville d'Athènes (Grèce).

❓ À l'aide de la carte de l'Europe située en début d'ouvrage, cite les deux villes les plus peuplées (**Doc. 2**).

▶ Une majorité de citadins

L'espace européen regroupe 730 millions d'habitants. La majorité de cette population (75 %) est citadine (**Doc. 1**). Elle est particulièrement concentrée (**Doc. 2**) autour des deux plus importantes **agglomérations** d'Europe, Londres (10 millions d'habitants) et Paris (11 millions d'habitants), dans la région de Rotterdam aux Pays-Bas, ainsi que dans la Ruhr en Allemagne. Cette vaste zone très peuplée, qui va de Londres à Milan, constitue la **mégalopole** européenne.

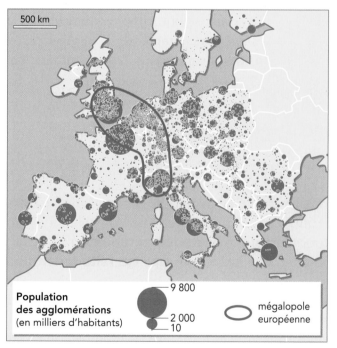

500 km

Population des agglomérations (en milliers d'habitants)

9 800
2 000
10

◯ mégalopole européenne

Doc. 2 : La répartition de la population en Europe.

Avec ma mère il n'y a pas de juste milieu : si quelqu'un appelle à une heure du matin c'est parce qu'il vient de se tuer et qu'il appelle de son lit de mort au funérarium. Mais elle se trompait. Celui qui appelait c'était mon super-oncle Nicolas, son frère, qui est parti il y a un an travailler à Oslo (Norvège) et qui fait fortune comme serveur dans un restaurant italien.

Elvira Lindo, *Bonnes Vacances Manolito*,
traduit par Virginia Lopez-Ballestros
et Olivier Malthet, Folio Junior,
© Gallimard Jeunesse.

? Dans quel pays l'oncle Nicolas est-il parti ? Pour quoi faire ?

▶ Une destination touristique

Les Européens se déplacent aussi pour leurs loisirs. Grâce à l'amélioration des transports de masse, en particulier l'avion, le tourisme s'est fortement développé depuis trente ans. Les Européens vont en vacances en Europe (**Doc. 3**), mais aussi à l'étranger. Par ailleurs, l'Europe accueille de nombreux touristes étrangers (plus de 400 millions en 2004) ; elle est devenue la première destination touristique du monde.

▶ Un espace de migrations

L'Europe est un espace où les **flux migratoires** sont importants. Ce sont essentiellement des migrations de travailleurs qui partent des pays du Centre et de l'Est de l'Europe, ou de pays plus lointains d'Asie ou d'Afrique, pour aller vers les pays plus développés de l'Europe de l'Ouest (France, Allemagne, Royaume-Uni…) ; il s'agit aussi d'étudiants qui choisissent de poursuivre leurs études dans un pays d'Europe autre que le leur.

? Décris cette ville littorale (**Doc. 3**). À ton avis, qu'est-ce qui attire les touristes dans cet endroit ?

Doc. 3 : Une plage à Benidorm, sur la Costa Blanca (Espagne).

Lexique

une agglomération : ville et sa banlieue.
un flux migratoire : déplacement de population d'une région à une autre pour s'y installer.
une mégalopole : vaste zone urbaine regroupant plusieurs villes qui se touchent.

→ JE RETIENS

• L'espace européen compte 730 millions d'habitants dont 75 % sont des citadins. Cette population est essentiellement concentrée dans la mégalopole qui va de Londres à Milan.
• Les flux migratoires concernent surtout les travailleurs issus des pays du Centre et de l'Est de l'Europe qui se rendent dans les pays de l'Ouest. Il s'agit aussi des déplacements des touristes européens et étrangers qui sont de plus en plus nombreux à venir en Europe.

Objectif : Découvrir et savoir utiliser à bon escient la polysémie des mots.

Les différents sens d'un mot

Cherchons ensemble

- Lis ce texte. Donne le sens des mots en vert.
- Cherche leurs autres sens dans ton dictionnaire, puis emploie-les dans une phrase.

> 9 heures. L'animation de la ville bat déjà son plein... Sitôt sorti de la station de métro Westminster, vous risquez bien de vous heurter au flot de banlieusards qui se rendent à leur bureau. Normal, vous vous trouvez au cœur du **quartier** politique, avec, face à vous, le **palais** de Westminster (Mº Westminster), abritant les célèbres *Houses of Parliament*, l'équivalent de notre Assemblée nationale parisienne. Et dans ce *borough* (c'est un quartier), autrefois repère des brigands et des voleurs, ce sont maintenant les touristes et les gentlemen en costume croisé qui animent le décor.
>
> Sophie Bresdin, *Grande-Bretagne, dépaysement assuré*, coll. « Ados Guide », © De La Martinière Jeunesse, Paris, 2000.

La foule à l'entrée de la station de métro « Oxford Circus » à Londres (Royaume-Uni).

1 **En t'aidant du contexte, donne le sens des noms en gras.**
- La **majorité** des Européens vivent dans des villes.
- À ta **majorité**, tu pourras voter.
- L'Europe est un important **foyer** de population.
- Les pompiers ont repéré le **foyer** d'un incendie.

2 **Copie ces couples de phrases en les complétant par les mêmes noms.**
- Cette c... présente la répartition de la population. / Ces employés jouent aux c... pendant la pause de midi.
- La c... des hommes est libre dans l'Union européenne. / Il est malade, il a une mauvaise c... sanguine.
- Ce logement possède de nombreuses et vastes p.... / Ils se rendent au théâtre pour voir une p... à la mode.

3 **Copie chaque phrase en remplaçant le verbe en gras par l'un de la liste ci-dessous.**

agrandir – déplier – allonger
- Le visiteur **étend** le plan de la ville.
- À la chute du Mur, Berlin **a étendu** son domaine.
- Après un accident, on **étend** les blessés sur le sol.

4 **Trouve au moins deux sens pour chacun de ces noms et emploie-les dans une courte phrase.**

une union – un espace – un cœur

→ JE RETIENS
- Un même mot peut avoir des **sens différents** en fonction du contexte, c'est-à-dire de l'ensemble des mots qui l'accompagnent :

Vous vous trouvez dans le **quartier** politique.   Vous pelez un **quartier** de pomme.
- Dans un dictionnaire, les différents sens d'un mot sont indiqués avec leur contexte :

un bureau : meuble sur lequel on écrit. *Yann range ses cahiers dans son bureau.*

un bureau : pièce aménagée pour travailler. *Le directeur reçoit les parents dans son bureau.*

un bureau : lieu de travail des employés d'une entreprise. *Papa se rend au bureau.*

Objectif : Savoir accorder le participe passé employé avec l'auxiliaire **être**.

Le participe passé employé avec l'auxiliaire être

Cherchons ensemble

- Lis ce texte. Repère les verbes en vert et en orange. Avec quel auxiliaire sont-ils employés ?
- Trouve les sujets de ces verbes, puis observe les terminaisons des participes passés. Que constates-tu ?

Ma mère, elle, est arrivée au début des années 1990, juste avant de rencontrer mon père. Botaniste, elle est venue en France pour finir ses études à Paris, se spécialiser. Elle rêvait de la France et de Paris quand elle était étudiante à Belgrade. Ils se sont rencontrés dans une salle de concerts, ils étaient venus écouter un ami commun, pianiste. Ensuite mes sœurs et moi sommes arrivées très vite. Pour ma mère, nos naissances, et le fait d'être à Paris, une ville où il y a des gens du monde entier, l'avaient aidée, les premières années, à oublier que, dans son pays, c'était la guerre.

Carole Saturno, *Enfants d'ici, Parents d'ailleurs*, coll. Par Quatre Chemins, © Gallimard Jeunesse.

Des personnes fuyant leur pays en guerre.

1 Copie ces phrases, puis indique si le sujet du verbe est un homme ou une femme.

- Je suis embauché par une banque madrilène.
- Tu es né à Anvers.
- Vous êtes allée étudier à l'université de Prague.
- Tu t'es renseignée au service de l'immigration.
- Je me suis déplacée dans toute l'Europe.

2 Copie ces phrases en choisissant la forme correcte du participe passé.

- Ce diplôme est (**validé/validée**) ici et en Allemagne.
- Nous sommes (**recrutés/recruté**) par des Suédois.
- Les migrations sont (**devenus/devenues**) importantes.
- Ces lois sont (**appliquées/appliqué**) dans toute l'UE.

3 Conjugue les verbes de ces expressions au passé composé.

- **s'installer** à Rome • **partir** en Angleterre
- **rentrer** au pays • **se perdre** dans la ville

4 Copie ces phrases en complétant les participes passés avec la terminaison qui convient.

- Cette famille bosniaque s'est réfugi… en Allemagne.
- Elle est venu… en France à l'âge de douze ans.
- L'Europe est compos… de peuples divers.
- Ce projet ne sera pas financ… par Bruxelles.

JE RETIENS

- **Le participe passé** employé avec l'auxiliaire **être** s'accorde en genre et en nombre avec le sujet du verbe (ou le nom principal du groupe sujet) :
Ma mère est arrivée. – Mon père est arrivé. – Les parents de Carole sont arrivés.
- Lorsque le sujet est un pronom personnel, il faut savoir quelle personne il représente pour connaître son genre, donc celui du participe passé :
Je suis venue. (c'est une femme qui parle) – Je suis venu. (c'est un homme qui parle)

Forme affirmative et forme négative

Cherchons ensemble

- Lis ce texte, puis observe la proposition en vert. Repère le verbe. Par quels mots est-il encadré ? À quelle forme cette proposition est-elle ?

- Observe maintenant la proposition en orange, puis repère son verbe. À quelle forme est-elle ?

> Prague, lorsqu'elle vous a séduit une première fois, **ne vous lâche plus**, ses charmes sont multiples et l'on ne saurait les goûter tous la première fois. Chaque année, elle attire 30 millions de visiteurs qui montent à l'assaut d'Hradany, arpentent les ruelles de Malá Strana ou du Josefov. En journée, la foule qui se presse sur le pont Charles est semblable à une armée de fourmis, cheminant vers la forteresse.
>
> Collectif, *République Tchèque*, Guide Nelles.

Des touristes sur le pont Charles à Prague (République tchèque).

1 Copie ces phrases, puis entoure les deux éléments de la négation.

- Nous ne sommes jamais partis à l'étranger.
- Ce pays n'attire plus personne depuis des années.
- Ne souhaitiez-vous pas partir en Écosse ?
- Ils n'ont rien dit concernant la grève des car-ferries.

2 Copie ces phrases, puis indique si elles sont à la forme affirmative (A) ou négative (N).

- Les plages espagnoles sont surpeuplées en été.
- Peut-on réserver son séjour par Internet ?
- Je n'ai guère confiance en cette agence de voyages.
- Pourquoi n'essayez-vous pas de partir en Croatie !
- Il est préférable de parcourir cette route à vélo.

3 Complète ces phrases avec la négation qui convient.

- Je … suis parti … trois jours.
- Vous … connaissez … à propos de ce pays.
- Nous … sommes encore … allés en Slovénie.
- … vaut-il … mieux prendre le train ?

4 Écris ces phrases à la forme négative.

- J'ai visité ce musée l'année dernière.
- Aimez-vous les formules de voyages organisés ?
- Tu as réservé tes billets d'avion.
- Les cars de touristes se garent toujours ici.

→ JE RETIENS

- La **forme négative** s'oppose à la **forme affirmative** :

  La foule se presse sur le pont.   La foule **ne** se presse **pas** sur le pont.

- Pour transformer les phrases affirmatives en phrases négatives, on peut employer les mots suivants :

  ne … pas – ne … jamais – ne … plus – ne … rien – ne … guère – ne … que.

- Lorsque le temps du verbe est un temps composé, la négation encadre l'auxiliaire du verbe :

  Prague a séduit les visiteurs.   Prague **n'**a **pas** séduit les visiteurs.

- Tous les types de phrases peuvent être à la forme affirmative ou à la forme négative :

  Ils **ne** partent **pas** à l'aventure. (déclarative) – **Ne** partent-ils **pas** à l'aventure ? (interrogative)

  Ils **ne** partent **pas** à l'aventure ! (exclamative) – **Ne** partez **pas** à l'aventure ! (impérative)

Objectif : Savoir conjuguer les auxiliaires et les verbes aux formes régulières à l'imparfait de l'indicatif.

L'imparfait de l'indicatif

Cherchons ensemble

- **Lis ce texte. Est-il écrit au passé, au présent ou au futur ?**
- **Observe les verbes en vert, puis donne leur infinitif. À quelle personne sont-ils conjugués ? Donne leur terminaison.**

Tout semblait immobile, figé. Le silence n'était troublé que par le clapotis de l'eau noire sous les planches disjointes. Cette maudite eau qui s'infiltrait partout rongeait les fondations les plus solides, suintait perfidement derrière les plus riches façades. Comme la plupart des Vénitiens, Benvolio l'avait en horreur. Comme la plupart des Vénitiens, il devait s'en accommoder.

Michel Honaker, *Le Démon de San Marco*,
© Rageot Éditeur, Paris, 1997.

Le Grand Canal à Venise (Italie).

1 **Copie ces phrases en mettant les verbes à l'imparfait de l'indicatif.**

- Je brûle d'impatience de voir la place Saint-Marc.
- Vous commencerez par visiter le campanile.
- Les touristes admirent les palais vénitiens.
- Souhaites-tu faire un tour sur le Grand Canal ?
- Le *vaporetto* est un bateau très utilisé.
- Nous passerons notre temps à déambuler.

2 **Copie ces phrases en mettant les verbes entre parenthèses à l'imparfait de l'indicatif.**

- Le bateau (**ralentir**) en croisant une gondole.
- Nous (**franchir**) un ravissant petit pont.
- Les touristes (**visiter**) le palais des Doges.
- Vous (**finir**) votre voyage par la visite du port.
- Je (**se souvenir**) bien de cet endroit.

3 **Conjugue les verbes de ces expressions à l'imparfait de l'indicatif.**

- **choisir** un itinéraire
- **venir** de loin
- **réserver** une gondole
- **avoir** le mal de mer

4 **Copie ces phrases en complétant les verbes par la terminaison correcte de l'imparfait de l'indicatif.**

- La lagune ét… belle, mais polluée.
- Vous vous dirig… vers la Casa del Oro.
- Du sommet, j'av… une vue d'ensemble de la ville.
- Nous nous muni… de nos appareils photo.
- Le guide nous condui… à travers un dédale de ruelles.

→ JE RETIENS

- **L'imparfait de l'indicatif** est un temps du **passé**. Ses terminaisons sont identiques pour tous les verbes des 1er, 2e et 3e groupes : -ais, -ais, -ait, -ions, -iez, -aient.
- Pour les verbes du **2e groupe**, il faut intercaler l'élément **-ss-** entre le radical et les terminaisons :
remplir : je remplissais – nous remplissions – ils/elles remplissaient.
- Les deux **auxiliaires** ont des formes qu'il faut retenir :
être : j'étais – tu étais – il/elle était – nous étions – vous étiez – ils/elles étaient
avoir : j'avais – tu avais – il/elle avait – nous avions – vous aviez – ils/elles avaient.

Comment la société française

Cherchons ensemble

- **Quelle sorte de travail effectuent les ouvriers dans une usine ?**
- **Pourquoi les gens font-ils la grève en général ?**
- **Qu'est-ce qu'un bourgeois ?**

Le sais-tu ?

Il faut attendre 1841 pour que le travail des enfants de moins de 8 ans soit interdit. De 8 à 12 ans, ils peuvent toujours travailler, mais pas plus de 8 heures par jour !

Doc. 1 : Une famille d'ouvriers, vers 1900.

❓ Observe cette photographie **(Doc. 1)** et décris l'attitude des personnages.

❓ Comment sont-ils habillés ?

Fourmies se trouve dans le Nord, commença Barbier. Une petite ville aux maisons grises, bâtie autour des manufactures de textiles. Une ville pauvre, où les ouvriers disent : « Nous voudrions manger aussi bien que les chevaux de nos patrons... » Il y a quatre ans, les ouvriers ont décidé de faire la grève.

Bertrand Solet, *Il était un capitaine*, Le Livre de Poche Jeunesse, 2002.

❓ Pourquoi les ouvriers ont-ils décidé de faire grève ?

▶ La naissance de la classe ouvrière

Au XIXᵉ siècle, la révolution industrielle apporte de grands changements dans la société française. Une nouvelle sorte de travailleurs apparaît : les **ouvriers**. Ils travaillent à la mine ou dans des usines et leurs conditions de vie sont très difficiles. Ils doivent travailler de 10 à 15 heures par jour, n'ont pas de congés et reçoivent un très faible **salaire**. Dans une famille d'ouvriers **(Doc. 1)**, généralement, le père et la mère travaillent, ainsi que les enfants dès 8 ans, voire 6 ans. Souvent mal nourris, tous vivent misérablement. Face aux patrons, les ouvriers ont peu de droits : la grève est interdite (jusqu'en 1864 en France) et ceux qui se révoltent sont sévèrement punis.

? Décris les différents personnages de ce tableau (Doc. 2).

Doc. 2 : Une famille bourgeoise
(peinture de Jean Frédéric Bazille, 1867).

▶ La progression de la bourgeoisie

Le développement économique du XIXᵉ siècle profite essentiellement à la bourgeoisie. À côté de la grande bourgeoisie, constituée surtout de patrons d'industrie et de banque qui sont fortunés **(Doc. 2)**, grandit une bourgeoisie moyenne, moins riche, composée de **magistrats**, de **fonctionnaires**, de médecins et d'enseignants. Progressivement, dans l'économie comme dans la politique, les **bourgeois** prennent de l'importance et augmentent leur pouvoir.

Lexique

un bourgeois : personne généralement aisée qui ne travaille pas de ses mains.

un fonctionnaire : personne qui travaille pour l'État.

un magistrat : fonctionnaire qui s'occupe de rendre la justice.

un ouvrier : personne salariée qui travaille de ses mains dans une usine ou un atelier.

un salaire : somme d'argent versée pour un travail.

un socialiste : personne qui veut réformer la société pour amener plus d'égalité entre les gens.

un syndicat : association de travailleurs qui s'organisent pour défendre leurs intérêts.

▶ Le début des idées révolutionnaires

Avec l'industrialisation, le nombre d'ouvriers augmente. Peu à peu, toute la classe ouvrière prend conscience de sa situation misérable. Elle essaie de s'unir, de former des **syndicats** et d'acquérir de nouveaux droits en faisant la grève. Des penseurs, les **socialistes**, les soutiennent. Ils créent des partis politiques et certains, comme Jean Jaurès en France, deviennent députés. Ils font voter des lois qui améliorent la vie des ouvriers : en 1900, le travail journalier est limité à 10 heures ; en 1906, un jour de congé par semaine est accordé.

→ JE RETIENS

• Au XIXᵉ siècle, la révolution industrielle provoque l'apparition d'une nouvelle classe sociale : les ouvriers. Leurs conditions de travail sont très dures et ils vivent misérablement.

• Parallèlement, la bourgeoisie se développe, s'enrichit et accroît son pouvoir.

• Face aux inégalités sociales, la classe ouvrière s'unit et forme des syndicats, tandis que progressent les idées révolutionnaires qui défendent une société plus égalitaire.

Objectif : Montrer que le terme générique (l'hyperonyme) inclut d'autres termes particuliers (les hyponymes).

Terme générique et terme particulier

Cherchons ensemble

- Lis ce texte. Repère le mot en orange et donne sa définition.
- Observe ensuite les mots en vert. Que désignent-ils ? Quel lien peux-tu faire entre ces mots et le mot domestiques ?

Vivre en bourgeois, c'est avoir un intérieur confortable. Le bourgeois aisé vit dans un vaste appartement où l'on trouve un salon avec un piano, une salle à manger et plusieurs chambres. Sa femme peut recevoir chez elle et elle dispose de domestiques (**femme de chambre, maître d'hôtel, cuisinière**...). Sous le second Empire, les objets, les cadres au mur et les meubles s'accumulent dans les chambres à coucher et dans le salon. Dès que le climat est propice, la famille se promène le dimanche et se rend à la campagne en été.

Pauline Piettre,
Le Siècle de la révolution industrielle, © Mango Éditions, 2003.

Une famille bourgeoise dans son salon (peinture de Joseph-Hendrick Lies, XIXᵉ siècle).

1 Associe chaque terme générique au terme particulier qui lui correspond.

- un événement – un ouvrier – un jour – une matière
- un dimanche – un mariage – du coton – un maçon

2 Dans chaque liste, trouve l'intrus qui ne correspond pas au terme générique en orange.

- une pièce : la salle à manger – le salon – la chambre – l'escalier – le vestibule – la cuisine
- un meuble : le buffet – le bahut – le vaisselier – la table – la desserte – l'évier
- un véhicule à moteur : l'automobile – la bicyclette – la motocyclette – la camionnette – le camion
- un outil : le marteau – la forêt – la clé plate – le foret – la pince – le tournevis

3 Trouve le terme générique qui correspond à chacune des listes ci-dessous.

- le père – la mère – la sœur – le frère – le gendre : …
- le piano – le violon – la guitare – le saxophone : …
- le costume – la redingote – le complet – le smoking : …
- le vase – la potiche – un bougeoir – la statuette : …

4 Utilise chacun de ces termes génériques dans une phrase et propose entre parenthèses deux ou trois mots plus précis qui peuvent l'illustrer.

une saison – un livre – un récipient

→ JE RETIENS

- Un **terme générique** désigne un objet (ou un être) qui répond à une caractéristique globale, tandis qu'un terme particulier désigne ce même objet de façon plus précise :
un domestique : la femme de chambre – le maître d'hôtel – la cuisinière – le valet...
un meuble : l'armoire – le lit – la chaise – la commode...
- Selon les circonstances, on emploie le terme générique ou le terme particulier, si l'on veut être précis.

Objectif : Retenir que le participe passé employé avec **avoir** ne s'accorde que si le COD est placé avant lui.

Le participe passé employé avec l'auxiliaire avoir

Cherchons ensemble

- **Lis ce texte. À quel temps les verbes en** orange **sont-ils conjugués ? Cherche leur sujet.**
- **Quelle est la terminaison des participes passés ? Avec quel mot le dernier participe passé est-il accordé ? Où se situe ce mot ?**

Je suis arrivé à 6 heures du matin dans l'atelier. Le four grondant dégageait une terrible chaleur. J'ai pensé que l'enfer dont on nous parle devait ressembler à cela. Le chef puddleur, Firmont, un colosse, m'a à peine regardé. Il m'a confié la tâche d'actionner la chaîne qui ouvre la porte du four quand il me le demanderait. J'attendais ses ordres, mais sans le vouloir, j'ai fait trébucher l'aide qui amenait une brouette chargée de fonte. Tout en m'insultant, il a ramassé les morceaux qu'il a déposés sur la pelle du puddleur.

Thierry Aprile, *Pendant la révolution industrielle*, coll. Le Journal d'un enfant, © Gallimard Jeunesse.

Une forge (peinture de Fernand Cormon, 1893).

1 **Copie ces phrases, entoure la terminaison des participes passés, puis souligne le mot avec lequel chacun d'eux s'accorde (si c'est le cas).**

- Firmont a travaillé quinze heures aujourd'hui.
- Les ouvriers n'ont pas eu le droit de se plaindre.
- La pièce de métal que j'ai fabriquée est lourde.
- Cette ouvrière a perdu ses affaires.

2 **Copie ces phrases en complétant les participes passés avec la terminaison qui convient.**

- Il est 18 heures, les ouvriers ont fin… leur journée.
- Tu as gagn… assez d'argent pour acheter ton pain.
- Les salaires que ces ouvrières ont reç… sont très bas.
- La fatigue a provoqu… plusieurs accidents du travail.

3 **Transforme ces phrases comme dans l'exemple.**

Ex. J'ai soulevé les sacs de charbon.
→ Je les ai soulevés.

- Tu as ouvert la porte du four.
- L'ouvrier a martelé un morceau de fer.
- Ils ont quitté la mine tardivement.
- Le feu a chauffé les métaux.
- Il a attendu les ordres.

4 **Copie ces phrases en mettant les verbes en gras au passé composé.**

- Les mineurs que nous (**croiser**) sur la route avaient l'air épuisé.
- La lingère (**prendre**) les robes que lui tendait sa patronne et les (**mettre**) dans son panier.

→ JE RETIENS

- **Le participe passé** employé avec l'auxiliaire **avoir** ne s'accorde jamais avec le sujet du verbe :
j'ai pensé – tu as pensé – il/elle a pensé – nous avons pensé – vous avez pensé – ils/elles ont pensé.
- **Le participe passé** employé avec l'auxiliaire **avoir** s'accorde en genre et en nombre avec le COD placé avant le participe passé :
Il a ramassé **les morceaux**. (COD **les morceaux**, placé après le participe passé → pas d'accord)
Il a ramassé les morceaux **qu'il** a déposés.
(COD **qu'**, mis pour les morceaux, placé avant le participe passé → accord)

Objectif : Apprendre à placer correctement les principaux signes de ponctuation.

Les principaux signes de ponctuation

Cherchons ensemble

- **Lis le texte. Repère les signes de ponctuation en orange et donne leur nom. Où sont-ils placés ?**
- **Quelles indications donnent-ils au lecteur ?**

> Aussi, pour Claude, la grève est un plaisir, un vrai bonheur ! Il va pouvoir aller jouer avec les copains dans la rue. Il va aussi au cabaret avec son père, où se tiennent les réunions des grévistes. Claude écoute ce qui se dit, et il comprend le but de la grève : être mieux payé, travailler moins longtemps. Hélas ! ses parents n'ont pas d'économies, et il n'y a plus rien à manger à la maison. Le soir, Claude va frapper à quelques portes : « Vous n'auriez pas une ou deux patates ? »
>
> Philippe Godard, *La Vie des enfants travailleurs pendant la révolution industrielle*, coll. « La Vie des enfants », © Éditions du Sorbier, 2001.

Une réunion de grévistes dans un bar (peinture de Michael von Munkacsy, 1895).

1 **Copie ces phrases en plaçant correctement les majuscules et les points (. – ? – !).**

- quand la première grève eut-elle lieu …
- comme ces grévistes sont mécontents …
- ils veulent de meilleures conditions de travail …
- que revendiquent les ouvriers …

2 **Copie ces phrases en plaçant correctement les virgules manquantes.**

- Les travailleurs réclament de meilleurs salaires une diminution de la journée de travail et un jour de congé.
- La grève solide et bien organisée s'étend très vite.
- Les manifestants drapeau rouge en tête s'avancent.
- Effrayé par la foule un enfant s'enfuit.
- Au début du mois suivant résignés les mineurs reprennent le travail.

3 **Copie ces phrases en plaçant correctement les deux-points manquants.**

- La grève a duré six semaines c'est bien long !
- Tous les gens de l'usine sont présents le patron, les contremaîtres et les ouvriers.
- La foule crie « Vive la grève ! »
- Les sirènes hurlent tout le monde se disperse.

4 **Copie ce texte en le ponctuant correctement.**

La grève se durcit… L'argent ne rentre plus dans les foyers… Les enfants commencent à gémir … … J'ai faim… J'ai froid… … Dans les rues de la ville… la foule des grévistes grossit… Les confrontations avec les forces de l'ordre… épisodiques au début… deviennent quotidiennes… Enfin… le ministre annonce des réformes… La grève est finie…

JE RETIENS

- **Le point d'interrogation (?)** termine une phrase interrogative et le **point d'exclamation (!)** une phrase exclamative : Auriez-vous du pain ? – C'est un vrai bonheur !
- **La virgule** isole ou sépare des mots, des compléments, des propositions dans une phrase : Aussi, pour Claude, la grève, qui est annoncée pour demain, est un événement !
- **Les deux-points (:)** permettent de présenter une explication, une énumération ou un dialogue que l'on encadre alors par **des guillemets (« »)** : Claude demande : « Auriez-vous du pain ? »

L'imparfait des verbes en -yer, -ier, -iller, -gner

Cherchons ensemble

- **Lis ce texte. Repère les verbes en** orange. **Quelle est leur terminaison ? À quel temps sont-ils conjugués ?**
- **Conjugue-les à haute voix au présent de l'indicatif. Entends-tu une différence avec les formes du texte ?**

> C'était en 1884. Jules et moi, nous travaillions dans une usine textile dans le Nord. C'était dur ! Nous gagnions alors un salaire de misère pour nos 15 heures de travail par jour. Comme les autres ! Et puis on commença à s'organiser. Certains entendirent parler de Jaurès et du socialisme. Et l'espoir revint. Nous essayions de nous retrouver le soir en secret pour discuter. Nous étudiions la possibilité d'une grève. Et puis le 21 mars, la loi Waldeck-Rousseau fut votée, les syndicats furent autorisés. On allait enfin pouvoir se battre !

Le socialiste Jean Jaurès exposant ses idées à la foule, en 1913.

1 **Copie ces phrases, souligne les verbes, puis indique s'ils sont au présent ou à l'imparfait de l'indicatif.**

- Vous essayiez de nous convaincre.
- Je me plaçais en face de lui.
- Nous surveillions l'évolution de la discussion.
- Vous veillez au bon déroulement de la réunion.

2 **Copie ces phrases en mettant les verbes en gras à l'imparfait de l'indicatif.**

- Vous n'**oubliez** jamais de venir à la réunion.
- Nous **accueillons** mal ces propositions injustes.
- Vous ne **payez** pas assez vos employés.
- Nous **désignons** un responsable du syndicat.
- Vous ne vous **résignez** plus à votre condition.

3 **Conjugue le verbe de ces expressions à l'imparfait de l'indicatif.**

- **signer** un tract
- **essuyer** un refus
- **publier** un journal
- **dépouiller** un vote

4 **Copie ces phrases en choisissant la forme correcte du verbe.**

- En 1890, nous (**employons/employions**) 230 ouvriers.
- Autrefois, vous m'(**accompagnez/accompagniez**) aux réunions syndicales.
- Hier, nous (**crions/criions**) des slogans hostiles.
- Quand j'étais ouvrier, je (**conseillais/conseille**) de poursuivre la grève.

→ JE RETIENS

- Certains verbes de la 1re et de la 2e personne du pluriel du présent et de l'imparfait de l'indicatif ont pratiquement la même prononciation. Mais à l'écrit, il ne faut pas oublier d'ajouter le **i** du début de la terminaison à l'imparfait :

nous étud**ons** (prés.)/nous étud**iions** (imp.) – vous essay**ez** (prés.)/vous essay**iez** (imp.) – nous travaill**ons** (prés.)/nous travaill**ions** (imp.) – vous gagn**ez** (prés.)/vous gagn**iez** (imp.).

- Pour faire la distinction, on remplace par une forme du singulier :

Aujourd'hui, nous travaill**ons**. → Aujourd'hui, je travaille. (présent)
En 1884, nous travaill**ions**. → En 1884, je travaillais. (imparfait)

Décrire un personnage

Cherchons ensemble

- Lis le texte. Quel est le personnage principal ? Quelle place cette personne occupe-t-elle dans la société ?

- Lis le paragraphe en vert. Que décrit-il ? Qu'indique le terme « en toute saison » ?

- Lis maintenant le paragraphe en orange. Quelle partie du corps décrit-t-il ? Quelle information donne-t-il sur l'aspect de la personne ?

- Relis le paragraphe qui commence par « Elle se levait… ». Que décrit-il ?

- Cette personne est « économe ». À partir des descriptions du deuxième paragraphe, trouve des adjectifs pour préciser le caractère de Félicité.

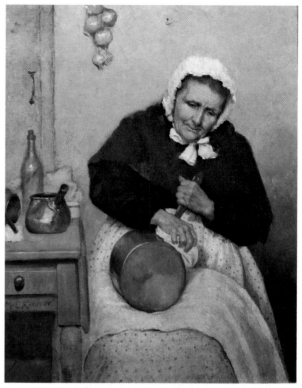

Le *Polissage de la casserole*
(peinture de Mary Evelina Kindon, XIXᵉ siècle).

Un cœur simple

Pendant un demi-siècle, les bourgeoises de Pont-l'Évêque envièrent à Mme Aubain sa servante Félicité.

Pour cent francs par an, elle faisait la cuisine et le ménage, cousait, lavait, repassait, savait brider un cheval, engraisser les volailles, battre le beurre, et resta fidèle à sa maîtresse, – qui cependant n'était pas une personne agréable. […]

Elle se levait dès l'aube, pour ne pas manquer la messe, et travaillait jusqu'au soir sans interruption ; puis le dîner étant fini, la vaisselle en ordre et la porte bien close, elle enfouissait la bûche sous les cendres et s'endormait devant l'âtre, son rosaire à la main. Personne, dans les marchandages, ne montrait plus d'entêtement. Quant à la propreté, le poli de ses casseroles faisait le désespoir des autres servantes. Économe, elle mangeait avec lenteur, et recueillait du doigt sur la table les miettes de son pain, – un pain de douze livres, cuit exprès pour elle, et qui durait vingt jours.

En toute saison, elle portait un mouchoir d'indienne fixé dans le dos par une épingle, un bonnet lui cachant les cheveux, des bas gris, un jupon rouge, et par-dessus sa camisole un tablier à bavette, comme les infirmières d'hôpital.

Son visage était maigre et sa voix aiguë. À vingt-cinq ans, on lui en donnait quarante. Dès la cinquantaine, elle ne marqua plus aucun âge ; – et, toujours silencieuse, la taille droite et les gestes mesurés, semblait une femme en bois, fonctionnant d'une manière automatique.

Gustave Flaubert, *Trois Contes*, 1877.

1 Lis ce texte. Copie en bleu les éléments qui concernent l'aspect physique du personnage et en vert ceux qui concernent son caractère.

MON PROFESSEUR

J'ai pour professeur un petit homme à lunettes cerclées d'argent, au nez et à la voix pointus, avec un brin de moustache, des bouts de jambes un peu cagneuses, – elles ne l'empêcheront pas de faire son chemin, – insinuant, fouilleur, chafouin, furet, belette, taupe : il arrive de Paris, où il a été reçu, comme Turfin, un des premiers à l'agrégation ; il y a laissé des protecteurs que son esprit de gringalet amuse ; il en a rapporté une femme amusante, jolie, et qui doit trouver tous ces provinciaux bien sots.

Jules Vallès, *L'Enfant*, 1879.

2 Lis ce texte. La personne décrite est-elle un homme ou une femme ? Relève les mots qui se rapportent à son physique, puis ceux qui concernent ses vêtements. À partir de cette description, trouve un adjectif qui pourrait caractériser ce personnage. Dessine-le.

À Tours, un coiffeur venait lui refriser ses beaux cheveux châtain ; il y avait changé de linge, et mis une cravate de satin noir combinée avec un col rond de manière à encadrer agréablement sa blanche et rieuse figure. Une redingote de voyage à demi boutonnée lui pinçait la taille, et laissait voir un gilet de cachemire à châle sous lequel était un second gilet blanc. Sa montre, négligemment abandonnée au hasard dans une poche, se rattachait par une courte chaîne d'or à l'une des boutonnières. Son pantalon gris se boutonnait sur les côtés, où des dessins brodés en soie noire enjolivaient les coutures. Il maniait agréablement une canne dont la pomme d'or sculptée n'altérait point la fraîcheur de ses gants gris. Enfin, sa casquette était d'un goût excellent.

Honoré de Balzac, *Eugénie Grandet*, 1883.

3 Décris l'aspect physique du personnage de la photo ci-dessous. Invente-lui des traits de personnalité.

Une petite fille lisant (détail d'une peinture d'Auguste Renoir, 1884).

JE RETIENS

• Pour **décrire un personnage**, on s'attache à dépeindre son **aspect physique** : sa silhouette (grand – petit – élancé...), son allure générale (souple – raide...), les caractéristiques de son visage (maigre – rond...), ses vêtements.
• Puis, à travers ses faits et gestes, on essaie de dégager les traits de sa **personnalité** (intelligence – vivacité – jovialité – tristesse...). Quand on fait un portrait, il faut éviter d'énoncer directement les qualités ou les défauts du personnage. Il est préférable de les suggérer : Quant à la propreté, le poli de ses casseroles faisait le désespoir des autres servantes. → Cela suggère que la servante est méticuleuse.

Quelles sont les spécificités

Cherchons ensemble

- **Cite d'autres langues que le français parlées en Europe.**
- **Quelles religions trouve-t-on en France ?**
- **Dans quel régime politique vis-tu ?**

? Observe la carte (**Doc. 1**). Quelles sont les différentes langues romanes ?

? Combien y a-t-il de langues germaniques ? Cite-les.

Doc. 1 : Les langues en Europe.

Nous sommes en Norvège. Je récapitule. C'est le troisième matin. Nous avons passé la nuit dans le ferry, douze heures de traversée depuis le Danemark... Je n'en garderai pas un grand souvenir, si ce n'est la halte à Copenhague, avec la visite obligée à la *Petite Sirène* de nos rêves.

Simone Schmitzberger, *Sous le soleil de minuit*, © Castor Poche Flammarion, 1996.

? Qu'est-ce que ces voyageurs ont visité à Copenhague ?

? Où se trouve cette mosquée (**Doc. 2**) ?

Doc. 2 : La mosquée de Banya Bashi à Sofia (Bulgarie).

▶ Une diversité de langues et de religions

L'Europe a connu un grand nombre d'invasions et de bouleversements historiques qui ont marqué son territoire et ses habitants. C'est ainsi que certaines langues, bien que très différentes, ont une même origine (**Doc. 1**) et que des influences religieuses ou artistiques se retrouvent dans différents pays. Trois religions chrétiennes dominent : au Nord-Ouest, le protestantisme ; au Sud, le catholicisme ; et à l'Est, l'orthodoxie. Le judaïsme est présent dans tous les pays, tandis que l'islam, venu de Turquie d'abord, puis des immigrants du Maghreb ensuite, est présent dans la plupart des pays (**Doc. 2**). Du fait des nombreuses migrations de population, au fil du temps, le mélange des cultures s'amplifie.

▶ Un morcellement politique

L'Union européenne (UE) est constituée de 27 États au passé politique (voir la carte en fin d'ouvrage) marqué par l'opposition entre l'Europe de l'Ouest (**libérale**) et l'Europe de l'Est (**communiste**). Aujourd'hui, tous sont des **démocraties**, mais avec des régimes politiques divers. Certains sont des monarchies constitutionnelles (Belgique, Danemark, Espagne (**Doc. 3**), Royaume-Uni…), d'autres sont des républiques où le président a plus ou moins de pouvoir (Italie, Hongrie, Portugal (**Doc. 3**)…).

? Où se trouve la reine Sophia (**Doc. 3**) ?

Doc. 3 : Le roi Juan Carlos et la reine Sophia d'Espagne recevant le président du Portugal et sa femme.

Le sais-tu ?

L'Union européenne a comme emblèmes un drapeau bleu avec un cercle formé de 12 étoiles d'or qui symbolisent la perfection et un hymne : *L'Hymne à la joie* de Ludwig van Beethoven.

▶ Vers une culture européenne

Malgré leurs diversités, ces 27 pays se trouvent aujourd'hui rassemblés au sein de l'Union européenne (voir la carte en début d'ouvrage) et d'autres (Turquie…) attendent de pouvoir y entrer. Grâce à ses représentants, chaque État participe aux décisions prises par les institutions européennes comme le **Conseil** ou le **Parlement européens**. De plus, depuis 1992, tous leurs habitants sont considérés comme des **citoyens** européens et peuvent circuler librement dans l'UE. Une culture européenne, avec ses symboles (un drapeau, un hymne), sa monnaie unique (l'euro), est en train de se construire.

Lexique

un citoyen : personne qui habite un pays et en a la nationalité.

communiste : adepte du communisme pour qui tous les biens de production appartiennent à l'État.

le Conseil européen : assemblée des chefs de gouvernement des pays de l'UE.

une démocratie : régime politique dans lequel le pouvoir est exercé par des représentants élus par le peuple.

libéral : adepte du libéralisme qui recommande la non-intervention de l'État dans l'économie.

le Parlement européen : assemblée des députés de l'UE.

→ JE RETIENS

- L'Union européenne est un espace contrasté où se côtoient plusieurs langues, religions et cultures. Cependant, grâce aux migrations, les échanges culturels s'y multiplient.
- Aujourd'hui, 27 États démocratiques, aux régimes politiques variés, y cohabitent.
- Malgré cette diversité, le processus d'unification économique, politique et culturelle de l'Union européenne progresse.

Objectif : Savoir utiliser les mots au sens figuré pour créer des images ou des métaphores.

Sens propre et sens figuré

Cherchons ensemble

- **Observe le mot en** vert**. Quelle est, pour toi, sa signification ?**
- **Lis maintenant le texte. Quel est son sens dans ce contexte ?**

Situé au centre de Berlin, le quartier de Kreuzberg a souffert dans les années 1970-1980 de la présence imposante du Mur qui a fait fuir de nombreux habitants. Il est alors devenu le lieu privilégié des squatters, des immigrés (essentiellement des Turcs, mais aussi des Grecs et des Yougoslaves), des étudiants, des artistes et de tous les marginaux peu fortunés. Cependant, aujourd'hui, après la chute du Mur, il a repris sa place au cœur de la ville. Peu à peu les immeubles vétustes sont rénovés et le quartier change. La montée des prix des loyers chasse les squatters et les marginaux au profit d'une population plus bourgeoise.

Une femme turque dans le quartier de Kreuzberg, à Berlin (Allemagne).

1 **Dans ces phrases, relève les mots ou expressions employés au sens figuré et donne leur sens.**

- Les bénévoles de cette association se mettent en quatre pour aider les immigrés à s'installer.
- Depuis trois ans qu'il est arrivé à Berlin, il se sent maintenant comme un poisson dans l'eau.
- Certains employeurs se font encore tirer l'oreille pour embaucher des travailleurs étrangers.
- Les premières années, il a mangé de la vache enragée.

2 **Associe ces expressions à leur définition.**

jeter de l'huile sur le feu • • utiliser tous les moyens
jouer avec le feu • • être sûr
mettre sa main au feu • • aggraver un problème
faire feu de tout bois • • prendre des risques

3 **Copie ces phrases, puis indique si le nom en gras est employé au sens propre ou au sens figuré.**

- L'employé est sorti sur-le-**champ**.
- L'agriculteur laboure son **champ** de blé.

- La culture est le **fruit** de divers mélanges.
- La mangue est un **fruit** tropical.

- Il ne sait pas où donner de la **tête**.
- La chaleur est telle qu'il a mal à la **tête**.

- On m'a offert une nouvelle **ceinture**.
- Ce quartier se situe à l'intérieur de la **ceinture** de Berlin.

- Vous avez la **bosse** du commerce.
- Il a une énorme **bosse** au front.

→ JE RETIENS

- Les mots peuvent s'employer dans leur **sens propre**, leur sens habituel :
  J'ai le **cœur** qui bat. Il regarde un très **haut** gratte-ciel.
- Ils peuvent aussi s'employer dans un **sens figuré**, pour obtenir une image et enrichir des écrits :
  Ce quartier est au **cœur** de la ville. Ce musée est un **haut** lieu de la culture à Berlin.

Objectif : Identifier les adjectifs qualificatifs pour placer correctement les accords.

Orthographe

L'accord des adjectifs qualificatifs

Cherchons ensemble

- **Lis le texte, puis observe les mots en vert. À quel nom chacun d'eux apporte-t-il une précision ?**
- **Donne le genre et le nombre de ces noms. Quels sont ceux des adjectifs correspondants ?**

> Depuis plus de 1 000 ans, le mont Athos, en Grèce, n'est peuplé que de moines consacrés au travail et à la prière !
>
> Ils vivent très pauvrement dans une république religieuse autonome. Chaque monastère est sous l'autorité d'un abbé, l'higoumène, élu à vie. L'accès est interdit aux « visages lisses » – les femmes et les enfants – pour ne pas distraire les moines dans leur envol spirituel.
>
> Anne Chabert D'Hieres et Michel Malherbe,
> *La Grande Encyclopédie Fleurus religions*, © Groupe Fleurus, 2006.

Un moine orthodoxe devant l'un des monastères du mont Athos sur la presqu'île de la Chalcidique (Grèce).

1 **Copie ces phrases en les complétant avec les adjectifs qui conviennent.**

diverses – haut – célèbre – orthodoxes – européenne – rocheux

- Dans l'Union …, on trouve … religions.
- En Grèce, les moines sont en majorité … .
- Le monastère est situé sur un … piton … .
- Le mont Athos est un lieu de culte … .

2 **Copie ces phrases en choisissant la forme correcte des adjectifs.**

- Les fidèles (**réunis/réunies**) sont en prière.
- Les religions peu (**pratiqué/pratiquées**) déclinent.
- La fête (**terminé/terminée**), les gens s'en vont.

3 **Ajoute à chacun de ces noms l'adjectif en vert et accorde-le.**

- **somptueux** : une église – un temple – des mosquées – des édifices
- **lu** : des prières – un texte – des extraits – une épître
- **instruit** : un moine – des religieuses – des imams – une abbesse

4 **Copie ces phrases en accordant les adjectifs entre parenthèses.**

- Les libertés (**idéologique**) et (**religieux**) sont garanties dans l'UE.
- Dans la religion (**orthodoxe**), les prêtres, (**appelé**) « popes », ont le droit de se marier.
- Les croyants (**chrétien**), (**juif**) et (**musulman**) sont (**monothéiste**).

→ JE RETIENS

- **L'adjectif qualificatif** s'accorde en genre et en nombre avec le nom auquel il se rapporte :
– **au féminin**, on ajoute généralement un **e** à la forme du masculin : froid → froide. Parfois, la terminaison de l'adjectif au féminin est modifiée : religieux → religieuse – spirituel → spirituelle.
– **au pluriel**, on ajoute généralement un **s** ou un **x** à la forme du singulier : pauvre → pauvres – beau → beaux. Parfois, la terminaison de l'adjectif au pluriel est différente : local → locaux.
- Les adjectifs formés sur le participe passé d'un verbe s'accordent comme les autres adjectifs qualificatifs : un abbé élu – des abbés élus – une abbesse élue – des abbesses élues.

Objectif : Montrer que les épithètes et les attributs s'accordent avec le nom auquel ils se rapportent.

Les adjectifs et les participes passés épithètes ou attributs

Cherchons ensemble

- Lis le texte. À quel nom chacun des adjectifs en vert apporte-t-il une précision ? Où se situent-ils par rapport à ce nom ? S'accordent-ils avec lui ?

- Procède de la même façon avec le participe passé en orange. Que constates-tu ?

> La multiplication des restaurants a permis à un plus grand nombre d'habitants de découvrir des cultures étrangères à travers leur cuisine. La plupart des villes possèdent aujourd'hui au moins un restaurant italien (pizzeria) et un restaurant asiatique. Les centres commerciaux ont compris que cette diversité de goûts et d'odeurs était de plus en plus appréciée ; ils proposent dans leurs rayons des aliments provenant d'autres pays et organisent parfois des journées de vente dédiées à un pays.
>
> *Les Parfums de la ville*, dirigé par Michel Da Costa Gonçalves et Geoffrey Galand, coll. « Junior Ville », © Éditions Autrement, 2004.

Un restaurant chinois, à Londres (Royaume-Uni).

1 Copie ces phrases, puis souligne les épithètes.

- La cuisine espagnole utilise beaucoup l'huile d'olive.
- La carbonade flamande est un ragoût de bœuf étuvé.
- L'Italie propose mille plats différents et savoureux.

2 Copie ces phrases en remplaçant le verbe être par un de ceux figurant dans la liste ci-dessous.

rester – sembler – paraître – demeurer

- Pour certains, manger des huîtres est inconcevable.
- Cette méthode de vinification est abandonnée.
- Les raisins sont mûrs pour la récolte.
- Dans cette région, les vendanges sont traditionnelles.

3 Copie ces phrases, puis souligne les attributs du sujet.

- La cuisine japonaise est sobre et variée.
- Cette recette me semble très connue.
- Je ne saurais dire si ce poisson est cuit ou cru.
- Les jeunes Français se montrent de plus en plus curieux de plats exotiques.

4 Copie ces phrases en accordant les épithètes et les attributs.

- Les gestes (**nécessaire**) à la confection de cette recette (**traditionnel**) restent (**identique**).
- Le régime (**crétois**) est-il (**secret**) ?
- Pour les personnes (**désireux**) de découvrir l'Europe d'une manière (**original**), il existe de (**nombreux**) circuits (**varié**).

→ JE RETIENS

- Les adjectifs qualificatifs et les participes passés **épithètes** sont placés avant ou après le nom : un **grand** nombre – un restaurant **italien** – des cultures **étrangères**.
- Les adjectifs qualificatifs et les participes passés **attributs** sont liés au sujet par un verbe. Le plus souvent il s'agit du verbe **être**, mais on trouve aussi des verbes comme demeurer – paraître – rester – sembler – devenir – avoir l'air… : Cette diversité **était** appréciée. – Le rayon **semble** vide.

L'adjectif attribut **s'accorde** toujours en genre et en nombre avec le **sujet** du verbe : Ce goût était apprécié. – Les rayons semblent vides.

Objectif : Savoir que, au futur simple, l'infinitif des verbes des 1er et 2e groupes est conservé devant les terminaisons.

Conjugaison

Le futur simple des verbes des 1er et 2e groupes

Cherchons ensemble

- **Lis le texte. Est-il au passé, au présent ou au futur ? Quel mot te l'indique ?**

- **Observe les verbes en vert et en orange. Quelles sont leurs terminaisons ? Donne leur infinitif. Que remarques-tu ? À quels groupes appartiennent-ils ?**

À l'avenir, pour le touriste qui franchira les montagnes de Transylvanie, le spectacle des petits villages blottis dans la roche aura un parfum d'autrefois. Il y découvrira des petites maisons joliment décorées et un peuple charmant. Des enfants demanderont sans façon de stopper la voiture pour prendre une photographie devant l'église. Et rapidement, un groupe s'avancera, entamera la conversation et invitera le visiteur à goûter un café turc ou une boisson locale.

Un petit village au pied d'une église fortifiée en Transylvanie (Roumanie).

1 **Copie ces phrases en les complétant avec les verbes au futur simple qui conviennent.**

quitterez – finirons – pâliras – préférerai – sauteront

- Je … demander mon chemin pour ne pas me perdre.
- Vous ne … jamais votre jolie région.
- Les danseurs tsiganes … au-dessus de leurs sabres.
- Nous … notre voyage en passant par Bucarest.
- Tu … de peur en empruntant ce pont vétuste.

2 **Écris ces phrases en mettant les verbes en gras au futur simple.**

- Les habitants **se réunissent** près de la fontaine.
- Tu ne **résistes** pas au plaisir de visiter ce lieu.
- Un feu d'artifice **marque** la fin des fêtes du village.
- Le cercle des spectateurs **s'agrandit** vite.
- Vous **dégustez** une spécialité roumaine.

3 **Copie ces phrases en mettant les verbes entre parenthèses au futur simple.**

- (**Assister**)-tu à la reconstitution historique ?
- Les touristes (**réfléchir**) à la suite de leur séjour.
- À la fin du concert, ils (**apprécier**) le calme.
- Ce projecteur (**éblouir**) une partie du public.
- Nous (**visiter**) le musée des Arts populaires.

4 **Conjugue les verbes de ces expressions au futur simple.**

- **louer** une maison
- **choisir** un itinéraire
- **accomplir** un voyage
- **applaudir** le spectacle
- **emprunter** une route
- **photographier** un monument

JE RETIENS

- Au **futur simple**, les verbes des **1er et 2e groupes** prennent les mêmes terminaisons qui s'ajoutent à leur infinitif (**-ai, -as, -a, -ons, -ez, -ent**) :

entamer : j'entamerai – tu entameras – il/elle entamera – nous entamerons – vous entamerez – ils/elles entameront ; franchir : je franchirai – tu franchiras – il/elle franchira – nous franchirons – vous franchirez – ils/elles franchiront.

- Pour bien écrire les verbes du **1er** groupe terminés par **-ier, -ouer, -uer**, il faut penser à l'infinitif et ne pas oublier le **e** qui ne s'entend pas toujours : plier → je plierai – louer → tu loueras.

Cherchons ensemble

- **Qui dirige une république ?**
- **Jusqu'à quel âge es-tu obligé(e) d'aller à l'école ?**
- **Qu'est-ce que la laïcité ?**

❓ Quels détails de cette scène (**Doc. 1**) montrent que la révolte de la Commune a été violente ?

❓ Que signifie la présence du drapeau rouge et du drapeau tricolore ?

❓ Où l'homme au centre s'apprête-t-il à mettre son bulletin de vote (**Doc. 2**) ?

❓ Que fait l'homme assis à droite ?

Doc. 2 : Un bureau de vote, en 1891 (peinture d'Alfred Bramtot, XIXᵉ siècle).

Le sais-tu ?

C'est sous la IIIᵉ République que le 14 Juillet devient la fête nationale et que des bustes de Marianne sont installés dans les mairies.

Doc. 1 : La révolte de la Commune à Paris, en 1871 (lithographie du XIXᵉ siècle).

❓ Qui est représenté (**Doc. 3**) ?

❓ Quels symboles de la République entourent ce portrait ?

▶ L'élargissement des libertés

Après la défaite de Napoléon III contre l'Allemagne, la République est proclamée le 4 septembre 1870 et la paix signée le 28 janvier 1871. Mais les Parisiens refusent la défaite et se révoltent : c'est la Commune (**Doc. 1**). Le président Adolphe Thiers (**Doc. 3**) ordonne une **répression** totale. De nombreux révolutionnaires, comme Louise Michel, sont exilés. Mais les républicains ont gagné. En 1875, ils mettent en place un régime parlementaire et confirment le suffrage universel masculin (**Doc. 2**). Des lois favorisant les libertés sont votées : liberté de réunion, liberté de la presse (1881), liberté de créer des syndicats (1884) et des **associations** (1901).

Doc. 3 : Adolphe Thiers, premier président de la IIIᵉ République (lithographie du XIXᵉ siècle).

la IIIᵉ République ?

? Où se trouve l'institutrice (Doc. 4) ?

? Que font les élèves ?

? Comment sont-ils habillés ?

Doc. 4 : Une salle de classe, en 1889 (peinture d'Henri Geoffroy, XIXᵉ siècle).

Poil de Carotte, tu n'as pas travaillé l'année dernière comme j'espérais. Tes bulletins disent que tu pourrais beaucoup mieux faire. Tu rêvasses, tu lis des livres défendus. Doué d'une excellente mémoire, tu obtiens d'assez bonnes notes de leçons, et tu négliges tes devoirs. Poil de Carotte, il faut songer à devenir sérieux.

Jules Renard, *Poil de Carotte*, 1894.

? Pourquoi Poil de Carotte n'est-il pas sérieux ?

▶ La séparation de l'Église et de l'État

En 1905, une loi instaure la séparation de l'Église et de l'État. Elle institue la **laïcité** et la liberté de religion pour tous les Français. Ainsi, à la fin du XIXᵉ siècle, les valeurs de la République (liberté, égalité, fraternité), issues de la Révolution de 1789, s'imposent à la plupart des Français. La République s'installe.

▶ L'École publique pour tous

En 1881, le ministre de l'Instruction **publique**, Jules Ferry, rend l'école **(Doc. 4)** gratuite ; puis, en 1882, elle devient obligatoire (pour les enfants, filles ou garçons, de 6 à 13 ans) et **laïque**. Les écoles sont entretenues par les mairies et les maîtres sont formés au niveau des départements dans des écoles normales.

Lexique

une association : groupe de personnes qui ont un but commun.

laïc : qui n'appartient à aucune religion.

la laïcité : fait d'être laïc.

public : qui appartient à toute la population.

une répression : action de faire cesser quelque chose en punissant.

➔ JE RETIENS

• La IIIᵉ République naît le 4 septembre 1870. Après la répression de la Commune à Paris, les républicains mettent en place un régime parlementaire et votent les lois instaurant les libertés fondamentales du citoyen. Ils posent les bases de la République.

• Puis ils mettent en place une école publique gratuite, laïque et obligatoire pour tous et décident la séparation de l'Église et de l'État. Les valeurs de la République s'imposent.

Les niveaux de langue

Cherchons ensemble

- **Lis ce texte. Quelle est la signification de l'expression en orange ? Appartient-elle plutôt au langage parlé ou au langage écrit ? Par quelle expression moins familière peux-tu la remplacer ?**

- **Observe l'expression en vert. Par quelle expression plus courante peux-tu la remplacer ?**

« Maxime, ça barde à Montmartre ! Faut y aller…vite ! Paraît que certains soldats ont fraternisé avec la garde nationale et qu'au lieu de tirer sur la foule comme l'exigeaient leurs généraux, ils s'en sont emparés et les ont fusillés sur place, sans plus de procès ! C'est la panique… Tu viens ou quoi ! » Cyprien était surexcité et avec une centaine de Bellevillois, nous partîmes vers Montmartre. « C'est un moment historique, Maxime, historique, je te dis… ! Allez, marchez plus vite, vous autres, bon sang ! »

Alain Bellet, *Le Gamin des barricades*, D.R.

Des combats de rue pendant la Commune de Paris, le 2 avril 1871 (gravure du XIXe siècle).

1 Copie ces expressions, puis indique si elles appartiennent au langage familier (F), courant (C) ou soutenu (S).

- une demeure vétuste
- une baraque pourrie
- une vieille maison
- Magnez-vous !
- Hâtez-vous !
- Dépêchez-vous !

2 Copie ces phrases en remplaçant les expressions courantes en gras par les expressions en langage soutenu ci-dessous.

fourvoyés – effleurer – audacieux – saugrenue

- Voici un jeune homme bien **courageux** !
- Nous nous sommes **perdus** dans les sombres ruelles.
- Quelle idée **bizarre** de vouloir monter là-haut !
- Heureusement, les balles n'ont fait que nous **frôler** !

3 Donne le niveau de langue (familier, courant, soutenu) de ces expressions et associe-les trois par trois selon leur sens.

- le travail
- des habits
- crécher
- amusant
- demeurer
- divertissant
- le labeur
- des frusques
- des vêtements
- le boulot
- rigolo
- habiter

4 Copie ces phrases en remplaçant les expressions familières par des expressions courantes.

- **Grouille**-toi et **barre**-toi ou tu vas te faire **pincer**.
- Il a tellement **la trouille** des soldats qu'il tremble.
- Faites **gaffe**, vous pouvez recevoir des **gnons**.
- **Fous-lui la paix**, sinon il va **se mettre en boule** !

→ JE RETIENS

Selon les circonstances et la personne à laquelle on parle (ou à laquelle on écrit), on utilise différents **niveaux de langue** pour désigner les choses ou raconter des événements :

- le **langage familier** : Ça va **barder** ! Ils les ont **bousillés**.
- le **langage courant** : Cela va **aller mal** ! Ils les ont **fusillés**.
- le **langage soutenu** : La situation va **se gâter** ! Ils les ont **passés par les armes**.

L'accord des adjectifs de couleur

Cherchons ensemble

- **Lis le texte. Repère le mot en orange. Quelle est sa nature ? Quelle sorte de précision apporte-t-il ?**
- **À quel nom se rapporte-t-il ? S'accorde-t-il avec ce nom ?**

> – Louise, tu es un vrai poète !
> – Tu en doutais encore, répond Jules.
> Écoute ce qu'elle a écrit hier :
>> *Les hommes sont encore troupeau ;*
>> *mais voici l'aube matinière*
>> *qui fait germer les jours nouveaux ;*
>> *Debout ! Peuples ! c'est la Diane ;*
>> *Debout ! voici la Marianne*
>> *agitant les rouges drapeaux*
>> *dans la paix immense du monde.*
>> *Le progrès sans fin montera*
>> *Pareil à la foudre qui gronde.*
>
> Évelyne Morin-Rotureau, *Louise Michel*, coll. « Histoire d'Elles »,
> PEMF, Mouans-Sartoux (Alpes-Maritimes), 2002.

Louise Michel parlant à un groupe de communards (peinture de Jules Giradet, 1871).

1 **Copie ces phrases, puis entoure les adjectifs de couleur qui restent invariables.**

- Le blessé a des taches rouge sang sur sa chemise blanche.
- La robe orange de cette femme se détache des vêtements beiges des autres personnes.
- Après un discours animé, ses joues sont devenues roses.
- Ses longs cheveux châtain clair lui tombent sur les épaules.

2 **Copie ces phrases en accordant les adjectifs de couleur.**

- Cette femme a de beaux yeux (**vert**).
- Louise a revêtu une robe (**brun**).
- Certains ont une bannière (**écarlate**).

3 **Copie ces phrases en les complétant avec l'adjectif de couleur qui convient.**

olive – cerise – citron – souris

- Vous portez de jolis rubans rouge … dans les cheveux.
- Ce peintre a réussi un jaune … magnifique.
- Son châle est en tissu gris ….
- Les toiles de ces tentes sont vert ….

4 **Copie ces phrases en accordant l'adjectif de couleur en gras.**

- L'automne arrive avec ses feuilles (**marron**) et (**fauve**).
- Ils brandissent des drapeaux (**bleu**), (**blanc**), (**rouge**).
- C'est une journée (**noir**) ; il y a eu beaucoup de blessés.

→ JE RETIENS

- La plupart des **adjectifs de couleur**, comme les autres adjectifs qualificatifs, s'accordent avec les noms auxquels ils se rapportent : un drap **rouge**/des draps **rouges** – un tissu **bleu**/une toile **bleue**.
- Mais certains adjectifs indiquant la couleur restent **invariables**, lorsque la couleur est exprimée par deux adjectifs ou par un nom utilisé comme adjectif de couleur :
des drapeaux **rouge foncé** – une boîte **marron** – des écharpes **orange**.
Attention ! rose, pourpre, écarlate, mauve, fauve s'accordent.

Objectif : Retrouver les appositions et accorder correctement les adjectifs ou les noms ainsi placés.

L'apposition

Cherchons ensemble

- Lis le texte. Observe les groupes de mots en orange. Par quels signes de ponctuation sont-ils encadrés ?
- À quels noms apportent-ils des précisions ? Où ceux-ci sont-ils placés ?

La loi du 16 juin 1881 décide la gratuité de l'enseignement primaire public. L'entretien des écoles et des instituteurs est à la charge des communes, aidées éventuellement par l'État. Ce n'est qu'en 1889 que les instituteurs, nommés par les préfets, deviennent des fonctionnaires payés par le Trésor public.

La loi du 28 mars 1882 impose l'obligation scolaire pour les enfants des deux sexes, de 6 à 13 ans. Elle décide également la neutralité de l'école publique et l'abandon de l'éducation religieuse (qui peut être donnée le jeudi, jour de repos scolaire, en dehors de l'école).

La Laïcité, coll. « Un Œil sur », PEMF Mouans-Sartoux, 2004.

Une école de filles à Fléchin (Pas-de-Calais), vers 1900.

1 Copie ces phrases, puis souligne les adjectifs qualificatifs en apposition.

- La loi de 1882, innovante, est un texte important.
- Silencieux, les élèves écoutent la leçon.
- Cet enfant, paresseux et insolent, est souvent puni.
- Le professeur, debout, très droit, lit la dictée.

2 Copie ces phrases, puis souligne les groupes de mots en apposition.

- Mon maître, un monsieur très digne, est sévère.
- Aidé par un copain, j'ai enfin pu finir mon devoir.
- Le bonnet d'âne, punition humiliante, n'existe plus.
- Elle enseigne l'histoire, sa matière préférée.

3 Copie ces phrases en y ajoutant le groupe de mots en apposition qui convient.

passionné par son métier – terrorisés par le directeur – petite et menue – trempée délicatement dans l'encre

- Une femme est venue en classe.
- La plume glisse sur le cahier.
- L'instituteur consacre sa vie à ses élèves.
- Les élèves se mettent en rang sans parler.

4 Invente de courtes phrases où tu mettras en apposition les groupes de mots ci-dessous.

séparées des garçons – le plus âgé – vêtu d'une blouse grise – rouge de honte – la nouvelle institutrice – peu nombreux

→ JE RETIENS

- Lorsqu'un **adjectif** (ou un participe passé employé comme adjectif) est séparé du nom qu'il qualifie par des virgules, on dit qu'il est placé **en apposition** :
Les instituteurs, **nommés par les préfets**, deviennent des fonctionnaires.
- L'apposition peut être placée avant ou après le nom :
Nommés par les préfets, les instituteurs deviennent des fonctionnaires.
- Un nom peut être placé en apposition ; il doit alors désigner le même être ou la même chose que le nom principal : L'éducation religieuse peut être donnée le jeudi, **jour** de repos scolaire.
- L'apposition apporte un complément d'information. On peut la supprimer sans changer le sens.

Objectif : Trouver le radical des verbes du 3e groupe et des auxiliaires au futur simple et placer correctement les terminaisons.

Le futur simple des verbes du 3ᵉ groupe et des auxiliaires

Cherchons ensemble

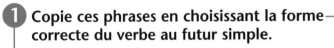

- **Lis ce texte. Repère le verbe en** orange**. Donne son radical et sa terminaison. À quel temps est-il conjugué ?**
- **Quel est son infinitif ? Donne son radical. Que constates-tu ?**

> En 1829, il y a en France 14 000 communes qui n'ont pas d'école, soit un peu moins de la moitié. En 1863, il n'y en a plus que 818. Des institutions religieuses et des communes ont en effet ouvert des écoles, mais les enfants travailleurs n'y vont pas. L'école ne deviendra obligatoire et gratuite qu'en 1882. Jusqu'à cette date, seuls les enfants dont les parents ont les moyens de payer fréquentent l'école.
>
> Philippe Godard, *La Vie des enfants travailleurs pendant la révolution industrielle*, coll. « La Vie des enfants », © Éditions du Sorbier, 2001.

Un instituteur et sa classe, en 1887.

1 **Copie ces phrases en choisissant la forme correcte du verbe au futur simple.**

- Les meilleurs élèves (**recevront/recevrons**) des prix.
- Le règlement (**interdira/interdiras**) de chahuter.
- Nous (**sortiront/sortirons**) notre cahier d'écriture.
- Vous (**découvrirez/découvrirai**) la vie de l'école.
- C'est toi qui (**lira/liras**) le texte.

2 **Conjugue les verbes de ces phrases au futur simple.**

- **être** assis près de la fenêtre
- **avoir** un pupitre bien rangé
- **aller** en classe
- **faire** ses devoirs

3 **Copie ces phrases en mettant les verbes en gras au futur simple.**

- Tu ne **réponds** pas à la question.
- **Savez**-vous votre leçon de calcul ?
- L'instituteur **écrit** les notes à l'encre rouge.
- Nous **revêtons** une tenue correcte.
- **Apprends**-tu la morale du jour ?

4 **Copie ces phrases en mettant les verbes en gras au futur simple.**

- La commune (**construire**) deux écoles : l'une (**accueillir**) les garçons, l'autre (**être**) pour les filles.
- Nous (**devoir**) nous lever tôt.
- Les retardataires (**avoir**) une punition.
- Les écoliers (**prendre**) part aux cérémonies du 14 Juillet et (**aller**) sur la place du village.

JE RETIENS

- **Au futur simple**, pour beaucoup de verbes du **3ᵉ groupe** terminés par **-e** à l'infinitif, on supprime cette lettre avant de placer la terminaison : écrire : j'écrirai – **conduire** : tu conduiras.
- Le radical de certains verbes est modifié, mais les terminaisons sont toujours les mêmes : **faire** : je ferai ; nous ferons – **vouloir** : tu voudras ; vous voudrez – **venir** : il viendra ; ils viendront **voir** : je verrai ; nous verrons – **savoir** : tu sauras ; vous saurez – **aller** : elle ira ; elles iront.
- Le radical des auxiliaires **être** et **avoir** est totalement différent de celui de l'infinitif : **avoir** : tu auras – ils/elles auront — **être** : je serai – nous serons.

Écrire un conte

Cherchons ensemble

- Lis le texte. Observe l'expression en vert du début. Celle-ci donne-t-elle une information précise sur le moment où se déroule l'histoire ?
- Observe l'expression en orange. Où se passe l'histoire ? Est-ce un endroit que tu peux identifier ?
- Quel est le personnage principal ? Comment est-il décrit ?
- Qui sont les autres personnages ? Ont-ils des noms ?
- Pourquoi les parents veulent-ils se séparer de leurs enfants ?
- Par quelle action le héros se distingue-t-il ? Quelle qualité cela fait-il ressortir chez celui-ci ?

Un bûcheron dans la forêt (dessin).

Le Petit Poucet

Il était une fois un Bûcheron et une Bûcheronne qui avaient sept enfants tous Garçons. L'aîné n'avait que dix ans et le plus jeune n'en avait que sept. [...] Il était fort petit, et quand il vint au monde, il n'était guère plus gros que le pouce, ce qui fit qu'on l'appela le petit Poucet. Ce pauvre enfant était le souffre-douleurs de la maison, et on lui donnait toujours le tort. Cependant il était le plus fin, et le plus avisé de tous ses frères, et s'il parlait peu, il écoutait beaucoup. Il vint une année très fâcheuse, et la famine fut si grande, que ces pauvres gens résolurent de se défaire de leurs enfants. Un soir que ces enfants étaient couchés, et que le Bûcheron était auprès du feu avec sa femme, il lui dit, le cœur serré de douleur : « Tu vois bien que nous ne pouvons plus nourrir nos enfants ; je ne saurais les voir mourir de faim devant mes yeux, et je suis résolu de les mener perdre demain au bois, ce qui sera bien aisé, car tandis qu'ils s'amuseront à fagoter, nous n'avons qu'à nous enfuir sans qu'ils nous voient. [...] Le petit Poucet ouït tout ce qu'ils dirent, car, ayant entendu de dedans son lit qu'ils parlaient d'affaires, il s'était levé doucement, et s'était glissé sous l'escabelle de son père pour les écouter sans être vu. Il alla se recoucher et ne dormit point le reste de la nuit, songeant à ce qu'il avait à faire. Il se leva de bon matin, et alla au bord du ruisseau où il emplit ses poches de petits cailloux blancs, et ensuite revint à la maison. On partit, et le petit Poucet ne découvrit rien de tout ce qu'il savait à ses frères. Ils allèrent dans une forêt fort épaisse, où à dix pas de distance on ne se voyait pas l'un l'autre. Le Bûcheron se mit à couper du bois et ses enfants à ramasser les broutilles pour faire des fagots. Le père et la mère, les voyant occupés à travailler, s'éloignèrent d'eux insensiblement, et puis s'enfuirent tout à coup par un petit sentier détourné. Lorsque ces enfants se virent seuls, ils se mirent à crier et à pleurer de toute leur force. Le petit Poucet les laissait crier, sachant bien par où il reviendrait à la maison ; car en marchant il avait laissé tomber le long du chemin les petits cailloux blancs qu'il avait dans ses poches. Il leur dit donc : « Ne craignez point, mes frères ; mon Père et ma Mère nous ont laissés ici, mais je vous ramènerai bien au logis, suivez-moi seulement. » Ils le suivirent, et il les mena jusqu'à leur maison par le même chemin qu'ils étaient venus dans la forêt.

Charles Perrault, « Le Petit Poucet »
in Histoires ou Contes du temps passé, 1697.

1 Lis le début de ce conte et réponds aux questions.

- Par quelle expression commence ce texte ? Apporte-t-elle une information précise ?
- Où se passe l'histoire ?
- Qui est le personnage principal ?
- Est-il riche ou pauvre ?
- Pourquoi est-il effrayant ?

Il était une fois un homme qui avait de belles maisons à la ville et à la campagne, de la vaisselle d'or et d'argent, des meubles en broderie, et des carrosses tout dorés ; mais par malheur cet homme avait la barbe bleue : cela le rendait si laid et si terrible, qu'il n'était ni femme ni fille qui ne s'enfuît devant lui ; une de ses voisines, dame de qualité, avait deux filles parfaitement belles. Il lui en demanda une en mariage, et lui laissa le choix de celle qu'on voudrait lui donner. Elles n'en voulaient point toutes deux, et se le renvoyaient l'une à l'autre, ne pouvant se résoudre à prendre un homme qui eût la barbe bleue. Ce qui les dégoûtait encore, c'est qu'il avait déjà épousé plusieurs femmes, et qu'on ne savait ce que ces femmes étaient devenues.

« La Barbe bleue », conte de Charles Perrault.

2 Lis ces textes. Indique lequel est un extrait de conte. Justifie ta réponse.

Mais son ami l'enchanteur, qui avait vu revenir chez lui les grenouilles volantes et leur chariot sans le roi, s'inquiéta de ce qui pouvait lui être arrivé. Il parcourut huit fois toute la Terre [...].
Il faisait son neuvième tour, lorsqu'il passa dans le bois où se trouvait l'Oiseau Bleu.

Madame d'Aulnoy, « L'Oiseau bleu », in Bibliobus n°17, © Hachette Livre, 2006.

Texte 1

Ce que pense la sorcière de son balai

« Avec ce coursier,
Mordre la poussière,

Ça, dit la sorcière,
Ce n'est pas sorcier ! »

Jean-Luc Moreau,
Poèmes à saute-mouton,
coll. « Fleurs d'encre »,
Le Livre de Poche Jeunesse, 2003.

Texte 2

Couché sur le tapis entre ses livres et ses jouets, Thomas rêvait. Par la fenêtre de sa chambre, il suivait d'un œil vague le vol d'une mouette acrobate dans le ciel bleu de Paris. De la rue, montait le grondement sourd et régulier de l'océan qui doucement le berçait sur son petit nuage.

Didier Herlem, *Mystère au chocolat*,
Le Livre de Poche Jeunesse, 2000.

Texte 3

3 Écris un court conte en respectant les consignes ci-dessous

- Choisis un héros (humain ou animal).
- Raconte une scène où le héros se montre courageux.
- Imagine un personnage merveilleux que le héros va rencontrer.
- Trouve une fin heureuse.

→ JE RETIENS

Un conte est un court récit d'aventures imaginaires. Pour écrire un conte, il faut :
- situer l'histoire dans **un lieu** et à **une époque indéterminés** (il était une fois…) ;
- choisir **un héros**, souvent un personnage ordinaire, jeune (cela peut aussi être un animal) ;
- raconter ce qui arrive au héros : celui-ci doit toujours, à un moment donné, faire preuve de qualités exceptionnelles (astuce – honnêteté – bravoure) pour vaincre des obstacles ou affronter de redoutables personnages (monstres – ogres – sorcières). Il est parfois aidé dans ces épreuves par des êtres (fées – génies) ou des objets (épée – lampe) aux pouvoirs surnaturels ;
- prévoir **une fin heureuse** : le héros finit toujours par triompher et les méchants sont punis.

Quels sont les principaux axes de

Cherchons ensemble

- **Cite différents moyens de transport ?**
- **Quels pays sont reliés par le tunnel sous la Manche ?**

? Quelle est l'orientation des plus importants axes terrestres (Doc. 1) ?

? Quels sont les trois principaux ports de la Méditerranée ?

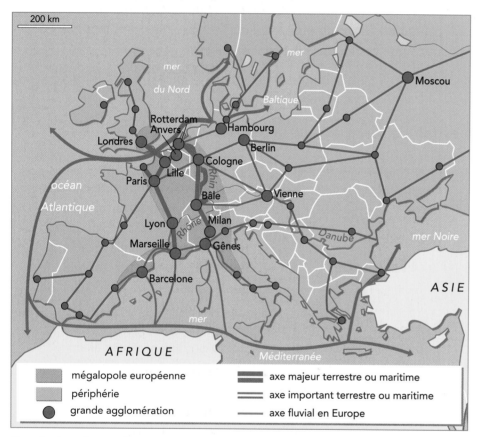

Légende :
- mégalopole européenne
- périphérie
- ● grande agglomération
- axe majeur terrestre ou maritime
- axe important terrestre ou maritime
- axe fluvial en Europe

Doc. 1 : Les réseaux de communication en Europe.

▶ Des réseaux multiples

Dans toute l'Union européenne, la circulation des personnes et des marchandises augmente et les réseaux de communication (Doc. 1) se développent. Le réseau terrestre est le plus dense. Construit en fonction du relief, il emprunte les vallées comme celles du Rhône ou du Rhin. Depuis quelques années, grâce à la construction de tunnels et de viaducs, il s'étend à des régions d'accès plus difficiles (Doc. 2). Le réseau maritime, moins développé, est essentiellement constitué du Rhin, du Rhône et du Danube. Il comporte aussi des ports très importants comme ceux de Rotterdam (Doc. 3), Anvers ou Gênes. Le réseau aérien relie principalement les grandes agglomérations.

Je me demande ce que Carabos et Cabrial peuvent rapporter de Bulgarie dans ces manèges. Qu'est-ce qu'il y a en Bulgarie qui vaille la peine d'être importé en Espagne ? s'est interrogée Juju.

– Hristo Stoichkov, ça te dit quelque chose ?

– Non.

– C'est un très bon footballeur, il joue au Barça. Et il est bulgare.

– Et alors ?

– Si ça se trouve, ils ramènent des footballeurs en contrebande, cachés dans les chevaux de bois.

Fernando Lalana et José M. Almárcegui, trad. C. Breton, *Le Manège bulgare*, © D.R.

? D'où viennent les manèges ?

? Dans quel pays sont-ils transportés ?

? Où passe cette autoroute (Doc. 2) ?

Doc. 2 : Une autoroute traversant les Alpes près d'Innsbruck (Autriche).

▶ Un axe majeur Nord-Sud

Héritage de l'histoire, la circulation en Europe est dominée par un axe Nord-Sud qui passe par les vallées du Rhin et du Rhône et relie les façades maritimes de l'océan Atlantique à celles de la Méditerranée. De Rotterdam (Doc. 3) à Gênes, autoroutes, voies ferrées, voies aériennes relient entre elles les plus grandes villes de la mégalopole européenne (Doc. 1). L'axe Est-Ouest, moins développé, est en nette progression depuis l'intégration à l'Union européenne de pays comme la Pologne ou la Hongrie.

Le sais-tu ?

Le tunnel du Mont-Blanc, qui traverse les Alpes et relie la France à l'Italie, a été construit entre 1959 et 1965.

? Cherche ce port (Doc. 3) sur la carte (Doc. 1). Où est-il situé ?

? D'après la photographie, dans quel type de transport Rotterdam est-il spécialisé ?

Doc. 3 : Le port de Rotterdam (Pays-Bas).

▶ Des échanges importants

Grâce à ces réseaux de communication denses et variés et à l'amélioration des moyens de transport (vitesse, contenance), le **trafic** dans l'Union européenne ne cesse d'augmenter. La circulation des marchandises, qui se fait essentiellement par trains ou par camions, y est d'autant plus facile que les **droits de douane** ont été supprimés depuis 1957. Ainsi l'Europe est-elle devenue la plus importante zone commerciale du monde.

Lexique

un droit de douane : impôt à payer pour pouvoir vendre un produit dans un pays étranger.

le trafic : circulation de véhicules de trains, d'avions et de bateaux.

→ JE RETIENS

- En Europe, les réseaux de communication sont variés. Le réseau terrestre est le plus étendu et le plus dense. Le réseau maritime est surtout centré autour du Rhin et du Rhône.
- L'axe de transport Nord-Sud, qui dessert toute la mégalopole européenne, domine. Mais l'axe Est-Ouest se développe.
- Grâce à ses réseaux performants, l'Europe est devenue la 1re zone commerciale du monde.

Objectif : Reconnaître et former des mots d'une même famille sémantique.

Les familles de mots

Cherchons ensemble

- **Lis ce texte, puis observe les mots en** vert**.
Quelle est leur partie commune ?
Cherche d'autres mots de la même famille.**

> Comparé au Rhin, son voisin, le Danube est peu emprunté : on y rencontre bien moins de péniches que sur le Rhin, l'un des axes fluviaux les plus fréquentés au monde. Pourquoi le transport de marchandises sur le Danube n'a-t-il pas connu un développement semblable à celui du transport sur le Rhin ?
>
> Il faut d'abord prendre en compte le caractère du Danube lui-même. Jusque il y a peu, le Danube était un fleuve au cours puissant et destructeur en raison de l'importance et de la rapidité de son débit.
>
> *Le Danube, D.R.*

Des péniches sur le Danube à Budapest (Hongrie).

1 **Copie ces mots en les regroupant en cinq familles.**

un port – motoriser – une drague – un canal – remorquer – draguer – un remorqueur – portuaire – un dragueur – le remorquage – canaliser – une remorque – un moteur – une canalisation – une motorisation – transporter

2 **Dans chaque liste, trouve l'intrus.**

- un marchand – une marchandise – un marchandeur – une marche – marchander – le marchandage
- une charge – charger – un chargement – un char – une chargeuse – chargé – décharger
- naviguer – un navigateur – une navette – un navire – la navigation – navigable – naval
- le commerce – un commerçant – commercer – commercial – le commencement – commercialiser
- aquatique – un aquarium – l'aquaculture – aqueux – aquilin – l'aquarelle

3 **Copie ces phrases en les complétant avec un mot de la famille du verbe en** vert**.**

- **passer** – Le ... des écluses prend du temps.
- **longer** – Le chemin est ... jusqu'à l'estuaire.
- **polluer** – Les poissons meurent à cause de la ... .
- **amarrer** – Le navire est attaché par de solides ... .

4 **Copie ces phrases en les complétant avec des mots de la même famille que** mer**.**

- Plus de cent ... travaillent sur ce navire.
- Son père est officier de ... marchande.
- Près de la côte, on sent l'influence de la ... .
- Le ... vit toute l'année sur sa péniche.

→ JE RETIENS

- **Les mots d'une même famille** évoquent une même idée, une même chose. Ils ont tous une partie commune, le radical, auquel sont ajoutés des préfixes ou des suffixes :
le **transport** – **transport**er – un **transport**eur   le **mond**e – **mond**ial – la **mond**ialisation.
- **Parfois le radical est modifié :** le **fleuve** – **fluvial** – un **confluent**.

Les déterminants numéraux

Cherchons ensemble

- **Lis ce texte. Repère les mots en vert.
Quelle sorte d'information donnent-ils ?**
- **Observe les mots en orange.
Qu'indiquent-ils ?**
- **Comment peux-tu aussi écrire ces mots ?**

Situé aux abords d'Amsterdam aux Pays-Bas, l'aéroport de Schiphol a la particularité d'être construit sous le niveau de la mer. Mais il est surtout l'un des plus importants aéroports d'Europe – il occupe la quatrième place derrière ceux de Londres (Heathrow), Paris (Roissy) et Francfort – et même du monde, puisqu'il se trouve au onzième rang mondial. Il est vrai que le trafic y est intense. Chaque année, environ quatre cent cinquante mille avions y transitent et trente-huit mille passagers y sont accueillis.

Des avions sur la piste de l'aéroport international de Schiphol (Pays-Bas).

3 **Transforme ces déterminants numéraux cardinaux en numéraux ordinaux.**

Ex. 4 → quatrième

1 – 17 – 20 – 31 – 100 – 1 000 – 1 000 000

4 **Copie ces phrases en écrivant les nombres en lettres.**

- Je suis le 29ᵉ et dernier passager de cet avion.
- 350 avions de ce type sont en service.
- Plus de 17 600 passagers ont transité par ici.
- L'aéroport de Francfort est le 3ᵉ d'Europe.

1 **Copie ces phrases, puis souligne en bleu les déterminants numéraux cardinaux et en rouge les déterminants numéraux ordinaux.**

- Je suis assise au septième rang, près du hublot.
- L'avion va décoller à dix-neuf heures.
- Cinquante-trois passagers sont déjà montés à bord.
- C'est la treizième fois que tu prends l'avion.
- Seules les vingt premières personnes partiront.
- Regarde le second avion comme il vole bas.

5 **Copie ce texte en écrivant les nombres en lettres.**

Cet avion ne dépasse pas 63 mètres de long pour une envergure de 60 mètres. Il accueille jusqu'à 330 passagers. Son rayon d'action se situe entre 15 900 et 16 300 kilomètres. Il peut voler à une hauteur de 13 000 mètres. C'est le 756ᵉ appareil que nous vendons aujourd'hui.

2 **Écris chaque nombre en toutes lettres.**

58 – 204 – 320 – 747 – 900 – 1 001 – 1 649 – 2 000

JE RETIENS

- Les déterminants **numéraux cardinaux** qui indiquent **le nombre** sont invariables : quatre – cinq mille **sauf** vingt **et** cent lorsqu'ils indiquent un nombre exact de vingtaines ou de centaines : quatre-vingts **mais :** quatre-vingt-huit   deux cents **mais :** deux cent cinquante.
Attention ! certains nombres se terminent par **s** ou **x** : deux – trois – six – dix…
- Les déterminants **numéraux ordinaux**, qui indiquent **l'ordre** ou le rang des êtres et des choses, s'accordent avec le nom : les **premiers** jours – les **secondes** classes.

Les prépositions

Cherchons ensemble

- **Lis ce texte. Repère les mots en vert. Donne le genre et le nombre des mots qui les suivent. Que constates-tu ?**
- **Mets la première phrase au pluriel. Que remarques-tu ?**

> **Gênes, une cité ouverte sur le large**
> Le plus grand port d'Italie est bâti **dans** un vaste amphithéâtre **sur** la mer Ligurienne. Spécialisé dans le trafic d'hydrocarbures et **de** conteneurs ainsi que dans le transport des passagers, le port connaît un incessant va-et-vient d'énormes tankers. [...] **Derrière** les quais se profilent les ruelles étroites de la ville basse, appelées « carugi ». Le Vieux Port a été rénové **par** l'architecte Renzo Piano, Génois d'origine. Il abrite désormais l'aquarium le plus vaste d'Europe.
>
> *Italie*, coll. « Passions d'ailleurs », © Larousse, 2000.

Le vieux port et le port industriel de Gênes (Italie).

1 Copie ces phrases, puis entoure les prépositions.

- Demain, avec mes parents, nous partons pour Gênes.
- De nombreux véhicules circulent sur la jetée.
- Des navires de commerce entrent dans le port.
- Des caisses en bois sont alignées le long des quais.
- Après un bref arrêt, le cargo repart vers la mer.

2 Copie ces expressions en les complétant avec les prépositions qui conviennent.

- actionner la corne … brume
- un hangar … bateaux
- embarquer … un méthanier
- naviguer … deux eaux
- se diriger … le port
- être … le brouillard
- lutter … le vent
- avancer … visibilité

3 Copie ces phrases en les complétant avec les prépositions ci-dessous.

grâce à – avec – dans – contre – à – entre – en – durant – afin de

- Ce port est construit … une grande baie, … mi-chemin … les deux plus grandes villes du pays.
- … la digue, le port est protégé … les vagues violentes.
- Des grues … des chaînes … fer ont été installées … l'hiver dernier … faciliter les chargements.

4 Copie ces phrases en les complétant avec les prépositions qui conviennent.

- Les conteneurs sont chargés … les bateaux … des grutiers qualifiés.
- … sa casquette, le capitaine est facile … reconnaître.
- Pris … la tempête, le navire peine … regagner le port.
- … le cargo chargé … minerais, arrive un autre bateau … une belle coque rouge.

→ **JE RETIENS**

- **Les prépositions** introduisent des compléments qui peuvent être des noms ou des verbes à l'infinitif : un port **d'**Italie – un amphithéâtre **sur** la mer – un ascenseur **pour** dominer les toits.
- Elles précisent parfois le sens du complément : **derrière** les quais – **devant** les quais – **sur** les quais – **le long** des quais.
- Les prépositions sont des **mots invariables**.

Objectif : Apprendre à conjuguer les verbes **être** et **avoir** au passé simple.

Le passé simple des verbes être et avoir

Cherchons ensemble

- **Lis ce texte. Est-il au passé, au présent ou au futur ?**
- **Observe les verbes en vert, puis donne leur infinitif. Retrouves-tu le radical de l'infinitif dans leur forme conjuguée ?**

Je m'ennuyais chez moi à la perspective d'un week-end maussade, lorsqu'une amie berlinoise **eut** la bonne idée de me téléphoner pour me proposer de passer quelques jours avec elle à Bayreuth à l'occasion du festival de musique. Ce **fut** rapidement décidé et vite organisé. Connaissant la qualité des autoroutes allemandes, je décidai de partir en voiture. J'**eus** à peine le temps de consulter ma carte routière que déjà j'entrai en Allemagne, où je **fus** content de découvrir que les autoroutes, contrairement à celles de France ou d'Italie, étaient gratuites.

Une autoroute en Allemagne.

1 **Copie ces phrases en les complétant avec les pronoms personnels corrects.**

- … fûmes bientôt à proximité de l'échangeur.
- En dix minutes, … fûtes sur l'aire de repos.
- … eus le temps de te reposer.
- … eut envie d'emprunter ce gigantesque viaduc.

2 **Copie ces phrases en mettant les verbes en gras au passé simple.**

- Tu n'**auras** bientôt plus de monnaie pour le péage.
- L'A6 **est** appelée « autoroute du Soleil ».
- Je **suis** attentif en arrivant sur la bretelle d'accès.
- Ils **ont** déposé un nouveau projet de rond-point.

3 **Conjugue les verbes de ces phrases au passé simple.**

- **être** respectueux des autres
- **être** en panne
- **avoir** conscience du danger
- **avoir** assez d'essence

4 **Copie ces phrases en mettant les verbes entre parenthèses au passé simple.**

- Ce tunnel (**être**) construit l'année dernière.
- Même sans ce signal, j'(**avoir**) ralenti.
- Vous (**avoir**) tort de ne pas utiliser le télépéage.
- Nous (**avoir**) du retard à cause d'un accident.

5 **Écris ce texte en mettant les verbes entre parenthèses au passé simple.**

Au moment du départ, nous (**être**) surpris par l'orage. Une pluie torrentielle s'abattit sur nous et nous n'(**avoir**) que le temps de nous abriter dans la voiture. Mon père (**avoir**) la bonne idée de brancher la radio pour nous faire patienter. Cependant, au bout de dix minutes de ce déluge, j'(**avoir**) hâte que cela cesse. Enfin, le calme revint et je (**être**) content de voir réapparaître le soleil. Ce n'(**être**) finalement pas si terrible !

→ **JE RETIENS**

- Au **passé simple**, temps du récit, les verbes **être** et **avoir** ont des formes particulières :

être : je fus – tu fus – il/elle fut – nous fûmes – vous fûtes – ils/elles furent

avoir : j'eus – tu eus – il/elle eut – nous eûmes – vous eûtes – ils/elles eurent.

- Les 1re et 2e personnes du pluriel sont très rarement employées.

Pourquoi les Européens partent-ils

Cherchons ensemble

- À ton avis, comment les Européens ont-ils fait pour partir au loin, si facilement, au XIXᵉ siècle ?
- Pourquoi les pays font-ils du commerce ?

Le Victoria reprenait sa marche. Kennedy et le docteur se réveillèrent. Ce dernier consulta la boussole, et reconnut avec satisfaction que le vent les portait vers le nord-nord-est.
Nous jouons de bonheur, dit-il : tout nous réussit ; nous découvrirons le lac Tchad aujourd'hui même.

Jules Verne, *Cinq Semaines en ballon*, 1863.

? Quel moyen de transport les explorateurs utilisent-ils ? Qu'est-ce qui le fait avancer ?

? Que semble indiquer la statue de la Liberté aux immigrants qui arrivent (Doc. 2) ?

Doc. 2 : Des immigrants arrivant par bateau à New York aux États-Unis (gravure, 1887).

Le sais-tu ?

Plus de 50 millions d'Européens ont quitté leur pays au XIXᵉ siècle pour aller s'installer dans des pays nouveaux (États-Unis, Australie...).

? Où se trouve l'explorateur (Doc. 1) ? À quoi le reconnais-tu ?

? Par qui est-il accompagné ?

Doc. 1 : L'explorateur britannique Sir Henry Morton Stanley lors d'une expédition en Afrique (gravure du XIXᵉ siècle).

▶ Un monde attirant

Vers 1850, les Européens qui sont en pleine expansion démographique, économique et culturelle se tournent vers le reste du monde : certains cherchent de nouveaux pays avec qui commercer ; d'autres sont curieux de découvrir des territoires encore inconnus en Afrique (Doc. 1), en Asie et en Océanie ; d'autres enfin souhaitent échapper à une situation misérable dans leur pays et émigrent vers des pays (États-Unis (Doc. 2), Australie) où ils espèrent faire fortune. Leur volonté d'aller hors d'Europe est favorisée par la révolution des transports (chemin de fer, bateaux à vapeur...) qui rend les voyages plus faciles.

à la conquête du monde ?

▶ Une volonté d'expansion

Certains pays, dont la Grande-Bretagne et la France, qui détiennent déjà des **comptoirs** en Afrique et en Asie, organisent des voyages d'exploration. Puis, trouvant ces territoires riches en **matières premières** ou importants pour établir leur influence dans la région, ils décident de les conquérir, le plus souvent grâce à l'armée. Ils veulent aussi apporter aux populations locales, les **indigènes**, leur civilisation. Des **missions** sont envoyées sur place pour construire des écoles (Doc. 3) et des **dispensaires**, ainsi que pour convertir la population au christianisme.

? Décris le missionnaire (Doc. 3).

Doc. 3 :
Un missionnaire français apprenant à lire à des enfants africains au Congo, vers 1905.

? Comment sont représentées les colonies sur cette affiche (Doc. 4) ?

? Que leur apporte la France ?

Doc. 4 : Les colonies françaises (affiche, 1900).

▶ Des visées impérialistes

De 1815 à 1914, les pays européens (la France (Doc. 4), la Grande-Bretagne, la Hollande…) se constituent de vastes empires coloniaux (voir la carte en fin d'ouvrage) dont ils tirent d'importants profits. Les colons s'attribuent les terres et obligent les indigènes à travailler pour eux et à cultiver des produits pour l'exportation au détriment des cultures traditionnelles qui leur permettent de se nourrir. Dans ces colonies, la population locale, souvent maltraitée, s'appauvrit tandis que les colons s'enrichissent.

Lexique

un comptoir : port de commerce établi par une nation étrangère dans un autre pays.

un dispensaire : centre de soins.

un indigène : personne née dans le pays où elle habite (pour les Européens, personne non européenne).

une matière première : produit de l'agriculture ou des mines qui sert à fabriquer d'autres produits.

une mission : groupe de missionnaires chargés de propager leur religion.

➔ JE RETIENS

• Au XIXᵉ siècle, les Européens, qui sont en pleine expansion et disposent de moyens de transport variés, partent explorer le monde et chercher d'autres débouchés commerciaux.

• Convaincus de la richesse des territoires qu'ils découvrent, ils décident de les conquérir, d'en faire des colonies et d'y apporter la civilisation européenne (éducation, médecine, religion).

• L'exploitation de ces nouvelles colonies leur permet de s'enrichir considérablement.

Le champ lexical

Cherchons ensemble

- Lis le texte. Observe les mots ou les groupes de mots en orange. Autour de quelle idée peux-tu tous les réunir ? Quel mot exprime cette idée ?

En 1866, une expédition française prend le départ à Saïgon. Elle est dirigée par Ernest Doudart de Lagrée (1823-1868), qui est chargé de remonter le cours du Mékong. Son objectif est d'affirmer la présence de la France en Indochine, mais aussi de mieux connaître cette région. Cet immense fleuve, long de 4 180 km, traverse du nord au sud la péninsule Indochinoise. Il pourrait faciliter la liaison entre les riches provinces intérieures de la Chine et la colonie française de Cochinchine.

Dominique Joly, *Explorations et Découvertes*, © Hachette Livre, 1995.

Paysage d'Indochine dessiné au cours de l'expédition d'Ernest Doudart de Lagrée le long du Mékong (lithographie, 1870).

1 Fais trois colonnes, puis classe ces mots en fonction des trois champs lexicaux ci-dessous.

l'exploration – la forêt – le danger

effrayant – l'humus – découvrir – redoutable – dense – le feuillage – des vestiges – une branche – une alerte – des arbres – l'observation – un péril – prospecter – un piège – des indices – la cime – une menace – touffu – la peur – des traces – risquer – des fougères

2 Trouve l'intrus qui n'appartient pas au champ lexical du mot en orange.

- **la colonisation** : une colonie – un empire – occuper – un indigène – une colonne – annexer – un esclave
- **la civilisation** : civiliser – une évolution – instruire – la circulation – un progrès – l'éducation – barbare
- **la profondeur** : descendre – une crevasse – dévaler – un puits – un gouffre – un camp – l'abîme – la chute

3 Copie ce texte, puis souligne en bleu tous les mots qui appartiennent au champ lexical du voyage et en rouge ceux qui se rapportent à la science.

Pour sa mission scientifique en Indochine, l'explorateur se munit de nombreux instruments de mesure. Il est accompagné de plusieurs chercheurs : l'un étudiera la géographie, l'autre l'histoire, un autre la faune et la flore. Leur expédition commence par un long trajet en bateau qui les amène à Saïgon. Là, tous embarquent à bord d'une jonque qui leur permet de s'enfoncer dans la forêt et de faire halte pour effectuer des relevés. Tous espèrent une découverte exceptionnelle !

4 Utilise cette liste de mots du champ lexical de l'aventure pour construire cinq phrases. Tu peux en utiliser plusieurs dans chaque phrase.

aventurier – périlleux – se risquer – imprévu – se hasarder – audacieux – hardi – dangereux

→ JE RETIENS

- **Le champ lexical** regroupe l'ensemble des mots désignant les aspects divers d'une relation, d'une idée, d'une technique, d'une notion ou d'un thème.
- Par exemple, le champ lexical d'une **expédition** comprendra des termes comme : le voyage – le raid – le départ – le détour – la liaison – le matériel – les porteurs ; **ainsi que les verbes** : atteindre – traverser – remonter le cours – arriver – faire étape…

Les mots invariables

Cherchons ensemble

- **Lis le texte. Observe les mots en orange. Mets tous les mots de cette phrase au singulier. Que remarques-tu ?**
- **Trouve d'autres mots du même type dans le texte.**

> Si les balles ennemies n'ont pas fait de victimes, les maladies et le climat s'en chargent. Sans cesse des malades arrivent à Majunga, et des morts aussi...
> Dans deux jours, je vais rejoindre les avant-postes en passant par les mines d'or où travaille mon hôte...
> Les missionnaires français débarquent en grand nombre, car les Malgaches sont de religion protestante du fait de l'ancienne influence anglaise. Ils auront beaucoup à faire surtout dans les campagnes, d'après ce que l'on dit.
>
> Bertrand Solet, *Il était un capitaine*, Le Livre de Poche Jeunesse, 2002.

La construction d'une mission catholique en Afrique, vers 1900.

1 **Copie ces phrases en les complétant avec les mots invariables de la liste ci-dessous.**

à – près de – après – pour – de – et – en – sur

- Cinq missionnaires ont débarqué ... l'île de Madagascar.
- ... huit mois ... voyage ... mer, ils sont fatigués.
- Il est vêtu d'une soutane ... d'un casque colonial blanc.
- ... la mission, il y a un dispensaire ... donner des soins.
- Les prêtres cherchent ... convertir les indigènes.

2 **Copie ces phrases en les complétant avec les conjonctions ci-dessous.**

et – car – or – ni – ou

- Les Français sont inquiets ... ils craignent une révolte.
- Ils bâtissent des églises ... ouvrent des écoles.
- Il faut choisir entre devenir protestant ... catholique.
- Ce prêtre est dévoué, ... il n'est pas courageux.
- Là-bas, vous ne trouverez ... gloire, ... richesse.

3 **Copie ces phrases en les complétant avec les adverbes ci-dessous.**

aussi – ici – où – longtemps – beaucoup

- ... de religieux ont été massacrés ....
- L'évangélisation s'est ... effectuée par la force.
- Ce prêtre est depuis ... dans la région.
- Je ne sais pas ... vont ces hommes.

4 **Copie ces phrases, puis entoure les mots invariables.**

- Parfois, les missions sont attaquées, puis incendiées.
- Il est arrivé par bateau, mais il repartira à pied.
- D'ici, vous êtes encore loin d'atteindre la mission.
- Il est fatigué, car la route est longue et difficile.
- Il est bien possible que tu t'en ailles aussi dès demain.

→ JE RETIENS

- Dans une phrase, certains **mots** ne prennent pas les marques du genre et du nombre, ils ne s'accordent pas ; on dit qu'ils sont **invariables**. Ce sont principalement :
  - des **prépositions** : Les victimes **de** guerre sont nombreuses.
  - des **conjonctions** : Les maladies **et** le climat s'en chargent.
  - des **adverbes** : Ils auront **beaucoup** à faire.

Le complément du nom

Cherchons ensemble

- **Lis le texte. Repère les groupes de mots en** orange. **À quels noms apportent-ils des précisions ?**
- **Par quels mots sont-ils reliés à ces noms ? Comment les appelle-t-on ?**

Sous la IIIe République, le développement de l'Algérie est spectaculaire : plus que jamais, les villes s'agrandissent, les ports se modernisent, de grands barrages sont édifiés. En 1939, l'Algérie compte 5 000 kilomètres de voies ferrées, et sa capitale, Alger, fait partie des grandes villes françaises, avec son université, son Institut Pasteur, sa Bibliothèque nationale, son Musée national et... ses embouteillages ! L'exploitation du blé, de la vigne, et le commerce apportent une richesse jusqu'alors inconnue en Algérie.

L'Algérie, dirigé par Philippe Godard, coll. « Junior Histoire », © Éditions Autrement, 2003.

Une station de tramway à Alger, vers 1930.

1 **Copie ces phrases, puis entoure les compléments du nom.**

- La ville d'Alger a été prise par les Français en 1830.
- L'Algérie devint peu à peu une colonie de peuplement.
- La culture du blé se révèle très rentable.
- La vie en Algérie est nouvelle pour les colons.

2 **Copie ces expressions en reliant chaque nom au complément du nom qui convient.**

un port •	• de seigle
le développement •	• en Afrique
un champ •	• dans le désert
un territoire •	• du pays
une oasis •	• de commerce
un voyage •	• à conquérir

3 **Copie ces phrases en complétant les compléments du nom avec la préposition qui convient.**

de – entre – en – sans

- La plaine ... la Mitidja était encore un marécage.
- Il semble que ce soit un projet ... avenir.
- Certains colons ont essayé les cultures ... terrasses.
- Les rapports ... les uns et les autres sont tendus.

4 **Transforme ces expressions en remplaçant l'adjectif par un complément du nom.**

Ex. les maisons algériennes
→ les maisons d'Algérie

- le salaire mensuel
- un chemin campagnard
- les terres coloniales
- un désert sablonneux

→ JE RETIENS

- **Le complément du nom** apporte une précision à un nom. Toujours placé après le nom, il est généralement relié à ce nom par **une préposition** (à, de, du, en, sur, dans...) :
le développement **de l'Algérie** – l'exploitation **du blé** – un barrage **sur la rivière**.
- **Le complément du nom ne s'accorde pas avec le nom qu'il complète :**
un port **de plaisance** – des ports **de pêche** – un port **de marchandises**.

Objectif : Retenir les terminaisons des verbes du 1er groupe au passé simple, temps du récit.

Le passé simple des verbes du 1er groupe

Cherchons ensemble

- **Lis le texte. Est-il au passé, au présent ou au futur ?
Quel est l'infinitif des verbes en** orange **?
À quel groupe appartiennent-ils ?**

- **À quelles personnes sont-ils conjugués ?
Donne leur terminaison.**

En janvier 1900, trois expéditions françaises opéraient leur jonction au bord du lac Tchad. [...]
La première, la mission Foureau-Lamy, partie de Ouargla, traversa le Sahara en établissant ainsi la première liaison transsaharienne. La deuxième, sous la conduite d'Émile Gentil, prit pour point de départ le bassin du Chari. Quant à la troisième, venue du Sénégal, elle était dirigée par Voulet et Chanoine. Mais ces chefs laissèrent leurs hommes se livrer à de graves exactions dans les territoires traversés et au massacre des indigènes insoumis qu'ils trouvaient sur leur route.

Catherine Salles, *La IIIe République au tournant du siècle, 1893-1914*,
© Larousse, 1985.

Arrivée de l'explorateur français Eugène Lenfant au lac Tchad, en Afrique (estampe, 1904).

1 **Copie ces phrases en choisissant la forme correcte du verbe au passé simple.**

- Nous (**envoyèrent/envoyâmes**) des troupes en renfort.
- Ils (**imposâmes/imposèrent**) des corvées aux indigènes.
- Tu (**portai/portas**) un uniforme particulier.
- Vous (**exploitâmes/exploitâtes**) les richesses du pays.
- L'un des chefs (**tua/tuas**) des ennemis.

2 **Copie ces phrases en mettant les verbes en gras au passé simple.**

- Des Africains **s'enrôlent** dans les régiments français.
- Battu, ce chef de tribu **se retire** dans le désert.
- Je **propose** de nous arrêter près de cet oued.
- Nous l'**emportons** après des combats acharnés.
- Tu **condamnes** la cruauté des représailles.
- Vous **pardonnez** aux rebelles pour faire la paix.

3 **Conjugue les verbes de ces expressions au passé simple.**

- **signer** un traité
- **exécuter** un ordre
- **se lier** d'amitié
- **marcher** sur l'ennemi
- **se diriger** vers le Sud
- **traverser** la brousse

4 **Copie ce texte en conjuguant les verbes en gras au passé simple.**

À partir de 1875, Pierre Savorgnan de Brazza (**débuter**) sa découverte de l'Afrique. Il (**explorer**) en particulier le Congo. En octobre 1880, il (**décider**) le roi Makoko à se placer sous protectorat français. Puis il (**fonder**) une ville que l'on (**baptiser**) Brazzaville. Il (**gouverner**) le Congo français de 1887 à 1897. Défenseur de l'égalité entre les hommes, il (**gagner**) l'estime de la population locale.

→ **JE RETIENS**

- Au **passé simple**, temps du récit, tous les verbes du **1er groupe** ont les mêmes terminaisons :
verser : je vers**ai** – tu vers**as** – il/elle vers**a** – nous vers**âmes** – vous vers**âtes** – ils/elles vers**èrent**.
- Les deux premières personnes du pluriel ne sont plus guère employées.

Écrire une fiche de lecture

Cherchons ensemble

- Lis la fiche de lecture. Dans cette fiche, quelles informations ont été trouvées sur la couverture ?
- Où ont été trouvées les autres informations ?
- Qui est le personnage principal ? Quels sont ses caractéristiques physiques et ses traits de caractère ?
- Quelles informations donne le résumé ?
- Oberve les verbes en orange dans le commentaire personnel. À quelle personne sont-ils conjugués ? Pourquoi ?

La couverture (illustration : Dubout), © Le Livre de Poche Jeunesse, 2003.

FICHE DE LECTURE

- **Titre :** Tartarin de Tarascon
- **Auteur :** Alphonse Daudet
- **Éditeur :** Hachette Jeunesse
- **Collection :** Le Livre de Poche
- **Année de l'œuvre :** 1872

- **Présentation du personnage principal**

Tartarin est un habitant de Tarascon, appartenant à la bourgeoisie locale. Il vit tranquillement dans une maison décorée de façon exotique. Il est un peu rond. C'est un vantard : sa réputation repose sur des récits de voyages et d'aventures inventés ou qu'il s'approprie. C'est cependant un brave homme, un peu naïf.

- **Résumé de l'histoire**

À Tarascon, Tartarin se nourrit de récits de grands chasseurs de fauves. Il possède les armes les plus modernes. Un jour, de retour d'une chasse où, faute de mieux, on n'a fusillé que des casquettes, toute la troupe des chasseurs entre dans une ménagerie. Arrivé devant le lion, Tartarin murmure : « Ça, c'est du gibier. »
La rumeur publique déforme alors ses propos et annonce qu'il va partir en Afrique chasser les fauves. Tartarin voudrait bien rester tranquille chez lui. Comme l'honneur de la ville est en jeu, il cède et part pour l'Afrique.
Dès son arrivée, il est victime d'un aventurier sans scrupules qui le dépouille de son argent. Il vit ensuite une série de mésaventures et tue un vieux lion aveugle. Ses bagages sont vendus pour indemniser le propriétaire du lion. Tartarin prend piteusement le chemin du retour. À Tarascon, toute la population, qui a vu arriver la peau de lion, l'attend à la gare et lui fait un triomphe.

- **Commentaire personnel**

J'ai bien aimé ce livre car Tartarin est pris au propre piège de sa vantardise. J'ai fini par avoir un peu pitié de lui. J'ai apprécié cette fin heureuse, qui l'entraînera vers de nouveaux récits inventés et d'autres mensonges.

À partir des éléments ci-dessous, rédige une fiche de lecture qui devra comporter les rubriques suivantes :

- **Titre de l'ouvrage**
- **Nom de l'auteur**
- **Année de l'œuvre**
- **Présentation du personnage principal**
- **Résumé de l'histoire**
- **Commentaire personnel**
- **Éditeur**
- **Collection**

Cinq Semaines en ballon, par Jules Verne, couverture illustrée par Jame's Prunier, coll. Folio Junior, © Gallimard-jeunesse.

Il y avait une grande affluence d'auditeurs, le 14 janvier 1862, à la séance de la Société royale géographique de Londres, Waterloo place, 3. [...]
– Faites entrer le docteur Fergusson, dit simplement Sir Francis M...
Et le docteur entra au milieu d'un tonnerre d'applaudissements, pas le moins du monde ému d'ailleurs.
C'était un homme d'une quarantaine d'années, de taille et de constitution ordinaires ; son tempérament sanguin se trahissait par une coloration forcée du visage ; il avait une figure froide, aux traits réguliers, avec un nez fort, le nez en proue de vaisseau de l'homme destiné aux découvertes ; ses yeux fort doux, plus intelligents que hardis, donnaient un grand charme à sa physionomie ; ses bras étaient longs, et ses pieds se posaient à terre avec l'aplomb du grand marcheur.

Extrait n° 1

Le lendemain, dans son numéro du 15 janvier, le *Daily Telegraph* publiait un article ainsi conçu : [...]
« Cet intrépide découvreur (*discoverer*) se propose de traverser en ballon toute l'Afrique de l'est à l'ouest. Si nous sommes bien informés, le point de départ de ce surprenant voyage serait l'île de Zanzibar sur la côte orientale. Quant au point d'arrivée, à la Providence seule il est réservé de le connaître. [...] »

Extrait n° 2

« Le docteur Fergusson ! s'écria le lieutenant.
– Lui-même, répondit tranquillement le docteur, et ses deux amis. »
Les Français emportèrent les voyageurs au-delà du fleuve, tandis que le ballon à demi dégonflé, entraîné par un courant rapide, s'en alla comme une bulle immense s'engloutir avec les eaux du Sénégal dans les cataractes de Gouina.
« Pauvre Victoria ! » fit Joe.

Jules Verne, *Cinq Semaines en ballon*, 1863.

Extrait n° 3

JE RETIENS

Une fiche de lecture présente l'essentiel d'un livre. Elle comporte :
• des éléments qui identifient **le livre** : titre – auteur – éditeur – collection (on les trouve sur la couverture) ;
• des éléments qui présentent **l'histoire** : lieu où elle se passe – époque – description du personnage principal – résumé de l'intrigue (ils sont tirés de la couverture ou du texte que l'on a lu) ;
• **un texte personnel** qui indique pourquoi on a apprécié l'ouvrage, la construction de l'intrigue, le rôle de chacun des personnages, etc.

Quels courants artistiques la France

Cherchons ensemble

- **Qui étaient Delacroix, Monet et Renoir ?**
- **Que signifie le mot « romantique » ?**
- **Qu'est-ce qu'une peinture abstraite ?**

Sensation

Par les soirs bleus d'été, j'irai dans les sentiers,
Picoté par les blés, fouler l'herbe menue :
Rêveur, j'en sentirai la fraîcheur à mes pieds.
Je laisserai le vent baigner ma tête nue.

Je ne parlerai pas, je ne penserai rien :
Mais l'amour infini me montera dans l'âme,
Et j'irai loin, bien loin, comme un bohémien,
Par la Nature, – heureux comme avec une
[femme.

Arthur Rimbaud, *Œuvre poétique*, 1870.

❓ Quelles sont les différentes sensations qu'évoque l'auteur de ce poème ?

❓ Observe le portrait de Napoléon Ier (Doc. 1) et décris-le.

❓ Compare ces deux tableaux (Doc. 1 et 2). Dans lequel y a-t-il du mouvement et de l'émotion ?

Doc. 1 : *Napoléon Ier sur le trône impérial* (peinture de Jean Auguste Dominique Ingres, 1806).

❓ Que représente le tableau de Delacroix (Doc. 2) ?

Doc. 2 : *La Chasse au tigre* (peinture d'Eugène Delacroix, 1854).

▶ De l'académisme au romantisme

À la fin du XVIIIe siècle, en France, l'art est dominé par l'**académisme** qui s'inspire encore de l'Antiquité. Les artistes (David, Ingres…) peignent des tableaux classiques à la gloire des rois (Doc. 1) ou des portraits de famille. Puis, au début du XIXe siècle, naît un nouveau courant artistique, le **romantisme**, qui donne plus d'importance aux sentiments et à l'imagination (Doc. 2). Les peintres (Delacroix, Géricault…), tout comme les écrivains (Hugo, de Vigny…) font parler leur sensibilité. Ce mouvement romantique correspond à une période où la société est en pleine révolution et se passionne pour des idées (la liberté, le progrès…).

▶ Le réalisme

Vers 1850, en réaction aux excès du romantisme, certains artistes décident de s'appliquer à décrire le monde tel qu'il est dans la réalité. Ils observent la société et montrent des personnages et des scènes de la vie quotidienne (**Doc. 3**). En littérature (Flaubert, Zola…), comme en peinture (Courbet, Millet…), le **réalisme** reflète l'intérêt pour des préoccupations d'ordre social (famille ouvrière, mode de vie bourgeois, travaux des champs…).

Le sais-tu ?

Au milieu du XIXᵉ siècle, l'invention du tube de peinture permet enfin aux peintres de quitter leurs ateliers et d'aller peindre dans la nature.

▶ L'impressionnisme

Dans les années 1870, un groupe de peintres (Degas, Monet, Renoir…), s'inspirant du réalisme, fonde un nouveau courant artistique : l'**impressionnisme**. Leur objectif est de représenter ce qu'ils voient comme ils le ressentent. C'est une révolution artistique car ils abandonnent le principe de la perspective. En littérature, les poètes (Rimbaud, Verlaine…) transforment les règles classiques d'écriture. À la fin du XIXᵉ siècle, les peintres (Cézanne…) s'éloignent de plus en plus d'une représentation réelle des choses au profit de la couleur et des formes géométriques. C'est le début du **cubisme** qui ouvre la voie à l'art **abstrait** du XXᵉ siècle.

? Que représente ce tableau (**Doc. 3**) ? Décris la scène.

? Pourquoi peut-on dire que ce tableau est réaliste ?

Doc. 3 : *Les Glaneuses* (peinture de Jean-François Millet, 1857).

Lexique

abstrait : qui ne représente pas la réalité.

l'académisme : art qui respecte les règles établies depuis l'Antiquité et la Renaissance.

le cubisme : art qui représente les objets en les décomposant en différentes formes géométriques.

l'impressionnisme : art qui décrit la réalité telle qu'elle est ressentie par l'artiste.

le réalisme : art qui décrit la nature et la réalité sociale telles qu'elles sont.

le romantisme : art qui montre des scènes dans lesquelles l'artiste exprime ses sentiments.

➡ JE RETIENS

• Au début du XIXᵉ siècle, les artistes se libèrent peu à peu des contraintes de l'académisme et créent des œuvres où s'exprime leur passion. C'est le romantisme.

• En réaction, vers 1850, naît un courant réaliste qui s'attache à peindre la réalité sociale.

• Puis apparaît l'impressionnisme, un mouvement artistique nouveau, qui abandonne tout effet de perspective. Il marque un tournant et annonce l'art abstrait du XXᵉ siècle.

Les mots de l'art

Cherchons ensemble

- **Lis le texte. Repère le premier mot en vert. Donne sa définition. Quelle précision nous apporte le deuxième mot en vert ?**
- **Lis maintenant les mots en orange, puis explique le rôle de chacun d'eux dans un tableau.**

Cette œuvre est une huile sur toile. La palette de Cézanne est limitée ici à quelques couleurs, rouge, orange, jaune, bleu-violet, noir et blanc. Cézanne pense son tableau d'abord en couleurs pour créer cet espace vivant, dont la composition est caractérisée par un jeu de lignes verticales et horizontales. Cette conception nouvelle annonce l'organisation de la matière et la géométrisation de l'espace des cubistes. Les tons sombres du fond contrastent avec le blanc de la pipe, celui du col de la chemise et des cartes du personnage de gauche, et la veste aux manches modelées par quelques touches de noir et le foulard de couleurs claires du joueur de droite. Les touches très visibles de sa brosse permettent la construction de tous les volumes et l'épanouissement des couleurs plus sourdes.

Jacques Anquetil, *Le Grand Guide de l'art*, Hachette, 1998.

Les Joueurs de cartes (peinture de Paul Cézanne, vers 1893).

2 Copie chaque phrase et complète-la avec le mot qui convient.

volume – angles – géométriques
- Cézanne peint des paysages aux formes … .
- Cette œuvre se regarde sous différents… .
- Ce tableau a du relief et du … .

1 Dans chaque liste, trouve l'intrus qui n'a pas de rapport avec le mot en orange.

- le peintre : une nature morte – la couleur – l'huile – un portrait – un paysage – un stylo – la palette
- le sculpteur : la pierre – le marteau – le bois – un pinceau – le métal – le burin – un ciseau – un bloc

3 Copie ces phrases en les complétant avec un mot de la famille des verbes entre parenthèses.

- Ce … (**peindre**) utilise surtout les bruns et les rouges.
- Ce n'est pas un art d'… (**imiter**) mais de conception.

4 Ces noms possèdent plusieurs sens. Cherche-les dans le dictionnaire et écris des phrases dans lesquelles ils seront employés dans un contexte artistique.

un atelier – un modèle – une toile – un tableau

JE RETIENS

- Lorsqu'on décrit une œuvre d'art, on indique d'abord sa nature : peinture – sculpture – mobilier – monument – vaisselle – bijou...
- On précise à partir de quels matériaux l'artiste a conçu son œuvre et de quels outils il s'est servi. On décrit ensuite les différents plans ou parties (la composition) : les couleurs – les formes – les contrastes – la technique utilisée ; voire le courant artistique auquel l'œuvre peut se rattacher : classique – baroque – romantique – cubiste – abstrait – réaliste...
- Enfin, il est bon de donner l'impression produite par cette œuvre.

Objectif : Apprendre à distinguer les deux homophones **sont** et **son**.

O r t h o g r a p h e

Distinguer sont/son

Cherchons ensemble

- **Lis le texte. Observe le mot en** orange **et le mot en** vert. **Quelle différence y a-t-il entre les deux ?**
- **Essaie de les remplacer par** étaient, **puis par** mon. **Que remarques-tu ?**

> Tout l'espace du tableau est occupé par la végétation du bassin. L'air et l'eau donnent l'impression de se mélanger. Les fleurs sont des taches de couleurs éclatantes, posées sur l'étang. Elles baignent dans la clarté chaude du soleil et leurs reflets dans l'eau créent un jeu de lumière et de couleurs envoûtant.
>
> Monet pose directement les couleurs sur la toile, par touches successives, afin de traduire dans son œuvre son impression de cette chaude journée d'été. Il veut créer l'effet d'ensemble. Si on regarde de près ce tableau, les détails restent flous.
>
> Nelly Brunel-Raynal, *Les Plus Beaux Tableaux du monde*, © Hachette Livre, 2000.

Les Nymphéas : Le Matin (peinture de Claude Monet, entre 1900 et 1926).

1 Transforme comme dans l'exemple.

Ex. mon tableau → ton tableau – son tableau – ses tableaux

mon pinceau – mon œuvre – mon artiste préféré – mon chevalet – mon modèle – mon travail – mon exposition – mon atelier – mon mécène

2 Copie ces phrases en mettant les mots en gras au pluriel. Effectue les accords.

- **Ce peintre** est à l'avant-garde de l'impressionnisme.
- Quel est **le thème** principal de ses œuvres ?
- **Cette toile** est peinte en plein air.
- **Ce tableau** de Claude Monet est méconnu.

3 Copie ces phrases en mettant les noms en gras au singulier. Effectue les accords.

- Ses **tableaux** sont exposés au Louvre.
- Il discute des couleurs avec ses **amis**.
- Ses **dessins** sont très réussis.
- Il donne ses **impressions** à propos de tout.
- Le peintre montrera ses **œuvres**.

4 Copie ces phrases en les complétant avec son **ou** sont.

- Les impressionnistes … rejetés par les critiques.
- Ils … allés rendre visite à Renoir dans … atelier.
- « Vos toiles … invendables ! » dit le marchand d'art.
- Les techniques pour peindre la lumière … nouvelles.
- Il exprime … sentiment dans ses œuvres.

→ JE RETIENS

- **Sont** est une **forme conjuguée** du verbe **être** au présent de l'indicatif. Elle peut être remplacée par une autre forme de ce verbe : **étaient** (imparfait) ou **seront** (futur) :
Les fleurs **sont** des taches. → Les fleurs **étaient** (**seront**) des taches.
- **Son** est un **déterminant possessif**. Il peut être remplacé par un autre déterminant possessif (**mon, ton**) : **son** tableau → **mon** (**ton**) tableau.
Attention ! son peut être placé devant un nom féminin débutant par une voyelle ou un **h** muet :
son œuvre → **mon** (**ton**) œuvre – **son** habitude → **mon** (**ton**) habitude.

Le groupe nominal

Objectif : Retrouver les composantes d'un groupe nominal et effectuer les accords nécessaires.

Cherchons ensemble

- **Lis le texte. Observe les groupes de mots en** orange. **De combien de mots est composé le plus court ? Quelle est la nature de ces mots ?**
- **Observe les deux autres groupes. Quels mots peux-tu supprimer pour que les phrases restent correctes?**

Après les fouilles qui ont débuté en 1748 à Pompéi, l'histoire classique a connu un regain d'intérêt. L'artiste français Jacques Louis David en particulier s'est inspiré de l'art classique. Son nouveau style de peinture, aux contours précis et aux zones d'ombres savamment organisées, a pris le nom de néoclassique (du grec *neos*, « nouveau »). Il rompait en conscience avec le style rococo, plus frivole, et abordait des sujets austères choisis dans l'Antiquité gréco-romaine.

Rosie Dickins et Mari Griffith, *Le Grand Livre de l'art*,
© 2004 Usborne Publishing Ltd pour le texte français.

Le Serment des Horaces
(peinture de Jacques Louis David, 1784).

1 Copie les groupes nominaux de ces phrases, puis entoure le nom principal.

- On considère que les œuvres d'Antoine Jean Gros ont contribué à la construction de la légende de Napoléon.
- David sera le peintre officiel de l'Empire.
- Très tôt, son élève se passionne pour l'art antique.
- Ce tournant esthétique est un signe de changement.
- J'éprouve des difficultés à classer cette œuvre.

2 Associe un article, un adjectif et un nom pour former des groupes nominaux.

- un
- ce
- sa
- une
- des

- excellente
- remarquable
- magnifique
- beaux
- merveilleux

- tableau
- paysages
- portraitiste
- technique
- composition

3 Associe un article, un adjectif, un nom et un complément du nom pour former des groupes nominaux.

- une – les – des – le
- principes – peintre – académie – œuvres
- meilleur – principales – grands – importante
- de peinture – de sa génération – de cet artiste – d'architecture

4 Copie ces phrases en ajoutant des précisions aux noms pour enrichir les groupes nominaux.

- Les couleurs … et … de ce … tableau sont éclatantes.
- Le … portrait … s'est vendu très cher.
- Cette artiste … aime peindre des paysages … .
- Il reproduit les formes … avec une … précision.

→ JE RETIENS

Un groupe nominal (GN) se forme autour d'un **nom principal** ; on peut y trouver :
- un **déterminant** (toujours avant le nom) : **les** fouilles – **son** style
- un **adjectif qualificatif** (avant ou après le nom) : l'histoire **classique** – son **nouveau** style
- un **complément du nom** (toujours après le nom) : son style **de peinture**.

Objectif : Apprendre à conjuguer les verbes qui ont une terminaison en **-i** au passé simple.

C o n j u g a i s o n

Le passé simple des verbes des 2ᵉ et 3ᵉ groupes en -i

Cherchons ensemble

- **Lis le texte. Repère les verbes en** orange. **Qu'ont-ils de commun ?**
- **Quel est celui qui appartient au 2ᵉ groupe ?**

> Il se dressa tout droit, debout, les cheveux au vent, les mains sur les hanches, l'œil fixé sur les gardes nationaux qui tiraient, et il chanta :
>
> *On est laid à Nanterre,   Et bête à Palaiseau,*
> *C'est la faute à Voltaire,   C'est la faute à Rousseau.*
>
> [...] Puis il ramassa son panier, y remit, sans en perdre une seule, les cartouches qui en étaient tombées, et, avançant vers la fusillade, alla dépouiller une autre giberne.
>
> [...] Une balle pourtant, mieux ajustée ou plus traître que les autres, finit par atteindre l'enfant feu follet. On vit Gavroche chanceler, puis il s'affaissa.
>
> Victor Hugo, *Les Misérables*, 1862.

La Liberté guidant le peuple
(peinture d'Eugène Delacroix, 1830).

❶ Copie ces phrases en choisissant la forme correcte des verbes au passé simple.

- C'est vous qui me (**fit/fîtes**) connaître ces auteurs.
- Ses émotions (**servir/servirent**) à son inspiration.
- Je (**compris/comprit**) vite ce qu'est le romantisme.
- Hier, nous (**apprirent/apprîmes**) un poème.

❷ Copie ces phrases en écrivant les verbes en gras au passé simple.

- Victor Hugo **perd** une fille très jeune.
- Ses poèmes vous **remplissent**-ils de mélancolie ?
- Nous **prenons** soin d'évoquer nos souvenirs.

❸ Conjugue les verbes de ces expressions au passé simple.

- **attendre** son tour
- **enrichir** son texte
- **ouvrir** un livre
- **voir** grand

❹ Copie ces phrases en conjuguant les verbes en gras au passé simple.

- Il (**combattre**) la rigueur du classicisme.
- À sa mort, nous lui (**rendre**) hommage.
- Vous (**mettre**) un an à écrire ce recueil.
- Ils (**choisir**) de lire des textes romantiques.
- Tu (**réussir**) à faire de lui ton sujet favori.
- Ils (**accueillir**) son œuvre avec gravité.
- Je (**découvrir**) le talent de cet artiste.
- Tu (**subir**) la critique des autres.

➜ JE RETIENS

- **Au passé simple**, les verbes du **2ᵉ groupe** et certains verbes du **3ᵉ groupe** ont des terminaisons formées sur **-i** : finir : je fin**is** – tu fin**is** – il/elle fin**it** – nous fin**îmes** – vous fin**îtes** – ils/elles fin**irent**

  voir : je v**is** – tu v**is** – il/elle v**it** – nous v**îmes** – vous v**îtes** – ils/elles v**irent**.

- Pour les personnes du singulier des verbes du 2ᵉ groupe, ces terminaisons sont les mêmes que celles du présent de l'indicatif :

  présent : je fin**is** – tu fin**is** – il/elle fin**it**   passé simple : je fin**is** – tu fin**is** – il/elle fin**it**.

Cherchons ensemble

- **Quel moyen de transport utilises-tu pour aller à l'école ?**
- **As-tu déjà déménagé ? Pour aller d'où à où ?**
- **Dans quel secteur d'activité tes parents travaillent-ils ?**

? Que montre cette photographie (**Doc. 1**) ?

? Quels types d'habitations y dominent ?

Doc. 1 : Une vue aérienne du Nord de Clermont-Ferrand et de sa banlieue (Puy-de-Dôme).

Quand j'habitais chez mon père, nous prenions le métro ensemble tous les matins. Son bureau était sur la même ligne que mon collège. Mais il était si préoccupé par tout son travail en retard qu'il me tenait la main sans même faire attention à moi.

Alan Jolis, *Monsieur Métro*,
Le Livre de Poche Jeunesse, 1997.

? Quel moyen de transport ces personnes prennent-elles pour aller à leur travail ?

? Observe la carte (**Doc. 2**), puis, à l'aide de la carte de la France administrative située en début d'ouvrage, cite les départements qui voient leur population augmenter de plus 0,6 %.

▶ Une population urbaine qui bouge

La France compte 63 millions d'habitants dont trois sur quatre vivent en ville, le plus souvent en banlieue (**Doc. 1**). Ces citadins se déplacent beaucoup. Ils habitent généralement loin de leur lieu de travail et doivent effectuer des migrations journalières de plus en plus longues. Par ailleurs, ils changent plus facilement de domicile pour s'installer près d'un pôle industriel qui propose des emplois ou dans un endroit au cadre de vie agréable. Ces migrations se font surtout au profit des départements du Sud, des Alpes et de la vallée du Rhône, ainsi que du littoral Atlantique (**Doc. 2**), mais plus de 40 % ont encore lieu dans l'agglomération parisienne.

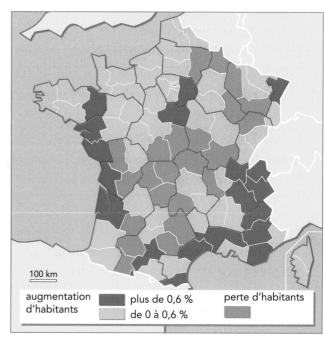

100 km

augmentation d'habitants — plus de 0,6 % — de 0 à 0,6 % — perte d'habitants

Doc. 2 : L'évolution de la population française par département.

? Observe ce tableau (**Doc. 3**). Quel secteur de la population active a augmenté entre 1980 et 2003 ?

? Quelle est la part de la population active au chômage, en 2003 ?

	Population active (en millions)	Secteur primaire	Secteur secondaire	Secteur tertiaire	Chômage
1980	23,4	9,4 %	24,7 %	59,6 %	6,3 %
1990	24,4	6,5 %	20,5 %	64 %	9 %
2003	27,3	4,4 %	18,5 %	67,3 %	9,8 %

Doc. 3 : L'évolution de la population active en France entre 1980 et 2003.

Le sais-tu ?

Aujourd'hui, en France, 55 % de la population a un micro-ordinateur à la maison et 37 % a un accès à Internet.

▶ Un niveau de vie élevé

La population française en général a un niveau de vie élevé comparé aux autres pays du monde. Elle bénéficie d'un bon système de santé et de **protection sociale**, de même que d'un bon niveau de scolarisation. Cependant, avec les difficultés économiques et le chômage, la pauvreté augmente et une certaine partie de la population subit un phénomène d'**exclusion**.

▶ Une population active en mutation

La **population active** française (**Doc. 3**) représente 47,5 % de la population totale et compte 45 % de femmes. Elle se répartit en trois secteurs d'activité : l'agriculture (4 %), l'industrie (22 %) et les services (74 %). Le secteur des services est celui qui se développe le plus et le seul qui crée des emplois. Cependant, le **chômage** touche environ 9 % de la population active, soit 2,5 millions de personnes. Avant 1975, pour répondre au besoin en main-d'œuvre du secteur industriel, la France a fait appel à l'immigration. Mais depuis les années 1980 et la crise économique, celle-ci s'est beaucoup ralentie. Les immigrants actuels sont souvent des étudiants ou des travailleurs qualifiés.

Lexique

le chômage : fait de ne pas avoir de travail.

l'exclusion : mise à l'écart de la société.

la population active : partie de la population qui travaille ou qui cherche un emploi.

la protection sociale : ensemble des moyens qui protègent l'individu en cas de maladie, de chômage, etc.

→ JE RETIENS

- La population française compte 63 millions d'habitants. Elle se concentre dans les grandes villes et se déplace vers les régions attractives du Sud et de l'Ouest.
- La population active française, qui représente 47,5 % de la population totale, occupe surtout des emplois de services. Elle compte environ 9 % de chômeurs.
- En France, le niveau de vie est élevé, mais la pauvreté touche une partie de la population.

Les paronymes

Cherchons ensemble

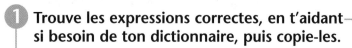

- Lis le texte. Repère les mots en vert, puis lis-les à voix haute. Que remarques-tu ? Cherche leur sens dans le dictionnaire.
- Procède de même avec les mots en orange.

Depuis le XVIIIᵉ siècle et la Révolution, la France est souvent perçue de l'étranger comme un pays de liberté et une terre d'accueil pour ceux qui cherchent un endroit où « vivre mieux ». De fait, la France n'est pas une terre d'**émigration** – les Français partent peu – mais une terre d'**immigration**, en perpétuelle **évolution**. Les étrangers y arrivent par vagues successives : au XIXᵉ siècle ce sont surtout des Italiens, au XXᵉ siècle des Espagnols, des Africains des pays du Maghreb puis d'Afrique noire, et, plus récemment, des populations d'Europe de l'Est. Cette réalité n'est pas seulement une question de chiffres et d'**évaluation**, c'est un phénomène historique et humain.

Une foule de personnes d'origines différentes.

1 Trouve les expressions correctes, en t'aidant si besoin de ton dictionnaire, puis copie-les.

- un (**imminent/éminent**) spécialiste de l'immigration
- une population très (**colorée/coloriée**)
- le (**spectre/sceptre**) de l'intolérance
- (**aménager/emménager**) dans un appartement
- une (**quotité/quantité**) de nouveaux arrivants

2 Écris ces phrases en choisissant le mot qui convient.

- La (**conjoncture/conjecture**) n'est pas favorable.
- Cet élève a fait des progrès (**notoires/notables**).
- Il était en (**infraction/effraction**) car son permis de séjour avait (**inspiré/expiré**).
- Un mauvais conseil l'a (**induit/enduit**) en erreur.

3 Recopie et complète ces phrases avec le mot qui convient. Effectue les accords.

une voix/une voie – un incident/
un accident – une illusion/une allusion

- Ils arrivent en se faisant des ... sur la vie ici.
- Il a fait discrètement ... au pays d'où il vient.
- Il y a eu quelques ... hier à la frontière.
- Nous avons été témoins d'un ... .
- Son accent rend sa ... encore plus agréable.
- La ... la plus rapide est celle de gauche.

4 Copie ces phrases en remplaçant le paronyme entre parenthèses par le mot exact que tu chercheras dans ton dictionnaire.

- Les policiers ont fait (**éruption**) dans le squat.
- Certaines familles bénéficient d'(**allocutions**).
- Cet employeur a été (**inculqué**) pour fraude.
- Il demande (**le prolongement**) de son visa.

→ **JE RETIENS**

Les paronymes sont des mots qui se ressemblent soit par leur forme, soit par leur prononciation ; mais ils ont des sens différents :

l'immigration : le fait d'entrer dans un pays – **l'émigration** : le fait de quitter un pays
l'évolution : le fait de se transformer – **l'évaluation** : le fait de donner une valeur à quelque chose.

Objectif : Apprendre à placer correctement les homonymes **se** (s') et **ce** (c').

Distinguer se (s') /ce (c')

Cherchons ensemble

- Lis le texte. Observe les mots en orange. Devant quel mot sont-ils placés ? Conjugue ces verbes au présent de l'indicatif. Que deviennent ces mots ?
- Observe les mots en vert. Lequel peux-tu remplacer par **le** ou **un**. Qu'en déduis-tu ?

> La fin de l'année scolaire approche et la situation familiale, loin de s'améliorer, empire. Mon père est toujours au chômage. Il est devenu irritable, coléreux et triste. Il passe sa journée au *Bar des Amis*, face à l'usine. […]
> C'est dans ce café que ses copains et lui fêtaient les événements de leur vie : une prime, une augmentation, les départs en vacances, les retours, une naissance, un anniversaire, alors forcément cette ambiance lui manque. Toutes leurs phrases commencent par : « Tu te rappelles le jour où… » Et ils n'en finissent pas de se raconter des histoires […].
>
> Anne-Marie Desplat-Duc, *Cet été, on déménage*, © Rageot Éditeur, Paris, 1997.

Des chômeurs à la recherche d'un emploi.

1 Copie ces phrases en les complétant par **ce** ou **se**.

- Les inégalités … renforcent.
- … sont les femmes qui souffrent le plus du chômage.
- Il … demande si … travail temporaire … prolongera.
- … conseiller ne … rend pas compte de ma situation.

2 Copie ces phrases en les complétant par **c'** ou **s'**.

- Après … être fâché avec son patron, il a démissionné. … est une décision hâtive.
- Elle … est dite satisfaite d'avoir accepté un travail à 250 km d'ici. … est pourtant loin.
- Il … est interrogé sur les possibilités de reconversion.

3 Copie ces phrases en écrivant les noms en gras au singulier, puis effectue les accords nécessaires.

- **Ces manifestants** se rendent au siège de l'entreprise.
- **Ces ouvriers** se sont inscrits au chômage.
- **Ces postes** d'animateurs se révèlent très utiles.

4 Copie ces phrases en les complétant par **ce**, **c'**, **se** ou **s'**.

- … type d'emploi précaire … multiplie sur le marché du travail en France, … qui ne rassure pas les jeunes.
- Ces ouvriers ne … étaient pas préparés à … plan de licenciement. Ils vont … retrouver chômeurs.

→ JE RETIENS

- **Se (s'), pronom personnel réfléchi** de la 3ᵉ personne, fait partie d'un verbe pronominal. Il peut être remplacé par un autre pronom personnel réfléchi (me, m', te, t'…) en conjuguant le verbe :
s'améliorer : il s'améliore – je m'améliore – tu t'améliores…
se raconter des histoires : ils se racontent… – je me raconte… – tu te racontes…
- **Ce** est un **déterminant**. Il peut être remplacé par un autre déterminant (le, un…) :
ce café → le café – un café.
- **Ce (c')** est un **pronom démonstratif**. Il peut assez souvent être remplacé par **cela** ou **ceci** :
C'est un café. → Cela est un café. – Ceci est un café.

Objectif : Repérer les compléments essentiels du verbe, ceux qu'on ne peut pas supprimer.

Les compléments du verbe

Cherchons ensemble

- **Lis le texte. Observe les groupes de mots en** orange **et en** vert**. Où sont-ils placés par rapport au verbe dans la phrase ?**
- **Lequel peux-tu supprimer ou déplacer sans que la phrase perde son sens.**

> Monsieur Fersen m'a conduite dans la cour, là où se rangent les sixièmes. Tout de suite, le brouhaha s'est tu et tout le monde m'a regardée. J'ai cru que j'allais tomber.
> – Je vous présente Marie Beaulieu qui arrive de Clichy…
> Un petit blond, l'air réjoui, a demandé :
> – Où c'est ?
> – Près de Paris, en banlieue…
> À la récréation, le petit blond m'appelait déjà Marie-Banlieue. Moi, je ne savais pas encore son nom.
>
> Martine Delerm, *Marie-Banlieue*, coll. Folio Junior, © Gallimard Jeunesse.

Des enfants dans une cour de récréation d'un collège à Paris.

1 **Copie ces phrases, entoure le verbe et souligne le complément du verbe.**

- La population préfère habiter en ville.
- L'immeuble est entouré d'un grand jardin.
- Le loyer représente un quart de ses revenus.
- Je déménagerai dans un appartement plus vaste.
- Cette ville possède de nombreux espaces verts.

2 **Copie ces phrases, puis souligne les compléments essentiels du verbe.**

- Depuis l'année dernière, le nouveau tramway permet à la population de se déplacer plus facilement.
- La crise économique a amplifié certaines migrations.
- Les classes moyennes, rebutées par l'habitat collectif, recherchent un cadre de vie plus agréable.
- On construit un nouvel immeuble en plein centre-ville.

3 **Écris ces phrases en supprimant les compléments non essentiels du verbe.**

- Autour des villes s'étendent d'immenses banlieues.
- J'habite cet appartement depuis 15 ans.
- La ville finance chaque année la construction de logements sociaux.

4 **Copie ces phrases, entoure le verbe, puis souligne les compléments essentiels en** bleu **et les compléments non essentiels en** rouge**.**

- Tu habites le centre depuis longtemps.
- Chaque jour, je prends l'autobus.
- Notre quartier a bien changé ces dernières années.
- Nos nouveaux voisins sont arrivés hier.

→ JE RETIENS

Le verbe est souvent accompagné d'un complément.
- Certains ne peuvent pas être supprimés, ni déplacés ; ce sont des **compléments essentiels**.
Sans eux la phrase n'a pas de sens : Je vous présente Marie Beaulieu.
- D'autres peuvent être déplacés ou supprimés ; ce sont les **compléments non essentiels** :
À la récréation, il m'appelait Marie-Banlieue. → Il m'appelait Marie-Banlieue.

Objectif : Retenir les formes particulières de verbes du 3ᵉ groupe au passé simple.

Conjugaison

Le passé simple des verbes du 3ᵉ groupe en -u et -in

Cherchons ensemble

- **Lis le texte. Repère les verbes en vert. À quel groupe appartiennent-ils ?**
- **Pourquoi peut-on dire que ce ne sont pas des verbes réguliers ?**

Un soir, papa revint plus tôt que d'habitude du bureau et nous demanda à tous (ma mère, mon frère et ma sœur) de le rejoindre au salon. Il avait à nous parler. Rien qu'à voir son air, je sus tout de suite que c'était important. Et il nous dit tout : sa promotion dans l'entreprise informatique où il travaille, la décision de son dirigeant de s'installer à Toulouse, la possibilité pour nous d'avoir un plus grand appartement… et notre déménagement prévu pour dans trois mois ! De surprise, tout le monde se tut. Puis il me vint à l'esprit que cela voulait dire aussi perdre mes copains…

Un déménagement.

3 **Conjugue les verbes de ces expressions au passé simple.**

- **devenir** coiffeur
- **vouloir** progresser
- **détenir** un bien
- **recevoir** une lettre

1 **Copie ces phrases en choisissant la forme correcte des verbes au passé simple.**

- Je (**relis/relus**) mon contrat d'engagement.
- Nous (**bûmes/burent**) rapidement notre thé.
- Après ton examen, tu (**obtenus/obtins**) un emploi.
- Il ne me (**parut/partit**) pas très expérimenté.
- Par son sérieux, elle (**accrut/accrus**) sa clientèle.

2 **Copie ces phrases en mettant les verbes en gras au passé simple.**

- La compagnie d'assurances **peut** vous indemniser.
- Grâce à ton travail, tu **pourvois** aux besoins des tiens.
- Vous **convenez** ensemble du prix du déménagement.
- C'est lui qui **entretient** votre installation.
- Nous **vivons** à deux avec un seul salaire.

4 **Copie ces phrases en conjuguant les verbes entre parenthèses au passé simple.**

- Nous (**taire**) notre envie de déménager à nos amis.
- Cet architecte (**concevoir**) les plans de notre maison.
- La panne (**survenir**) au mauvais moment.
- Je (**savoir**) rapidement répondre à sa demande.
- Tu (**accourir**) aussitôt que tu (**pouvoir**).
- Ils (**recevoir**) de nombreux appels téléphoniques.
- Vous les (**prévenir**) aussitôt.

→ JE RETIENS

- Au **passé simple**, les terminaisons de certains verbes du 3ᵉ groupe se forment sur la voyelle **u** :
  savoir : je sus – il sut – elles surent   se taire : tu te tus – nous nous tûmes – vous vous tûtes.
- Les verbes **venir** et **tenir** (ainsi que ceux de leur famille) ont des formes particulières :
  venir : je vins – tu vins – il/elle vint – nous vînmes – vous vîntes – ils/elles vinrent
  tenir : je tins – tu tins – il/elle tint – nous tînmes – vous tîntes – ils/elles tinrent.

Écrire une biographie

Cherchons ensemble

- Lis le texte. Quel en est le personnage principal ?
- Repère les expressions en orange. Quelles informations apportent-elles ?
- Observe les noms en vert. Quelles indications donnent-ils ?
- Que précisent les verbes en gras ? Relève les autres verbes du texte qui indiquent ce qui est arrivé ou ce qu'a fait ce peintre.
- Dans quel ordre ces informations sont-elles données ?

Gustave Courbet, vers 1863.

Gustave Courbet

Représentant le plus important du réalisme pictural français, Gustave Courbet **naît** à Ornans le 10 juin 1819. À Paris en 1841, il **étudie** la peinture dans divers ateliers mais, profondément anticonformiste, il préfère copier seul les maîtres du Louvre et réaliser des paysages dans la forêt de Fontainebleau. Après la Révolution de 1848, il rejette le sentimentalisme des romantiques, fréquente Proudhon, Champfleury et Baudelaire, pour se faire le défenseur du « réalisme » qui veut rendre compte de la réalité sociale (*Les Casseurs de pierres*, 1849 ; *L'Enterrement à Ornans*, 1850). Des œuvres qui déchaînent de violentes polémiques.

Socialiste convaincu, Courbet **participe** à la Commune, est nommé président de la commission des Beaux-Arts. On le condamne ensuite à six mois de prison et, accusé d'avoir ordonné le renversement de la colonne Vendôme, il est sommé de payer pour sa restauration (1874). Ruiné, il **s'exile** alors en Suisse où il **meurt** en 1877.

Pierro Ventura, *Les Grands Peintres*,
© Hachette Jeunesse, Paris,
1984 pour l'adaptation française.

L'Enterrement à Ornans
(peinture de Gustave Courbet, 1850).

1 Copie ce texte, puis souligne en bleu les marqueurs de temps et en rouge les marqueurs de lieu.

Jean-François Millet naît près de Cherbourg en 1814. Il n'a pas vingt ans quand il commence son apprentissage auprès de deux peintres. Il vient à Paris et s'inscrit à l'École des beaux-arts. Après avoir échoué au prix de peinture et quitté l'école, Millet se voit supprimer sa bourse. En 1841, il retourne à Cherbourg. Durant les années soixante, il se tourne de plus en plus vers le paysage. Ceci lui vaut la commande en 1868 d'une suite de peintures illustrant les quatre saisons. Il travaillera jusqu'en 1874 à cette série sans la terminer. Il meurt à Barbizon au début de l'année suivante.

2 Remets ces phrases dans l'ordre afin de reconstituer la vie de l'écrivain Gustave Flaubert.

- De 1877 à 1880, il rédige *Bouvard et Pécuchet*.
- Il échappe au service militaire et entreprend, en 1841, des études de droit qu'il abandonne en janvier 1844.
- Mais la mort l'emporte, le 8 mai 1880, à Croisset.
- Gustave Flaubert entre au collège à partir de l'été 1836.
- C'est durant l'été 1851 que Flaubert entame la rédaction de *Madame Bovary*.
- En juin 1844, il s'installe à Croisset. C'est à cette époque qu'il commence à écrire.
- Entre l'année 1849 et 1851, il fait un long voyage en Orient.

3 Copie ces phrases en les complétant avec les verbes de la liste ci-dessous.

devient – entre – vit – écrit – naît – souffre – meurt – abandonne

- Guy de Maupassant … en 1850 au château de Miromesnil.
- Après une enfance assez libre, il … fonctionnaire à Paris.
- Grâce à Flaubert, il … en relation avec d'autres écrivains.
- Il … son travail pour devenir journaliste et écrivain.
- Il … très bien de sa plume.
- Maupassant … aussi bien des contes, des nouvelles que des romans.
- Mais il … d'atroces migraines et d'hallucinations.
- Il … à l'hôpital en 1893.

4 À l'aide des éléments ci-dessous, rédige une biographie d'Edgar Degas.

- 1874 : participation à la première exposition impressionniste
- 1834 : naissance à Paris
- 1862 : rencontre de Manet
- 1917 : mort à Paris
- 1878 : réalisation de la *Danseuse saluant*
- à partir de 1880, perte de la vue
- de 1856 à 1860, voyage à Rome et à Florence pour découvrir la peinture italienne
- à 21 ans, abandon des études de droit en faveur de la peinture

Danseuse saluant (peinture d'Edgar Degas, 1878).

5 Choisis un peintre du XIXᵉ siècle, puis recherche des informations sur sa vie dans un dictionnaire ou sur Internet. Ensuite, écris sa biographie en ne conservant que les événements qui te paraissent les plus importants.

6 Écris ta biographie depuis ta naissance jusqu'à aujourd'hui.

→ **JE RETIENS**

- Pour écrire **la biographie** d'une personne (le récit de sa vie), il est nécessaire de placer des repères de temps (le plus souvent sous forme de dates) et d'indiquer les **lieux** où elle a vécu : Gustave Courbet naît à **Ornans** (lieu), le **10 juin 1819** (temps).
- Il faut ensuite décrire ses **différentes activités** selon un **ordre chronologique** en faisant ressortir les traits les plus marquants de sa personnalité : il étudie – il participe – il rejette – il est socialiste – il s'exile…

Comment la Première Guerre

Cherchons ensemble

- **Qu'est-ce qu'une tranchée ?**
- **Pourquoi le 11 novembre est-il un jour férié ?**

? Observe la carte (**Doc. 1**). Au cours de quelle bataille l'armée allemande est-elle arrêtée ?

? Quelles sont les villes situées sur la ligne de front ?

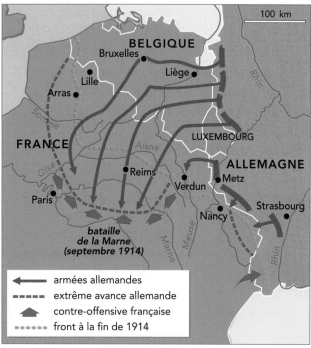

Doc. 1 : Les combats entre la France et l'Allemagne, en 1914.

En s'endormant ce soir-là, François pense plus fort que jamais à Lucie, serrant sur son cœur la silhouette de bois peint. Il l'imagine, dans un hôpital ou peut-être un poste de secours de la Croix-Rouge, soignant les terribles dégâts de la guerre moderne sur les chairs humaines, et cela le bouleverse aux larmes. Dans la dernière lettre qu'elle lui a adressée, elle termine en annonçant qu'elle va changer d'hôpital, se rapprocher du front… de lui.

Arthur Ténor, *Il s'appelait… Le Soldat inconnu*,
Folio Junior © Gallimard Jeunesse.

? Où se trouve François ?

? À ton avis, quel est le métier de Lucie ?

? Que font les soldats dans cette tranchée (**Doc. 2**) ?

Doc. 2 : Des soldats dans une tranchée, en 1916.

▶ Le début de la guerre

À la fin du XIXᵉ siècle, les pays européens sont divisés et forment deux camps (voir la carte en fin d'ouvrage) : celui de la Triple-Entente (France, Angleterre et Russie) et celui de la Triple-Alliance (Allemagne, Autriche-Hongrie et Italie). En août 1914, à la suite d'un attentat à Sarajevo (en Serbie), la guerre éclate entre les deux camps. Les Allemands envahissent le Nord et l'Est de la France, mais en septembre ils sont arrêtés lors de la bataille de la Marne (**Doc. 1**). Un **front** allant de la mer du Nord à l'Alsace se met en place. Les armées qui se font face s'enterrent dans des **tranchées** (**Doc. 2**) où les soldats, les « poilus », vivent et combattent dans des conditions épouvantables (froid, boue, rats…).

? Qui est employé dans cette usine d'armement (Doc. 3) ?

Doc. 3 : La fabrication d'obus et de cartouches dans une usine d'armement à Paris, vers 1916.

▶ L'après-guerre

L'Europe sort bouleversée par la guerre. Celle-ci a fait 9 millions de morts et plus de 6 millions de **mutilés**. Elle a marqué les esprits et une partie de l'opinion devient pacifiste. Les vainqueurs créent la Société des Nations (SDN) qui doit, à l'avenir, permettre d'éviter d'autres conflits. La guerre a aussi provoqué d'importantes destructions matérielles. L'Europe est ruinée alors que la puissance des États-Unis s'impose dans le monde. Enfin, les traités de paix amènent de nombreuses modifications de frontières qui mécontentent certains pays comme l'Allemagne (voir la carte en fin d'ouvrage).

Le sais-tu ?

Dans les tranchées, la vie des soldats est très dure. Comme ils manquent d'eau, ils ne peuvent pas se laver ni se raser. Alors on les surnomme les « poilus » !

▶ Une guerre totale et mondiale

Malgré de nombreuses offensives (bataille de Verdun en 1916), le front ne bouge pas et la guerre dure. L'utilisation d'armes nouvelles (**gaz asphyxiants**, **chars**, avions) rend les combats très meurtriers. À l'intérieur des pays, toute la population est mobilisée pour soutenir l'économie de guerre (Doc. 3). Mais en 1917, la situation change : la Russie, en pleine révolution, se retire du conflit tandis que les États-Unis entrent en guerre aux côtés des Français et des Anglais. Les Allemands reculent et signent un **armistice** le 11 novembre 1918.

Lexique

un armistice : accord entre des pays en guerre pour cesser le combat.

un char : véhicule blindé armé d'un canon et monté sur des chenilles.

le front : zone de combat où les armées ennemies se font face.

un gaz asphyxiant : gaz qui provoque la mort par arrêt de la respiration.

un mutilé : personne qui a perdu un membre.

une tranchée : fossé étroit et long creusé dans le sol.

➔ JE RETIENS

• La guerre qui éclate en Europe en 1914 oppose deux camps : la Triple-Entente et la Triple-Alliance. En France, après une percée de l'Allemagne, commence une longue guerre de tranchées.
• Le conflit mobilise toute l'économie des pays en guerre. En 1917, le retrait de la Russie et l'entrée en guerre des États-Unis aboutissent à la signature de l'armistice le 11 novembre 1918.
• La Première Guerre mondiale a fait 9 millions de morts et bouleversé l'Europe.

Vocabulaire

Objectif : Découvrir les règles de formation d'antonymes par préfixation.

Les préfixes pour dire le contraire

Cherchons ensemble

- Lis le texte. Observe les deux mots en orange. Donne leur sens. Comment trouves-tu leur contraire ?
- Observe le verbe en vert. Quel est son contraire ? À quelle modification as-tu procédé pour le former ?

Le givre faisait une fumée au sol. Blanc et épais, il coulait comme une rivière à moitié gelée, comme une eau lente. Filtrant à travers les barbelés, à travers les fosses, les cratères. Puis les Boches sortirent de la fumée. Une interminable ligne d'hommes qu'il semblait impossible d'arrêter. La fumée s'enroulait autour de leur taille, rougeoyant au soleil levant. Elle devint jaune et rouge, comme un fleuve de feu. Les Boches marchaient sur nous.

Lain Lawrence, *Le Général des soldats de bois*,
Le Livre de Poche Jeunesse, 2003.

Un champ de bataille pendant la Première Guerre mondiale (carte postale du XXᵉ siècle).

1 Associe chaque mot de la première liste à son contraire, puis entoure le préfixe.

- réalisable – connu – joindre – populaire – honnête – attentif – limité – serrer – habile
- inattentif – desserrer – irréalisable – illimité – méconnu – malhonnête – malhabile – disjoindre – impopulaire

2 Forme le contraire de ces mots en changeant leur préfixe.

déterrer – attacher – antérieur – débarquer – extérieur – emménager – défensif – inclure – replier

3 Copie ces phrases en remplaçant les mots en gras par leur contraire. Forme-les en ajoutant un préfixe.

- Certains abris étaient **vulnérables**.
- La vie dans les tranchées était **humaine**.
- Ces **heureux** soldats voyaient mourir leurs camarades.
- Ils ne pouvaient qu'être **contents** de leur triste sort.

4 Copie ces phrases en remplaçant les mots en gras par leur contraire. Forme ces contraires en changeant de préfixe.

- Je l'ai vu **apparaître** dans la fumée.
- Les blessés sont souvent **reconnaissables**.
- Le froid lui a **dégourdi** les jambes.
- Le poilu **emballe** le colis qu'il a reçu.
- Le drapeau est resté **décroché** au fil de fer barbelé.
- Le soldat est tombé lourdement et il s'est **remis** l'épaule.

5 Écris trois phrases en utilisant les contraires des mots ci-dessous.

visible – interne – propre

JE RETIENS

- L'ajout de **préfixes** comme **in-, im-, il-, ir-, dé-, en-, mal-, mé-** à un radical permet généralement de former **le contraire** (l'antonyme) d'un mot : possible → **im**possible – faire → **dé**faire – régulier → **ir**régulier – heureux → **mal**heureux – content → **mé**content.
- Parfois, il suffit de changer le préfixe pour obtenir le contraire : **en**rouler → **dé**rouler.

Objectif : Distinguer trois homonymes
la, **là**, **l'a**, fréquemment confondus.

Orthographe

Distinguer la, là, l'a

Cherchons ensemble

- **Lis le texte. Repère les mots en** orange. **Entends-tu une différence quand tu les lis ?**
- **Observe les deux** la. **Lequel peux-tu remplacer par** une **?**
- **Par quel mot peux-tu remplacer** là **?**
- **Maintenant, dans la 4e phrase, remplace l'Allemagne par** ils. **Que constates-tu ?**

C'est avec l'assassinat de l'archiduc François-Ferdinand d'Autriche que la guerre a commencé… Entre la Serbie et l'Autriche d'abord. Puis, peu à peu, presque toutes les nations d'Europe se sont mobilisées. L'Allemagne a déclaré la guerre à la France et l'a envahie au Nord et à l'Est. La France a reculé… mais elle s'est reprise (les Allemands étaient à 40 km de Paris !) et le front s'est stabilisé. Là, chaque armée s'est enterrée dans des tranchées pour conserver ses positions. Et la guerre a duré… quatre longues années ! Cette guerre, toute l'Europe la vécut comme une épreuve épouvantable.

L'assassinat de François-Ferdinand d'Autriche à Sarajevo, le 28 juin 1914 (gravure, 1914).

1 **Copie ces phrases en les complétant par** la **ou** là.

- C'est …, à Sarajevo, que tout a commencé.
- … population croit que … guerre sera courte.
- … guerre a débuté … où a eu lieu l'attentat.
- … lassitude gagnera les soldats, …-bas, au front.

2 **Copie ces phrases en les complétant par** l'a **ou** la.

- … presse … annoncé : … victoire est proche.
- … vérité ? On … dissimulée en utilisant … censure !
- … guerre dans les tranchées … épuisé.

3 **Copie ces phrases en mettant les verbes en gras au passé composé.**

- L'Europe attend le conflit. Une étincelle dans les Balkans l'**allume**.
- L'ordre de mobilisation générale est paru. C'est le garde-champêtre qui l'**affiche**.
- Ce pays a signé un traité. Il le **respecte**.

4 **Copie ces phrases en les complétant par** l'a, la **ou** là.

- … relève est enfin …. On … attendue avec impatience.
- … ligne de tranchée va de … mer du Nord aux Vosges. On … estimée à 750 km de long.

→ **JE RETIENS**

- **La** est un article féminin ou un pronom personnel ; il peut être remplacé par un autre article (une) :
la (une) guerre ; ou un autre pronom personnel (le, les) :
La guerre, l'Europe **la** vécut comme une épreuve. → Le conflit, l'Europe **le** vécut…
- **Là** est un adverbe ; il peut souvent être remplacé par un autre adverbe (ci ou ici) :
Cette armée-**là**(ci) est enterrée. – **Là** (Ici), l'armée s'est enterrée.
- **L'a** est la contraction de **le a** (ou de **la a**) qui peut être remplacé par **l'avait** :
L'Allemagne a déclaré la guerre à la France et **l'a** (**l'avait**) envahie.

Le complément d'objet direct

> ...Ce ciel est notre azur
> Ce champ est notre terre !
> Cette Lorraine et cette Alsace,
> c'est à Nous !
> *Victor Hugo.*

Cherchons ensemble

- **Lis le texte. Observe les groupes de mots en** orange. **Quel mot complètent-ils ?**
- **Peux-tu les supprimer sans que la phrase perde son sens ? Essaie maintenant de les déplacer. Que constates-tu ?**

Cinq ans jour pour jour après l'assassinat de l'archiduc François-Ferdinand à Sarajevo, la paix a été signée à Versailles. Les boches ont dû nous rendre l'Alsace et la Lorraine et ils n'ont plus qu'une toute petite armée. Ils doivent nous donner du charbon et beaucoup d'argent, et même les secrets de fabrication de médicaments, comme l'aspirine. Il paraît qu'ils ne sont pas contents...

Thierry Aprile, *Pendant la Grande Guerre*, coll. Le Journal d'un enfant, © Gallimard Jeunesse.

Affiche française en faveur du retour de l'Alsace et de la Lorraine à la France, vers 1917.

1 **Copie ces phrases, entoure les verbes, puis souligne les COD.**

- Le 11 novembre, nous célébrons la fin du conflit.
- Le traité prévoit que l'Allemagne paie des réparations.
- Les Alliés imposent à l'Allemagne de signer l'armistice.
- La guerre a fait des millions de morts.
- Ce conflit marquera à vie les survivants.

2 **Associe ces groupes de mots à un COD pour former des phrases qui ont un sens.**

Les Alliés ont imposé •   • l'Alsace et la Lorraine.
L'Allemagne souhaite •   • 9 millions de morts.
On ne compte plus •   • leurs conditions.
Cette guerre a fait •   • les grands blessés.
La France a regagné •   • prendre sa revanche.

3 **Copie ces phrases en remplaçant le nom COD par un pronom personnel COD.**

Ex. On annonce l'arrêt des combats.
      → On l'annonce.

- L'Allemagne restitue l'Alsace et la Lorraine.
- Les pays en guerre construisent des chars.
- Les Allemands devront payer leurs dettes.

4 **Copie ces phrases, puis souligne les COD.**

- La guerre, la population l'a subie durant quatre ans.
- Quand les belligérants feront-ils la paix ?
- Les Allemands doivent se rendre.
- Où les Alliés ont-ils signé l'armistice ?
- On appelle ce conflit la « Grande Guerre ».

→ JE RETIENS

- **Le COD** est relié directement au verbe. On peut souvent l'identifier en posant les questions **qui ?** ou **quoi ?** après le verbe : Ils signent **la paix**. → Ils signent **quoi ?** : **la paix** (**COD**).
- Le COD peut être un nom, un groupe nominal, un infinitif, une proposition ou un pronom (il est alors placé avant le verbe) : Ils rendent **l'Alsace**. – Ils ont **une toute petite armée**. – Ils doivent **partir**. – Il paraît **qu'ils ne sont pas contents**. – La guerre, ils **l'**ont perdue.
- **Attention !** il ne faut pas confondre le COD avec le GS placé après le verbe : Où mourut **François-Ferdinand** ? → **Qui est-ce qui** mourut ? : **François-Ferdinand** (**GS**).

Objectif : Ne pas confondre
la terminaison de la 1ʳᵉ personne
du singulier de deux temps du passé.

Conjugaison

Imparfait en -ais ou passé simple en -ai ?

Cherchons ensemble

- Lis le texte. Repère les verbes en orange et en vert.
  À quel groupe chacun d'eux appartient-il ?
  À quel temps sont-ils conjugués ?
- Mets les verbes en orange au passé simple.
  Que constates-tu ?
- Mets les verbes en vert à l'imparfait. Que remarques-tu ?

> Je percevais les cris de mes compagnons d'armes qui toussaient,
> étouffaient et vomissaient. Les Allemands projetaient sur
> eux de terribles gaz qui les asphyxiaient et brûlaient les
> poumons. Je voulais voir, je sortis de mon cratère. Je savais
> qu'il ne fallait pas mais je ne pus pas m'en empêcher…
> Soudain, un coup de fouet s'abattit sur mon coude droit. Je
> laissai tomber mon arme, je portai ma main à mon coude… et
> je découvris mon uniforme troué. J'étais touché, oh, à peine.
>
> Jacques Lindecker, *Les Bleuets de l'espoir*, © Éditions Nathan, Paris, 1997.

Des poilus portant des masques à gaz
dans une tranchée, vers 1916.

1 Copie ces phrases en remplaçant
le sujet en gras par le pronom je,
puis accorde le verbe.

- **Le poilu** pataugeait dans la boue.
- Gêné par les barbelés, **tu** n'avanças plus.
- **On** s'habituait au bruit constant des obus.
- La nuit, **personne** n'osa sortir des tranchées.
- Dès que l'ennemi fut proche, **il** tira.

2 Conjugue les verbes de ces expressions
aux trois premières personnes de l'imparfait,
puis du passé simple.

- **porter** un casque
- **s'équiper** de neuf
- **participer** au combat
- **quitter** son abri

3 Copie ces phrases en mettant les verbes
au passé simple.

- J'ai marché près de deux heures dans le brouillard.
- J'ai mené une vie horrible dans ma tranchée.
- J'apercevais distinctement les lignes ennemies.
- Je me suis mis à l'abri des tirs de mitrailleuses.

4 Copie ce texte en remplaçant
le pronom je par je. Effectue les accords.

Nous passâmes trois jours couchés dans un trou d'obus
à voir la mort de près. Nous l'attendions à chaque
instant. Nous n'avions plus de vivres. Nous décidâmes,
alors, de sortir. En pleine nuit, nous nous levâmes,
rampâmes et retrouvâmes, épuisés, notre tranchée.

JE RETIENS

- Les **1ʳᵉˢ personnes du singulier** de l'imparfait de l'indicatif et du passé simple des **verbes
du 1ᵉʳ groupe** ont souvent la même prononciation. Pour ne pas les confondre, il faut les remplacer
par la 2ᵉ personne ou la 3ᵉ personne du singulier, car on entend alors la différence :

Je pos**ais** mon arme. → Tu pos**ais** ton arme. → Il pos**ait** son arme. (imparfait)
Je pos**ai** mon arme. → Tu pos**as** ton arme. → Il pos**a** son arme. (passé simple).

- Pour les **verbes du 2ᵉ et du 3ᵉ groupe**, la 1ʳᵉ personne est différente :

Je percev**ais** les cris. (imparfait) → Je perç**us** les cris. (passé simple).

Cherchons ensemble

- **Quels importants personnages de l'État habitent à Paris ?**
- **Cite quelques monuments célèbres situés dans Paris.**

? Observe la photographie (**Doc. 1**). Quel indice montre que ce bâtiment appartient à la République française ?

? Dans quelle ville est-il situé ?

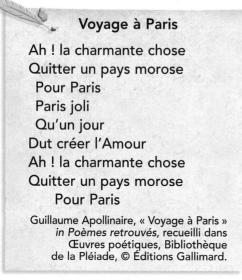

Voyage à Paris

Ah ! la charmante chose
Quitter un pays morose
 Pour Paris
 Paris joli
 Qu'un jour
Dut créer l'Amour
Ah ! la charmante chose
Quitter un pays morose
 Pour Paris

Guillaume Apollinaire, « Voyage à Paris »
in Poèmes retrouvés, recueilli dans
Œuvres poétiques, Bibliothèque
de la Pléiade, © Éditions Gallimard.

? Pourquoi Paris est-elle une ville attirante ?

? Observe ce schéma (**Doc. 2**) et cite les cinq lieux où se concentre le pouvoir politique.

Doc. 1 : Le Palais de l'Élysée, à Paris.

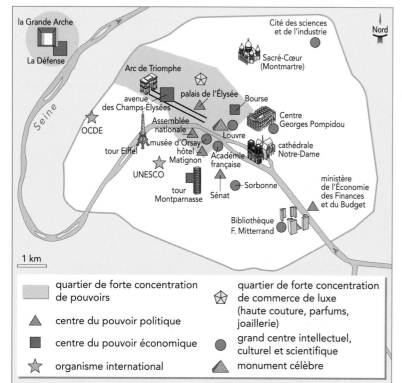

1 km

quartier de forte concentration de pouvoirs

quartier de forte concentration de commerce de luxe (haute couture, parfums, joaillerie)

▲ centre du pouvoir politique

■ centre du pouvoir économique

grand centre intellectuel, culturel et scientifique

★ organisme international

△ monument célèbre

Doc. 2 : La ville de Paris, centre de tous les pouvoirs.

▶ Paris, capitale politique

Avec 11 millions d'habitants, Paris et sa périphérie constituent la plus importante agglomération de France. Elle regroupe près de 20 % de la population française sur moins de 2,2 % du territoire. Paris, capitale de la France, est aussi le lieu où se concentre le pouvoir politique (**Doc. 2**). On y trouve la résidence du président de la République (le palais de l'Élysée, (**Doc. 1**)) et celle du Premier ministre (l'hôtel Matignon), le siège de l'**Assemblée nationale** et du **Sénat**, ainsi que tous les **ministères**. Paris est aussi une ville internationale qui abrite le siège de l'OCDE (Organisation de coopération et de développement économique) et celui de l'Unesco (Organisation des nations unies pour l'éducation, la science et la culture).

Un nœud de communication

La ville de Paris est au centre des différentes voies de communication qui traversent la France du Nord au Sud et d'Est en Ouest. Tous les plus importants axes autoroutiers et ferroviaires convergent vers elle (Doc. 3). Paris comporte aussi deux aéroports internationaux (Orly et Roissy-Charles-de-Gaulle). C'est une ville très bien desservie, dont la domination marque l'ensemble du territoire français.

Le sais-tu ?

Le musée du Louvre est le quatrième monument de Paris le plus visité après Notre-Dame de Paris, le Sacré-Cœur et la tour Eiffel. Avant de devenir un musée, le Muséum central, en 1793, c'était une résidence royale.

? Quels sont les transports présents à Paris (Doc. 3) ?

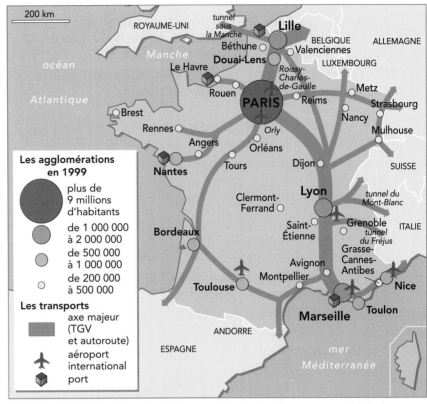

Doc. 3 : Les grandes agglomérations et le réseau de transports en France.

Un centre économique et culturel

Paris est aussi le plus important centre économique (Doc. 2) et financier de France. De grandes entreprises internationales françaises y ont leurs **sièges sociaux**. Paris attire aussi des millions de touristes grâce à ses divers monuments et ses musées. Pour conserver son rang au niveau mondial, Paris s'est équipé d'un vaste réseau hôtelier et consacre un **budget** important à l'entretien de son **patrimoine** historique et à l'amélioration des transports urbains.

Lexique

l'Assemblée nationale : ensemble des députés de France.

un budget : dépenses et recettes prévues généralement pour un an.

un ministère : lieu où travaillent un ministre et son équipe.

le patrimoine : ensemble de biens et de richesses.

le Sénat : ensemble des sénateurs de France.

un siège social : lieu où est installée la direction d'une entreprise.

→ JE RETIENS

• Paris et sa région concentrent près de 20 % de la population française. C'est la plus vaste agglomération de France. C'est aussi la capitale politique du pays où sont réunis tous les pouvoirs.
• Paris domine le territoire français. C'est le plus grand nœud de communication vers lequel convergent tous les axes majeurs, terrestres et aériens, de France.
• Paris est aussi un important centre économique et culturel. Son rayonnement est mondial.

Les préfixes de quantité et de mesure

Cherchons ensemble

- Lis le texte. Repère les mots en vert. Avec quels préfixes sont-ils formés ? Donne le sens de ces mots et forme d'autres mots avec ces préfixes.
- Observe le mot en orange, puis modifie son préfixe pour former une autre unité de mesure.

Paris ! la Belle ! la Capitale ! Mais que serait Paris sans sa tour Eiffel ? Car c'est elle qui remporte tous les suffrages : auprès des Parisiens d'abord, mais aussi auprès des cinq millions de touristes qui viennent la visiter chaque année. Ce n'est certes pas un monopole car les autres monuments sont nombreux à Paris, mais c'est un symbole unique qui n'a pas d'équivalent. D'ailleurs, on en prend grand soin et on l'embellit toujours : depuis l'an 2000, une multitude de petites ampoules la font scintiller tous les soirs et permettent à tous de la voir à plusieurs kilomètres à la ronde. Une vraie féerie !

Des touristes aux pieds de la tour Eiffel à Paris.

1 Complète chaque mot avec l'un des préfixes ci-dessous.

poly – multi – mono – mini

- un ...gône
- ...colore
- un ...ski
- une ...jupe
- ...valent
- un ...logue
- un ...golf
- ...glotte

2 Trouve le mot qui correspond à chacune de ces définitions.

- Moment de l'année où la durée du jour et celle de la nuit sont égales. → ...noxe
- Opération qui consiste à ajouter plusieurs fois un nombre à lui-même. → ...plication
- Figure géométrique qui a trois côtés et trois angles. → ...angle

3 Trouve d'autres mots en changeant le préfixe.

un tricentenaire – un hémicycle – biennal – un semestre – une duplication – quadrangulaire – un hexagone – un quinquagénaire

4 Complète ces phrases avec l'unité de mesure écrite en lettres qui convient.

- Le château de Versailles est à environ 25 ... de Paris.
- Cette petite bouteille contient 50 ... d'eau gazeuse.
- La hauteur de la tour Eiffel est de 320 mètres, soit 32 000 ....

→ JE RETIENS

- De nombreux **préfixes**, placés devant un radical, indiquent des quantités de façon plus ou moins précises : **mono** (un seul) – **uni** (un) – **bi** (deux) – **tri** (trois) – **quadri** (quatre) – **quinqua** (cinq) – **équi** (égal) – **multi** (nombreux) – **poly** (nombreux) – **hémi** (à moitié) – **mini** (petit) – **macro** (grand).
- Pour différencier les multiples et sous-multiples d'une unité de mesure, on place des préfixes (dont la valeur est fixe) devant la mesure principale :

le **mètre** : le **déci**mètre – le **centi**mètre – le **kilo**mètre – le **milli**mètre
le **litre** : le **centi**litre – le **milli**litre – le **déca**litre – l'**hecto**litre.

Distinguer c'est, s'est, ces, ses

Cherchons ensemble

- **Lis le texte. Observe les expressions en vert. Laquelle peux-tu remplacer par cela est ?**

- **Observe les mots en orange. Quelle est la nature des mots qu'ils précèdent ? Mets ces mots au singulier. Que constates-tu ?**

L'Assemblée nationale ou Palais-Bourbon, à Paris.

> **Vers une assemblée moderne**
>
> [...] Derrière ses murs, ses tableaux et ses tentures du passé, le Palais-Bourbon s'est doté de tous les moyens modernes d'information et de communication. Aidée de tous ces outils et animée d'une réelle volonté d'efficacité, l'Assemblée a, sans conteste, conquis une capacité d'expertise des textes qu'elle discute et qu'elle vote. C'est dans son enceinte que l'actualité politique se fait chaque jour. La venue en ses murs de chefs d'État étrangers, s'exprimant devant elle, lui apporte également une reconnaissance internationale.
>
> Philippe Langenieux-Villard et Sylvie Mariage, *L'Assemblée nationale*, © Éditions Gallimard.

1 Copie ces phrases en les complétant par c'est ou s'est.

- Cet intervenant ... adressé calmement aux députés.
- Puisque ... possible, j'assisterai à une séance du Sénat.
- ... à l'Assemblée que sont discutés les projets de lois.
- Le Premier ministre ... installé à l'hôtel Matignon.

2 Copie ces phrases en les complétant par ces ou ses.

- ... parlementaires débattent au sujet d'une nouvelle loi.
- L'orateur relit ... notes avant de prendre la parole.
- ... députés discutent à l'entrée de l'hémicycle.
- Ce sénateur est connu pour ... longs discours.

3 Copie ces phrases en les complétant par c'est ou ces.

- ... journalistes attendent la sortie des députés.
- ... une cérémonie officielle qui commence.
- Il paraît que ... aujourd'hui que les débats commencent.

4 Copie ces phrases en les complétant par c'est, s'est, ces ou ses.

- L'Assemblée nationale ... dotée d'une chaîne de télévision pour retransmettre ... séances.
- ... ici que le Premier ministre réunit ... conseillers.
- Le président ... déplacé avec ... principaux ministres pour accueillir ... chefs d'État étrangers à l'aéroport.
- ... à Matignon, dans ... bâtiments, qu'ils travaillent.

→ JE RETIENS

- **C'est** est formé du verbe **être** au présent précédé du pronom démonstratif **c'**. Il peut souvent être remplacé par **cela est** : C'est ici. → Cela est ici.
- **S'est** est formé du verbe **être** au présent précédé du pronom personnel réfléchi **s'**. Il peut être remplacé par **me suis, se sont**, en conjuguant le verbe : Il s'est assis. → Je me suis assis.
- **Ces** est un **déterminant démonstratif** placé devant un nom. Il peut être remplacé par un autre déterminant démonstratif (ce, cet, cette) si on met le nom au singulier : ces outils → cet outil.
- **Ses** est un **déterminant possessif** placé devant un nom. Il peut être remplacé par un autre déterminant possessif (son, sa) si on met le nom au singulier : ses murs → son mur.

Le complément d'objet indirect

Cherchons ensemble

- **Lis le texte. Observe le groupe de mots en vert. À quel mot apporte-t-il des précisions? Peux-tu le supprimer ? Quelle est sa fonction ?**

- **Observe le groupe de mots en orange. À quel mot apporte-t-il des précisions ? Peux-tu le supprimer ?**

Paquebots du luxe et temples de la consommation, les Grands Magasins, presque tous centenaires, sont visités par les touristes au même titre que les monuments historiques. Nés à Paris sous le second Empire [...] ils ont imposé des méthodes de vente modernes et rendu le luxe plus accessible grâce au principe de l'« entrée libre ». *Les Magasins du Louvre* ou *La Belle Jardinière* ont disparu, mais les établissements qui subsistent conservent leur cachet d'antan et associent à leur image des noms de marques prestigieuses.

Guide Gallimard Paris, © Gallimard Loisirs.

L'intérieur des Galeries Lafayette, un grand magasin construit en 1893.

1 **Copie ces phrases et entoure les COI.**

- Le vendeur s'occupe de ses clients.
- Il a choisi d'ouvrir une autre boutique.
- Cette cliente s'adresse au chef de rayon.
- Nous parlons de la hausse des prix.

2 **Copie ces phrases, puis souligne les COD et entoure les COI.**

- Cet hiver, il dédie ses vitrines aux grands couturiers.
- Cette boutique propose un vaste choix à ses clients.
- Il conseille à cette personne d'acheter son produit.
- Le Printemps a ouvert ses portes au public en 1865.
- La vendeuse nous propose un large choix d'articles.

3 **Copie ces phrases en remplaçant le groupe du nom COI par un pronom COI.**

- On doit la création du Bon Marché à Aristide Boucicaut.
- La Samaritaine appartenait à Eugène Cognacq et Marie-Louise Jay.
- À Noël, les Grands Magasins présentent des vitrines merveilleuses au public.
- La terrasse des Galeries Lafayette offre une vue magnifique sur les toits de Paris aux touristes.
- La transformation en une galerie commerciale évita aux Trois Quartiers une disparition pure et simple.

→ JE RETIENS

- Le **COI** est relié au verbe par une préposition (de ou à). On peut souvent l'identifier en posant les questions à qui ?, de qui ?, à quoi ?, de quoi ? après le verbe :
Ils associent à leur image. → Ils associent **à quoi ?** : à leur image (**COI**).

- Le **COI** peut être un nom, un groupe nominal, un infinitif, une proposition ou un pronom (il est alors placé avant le verbe) : Il vend **aux clients**. – Il vend **à se ruiner**. –
Il vend à **ceux qu'il connaît**. – Il **leur** vend.

- **Attention !** il ne faut pas confondre le COI avec le COD relié directement au verbe :
Ils associent à leur image des noms de marques prestigieuses. → Ils associent **quoi ?** : des noms de marques prestigieuses (**COD**) – **à quoi ?** : à leur image (**COI**).

Objectif : Reconnaître les verbes pronominaux, quels que soient les temps, et savoir les conjuguer.

Les verbes pronominaux

Cherchons ensemble

- **Lis le texte. Observe le verbe en vert. De combien de mots se compose-t-il ?**

- **Mets le sujet au singulier. Que constates-tu ? Remplace le sujet par je. Que remarques-tu ?**

> Mardi matin au marché de Belleville. Entraînés par le flot des mamas en boubou, les habitués se laissent emporter dans ce souk géant, humant les parfums mêlés des fruits, des légumes et de la menthe fraîche. À deux pas, les serveurs chinois des restaurants voisins entassent sur leur diable des piles de cartons de tofu et de soja. En remontant la rue, on arrive à la terrasse du Vieux Saumur, où les artisans du coin avalent leur café en préparant leur tiercé.
>
> Lydia Bacrie, *20e Arrondissement*, © Éditions Parigramme/ Compagnie parisienne du livre, Paris, 1999.

Le marché de Belleville, dans le 20e arrondissement de Paris.

1 **Copie ces phrases en les complétant avec les pronoms personnels qui conviennent.**

- … … sentons chez nous ici.
- … … obstines à présenter ton produit miracle.
- … … promène avec mon chien.
- … … approvisionnez chez votre commerçant favori.
- … … vante d'être le plus ancien marchand du quartier.

2 **Copie ces phrases en écrivant les verbes entre parenthèses au présent de l'indicatif.**

- Les enfants (**se bousculer**) pour voir la vitrine.
- Je (**se rendre**) souvent au marché aux Fleurs.
- Vous (**se consacrer**) à la vente de produits biologiques.
- (**Se souvenir**)-tu du vendeur d'épices ?
- Cet endroit (**s'appeler**) le marché des Enfants rouges.

3 **Conjugue les verbes de ces expressions au temps de l'indicatif demandé.**

- (**présent**) – s'intéresser à la cuisine chinoise
- (**imparfait**) – se régaler avec une mangue
- (**futur simple**) – se préparer un plat africain
- (**passé simple**) – s'inspirer de la mode indienne

4 **Copie ces phrases en écrivant les verbes en gras au passé composé. Effectue les accords.**

- Le succès des produits exotiques (**se confirmer**).
- La clientèle de ce magasin de spécialités (**s'élargir**).
- La capitale (**s'ouvrir**) aux cuisines du monde.
- On (**se prend**) à vouloir tout goûter.
- Où (**se procurer**)-tu ce superbe kimono ?

➡ **JE RETIENS**

- Devant certains verbes, on place un pronom personnel réfléchi : ce sont les **verbes pronominaux**. À l'infinitif, ce pronom est **se** ou **s'** : **se** laisser – **s'**entraîner.
- Le pronom personnel réfléchi varie selon la personne : je **me** laisse – tu **te** laisses – il/elle **se** laisse – nous **nous** laissons – vous **vous** laissez – ils/elles **se** laissent.
- **Attention !** pour les **1re et 2e personnes du pluriel**, il ne faut pas confondre le pronom sujet et le pronom réfléchi : Vous (pr. sujet) **vous** (pr. réfléchi) entraînez. – Entraînez-**vous** (pr. réfléchi) !

Écrire un texte en changeant de narrateur

Cherchons ensemble

- Lis le texte de gauche. Quel est le personnage principal de ce texte ?

- Observe les expressions en vert. À quelle personne les verbes sont-ils conjugués ?

- Mets-toi à la place de celui qui raconte l'histoire, le narrateur. Est-il spectateur de la scène ou vit-il la scène comme s'il était le personnage principal ?

- Lis maintenant le texte encadré à droite et observe les expressions en orange. Compare-les aux expressions en vert. Qu'y a-t-il de changé ?

- Quelle place occupe maintenant le narrateur ?

Un chien errant dans Paris.

Il eut une pensée pour le boucher de Nice. Pendant une seconde, il essaya même de trouver son odeur de lavande, mais il se rendit compte que c'était de la folie. On a beau avoir le nez fin, à mille kilomètres de distance… Et puis, bon sang, que cette ville était grande ! Des odeurs d'essence les plus proches aux parfums d'usines les plus lointains, on avait l'impression qu'elle n'en finissait pas de s'étendre. Était-ce vraiment une ville ? N'était-ce pas plutôt la terre entière qui s'était brusquement recouverte de maisons ? À cette idée, le Chien fut saisi d'une véritable panique. « Il faut que je sorte de Paris, se dit-il, tout de suite, par n'importe quel moyen, il faut que je retrouve une autre décharge, mes vieilles habitudes, d'autres chiens, un endroit où je me sente moins seul, moins perdu. » Pendant que ces pensées se bousculaient dans sa tête, la nuit en avait profité pour tomber complètement.

Daniel Pennac, *Cabot-Caboche*,
© Éditions Nathan, 1994 pour cette édition.

Texte écrit en changeant de narrateur

J'eus une pensée pour le boucher de Nice. Pendant une seconde, j'essayai même de trouver son odeur de lavande, mais je me rendis compte que c'était de la folie. J'ai beau avoir le nez fin, à mille kilomètres de distance… Et puis, bon sang, que cette ville était grande ! Des odeurs d'essence les plus proches aux parfums d'usines les plus lointains, j'avais l'impression qu'elle n'en finissait pas de s'étendre. Était-ce vraiment une ville ? N'était-ce pas plutôt la terre entière qui s'était brusquement recouverte de maisons ? À cette idée, je fus saisi d'une véritable panique. « Il faut que je sorte de Paris, me dis-je, tout de suite, par n'importe quel moyen, il faut que je retrouve une autre décharge, mes vieilles habitudes, d'autres chiens, un endroit où je me sente moins seul, moins perdu. » Pendant que ces pensées se bousculaient dans ma tête, la nuit en avait profité pour tomber complètement.

1 Lis les deux textes ci-dessous. Pour chacun d'eux, relève les indices qui permettent d'identifier la place du narrateur, puis précise si celui-ci est situé en dehors de l'histoire ou à la place du personnage principal.

Lorsque Benoît s'engage à pas comptés dans la rue des Haudriettes, il n'est que cinq heures et demie. Une demi-heure à attendre ; autant dire l'éternité. Vu de l'extérieur, le Bar de l'Oubli semble calme, presque vide, comme abandonné. Pas question d'entrer : arriver trop tôt, c'est ringard. C'est même le genre de choses qui peut porter malheur… Benoît dépasse la devanture du bar pour marcher au hasard des rues adjacentes. Rue Chapon. Rue Pastourelle. Il flâne longuement devant un maroquinier, un électricien, un encadreur. Ses pensées sont ailleurs. Et si les autres ne venaient pas ?

Fanny Joly, *Cynthia, le Rock et Moi*,
Le Livre de Poche Jeunesse, 1998.

Texte 1

Nous nous étions donné rendez-vous à la station Châtelet, direction porte de Clignancourt. En descendant l'escalier, je vis une vieille dame qui mendiait avec une pancarte autour du cou et un accordéoniste qui ne devait pas avoir plus de six ans (à moins d'être un nain bien maquillé) qui jouait sur le quai du métro. Deborah était déjà là. Elle faisait très classe avec ses tresses remontées en chignon. À côté de l'accordéoniste, elle ressemblait à une impératrice de deux mètres ! Je la rejoignis.

Michel Amelin, *Dur, dur, d'être top model !*,
coll. « Pleine Lune », © Éditions Nathan, 1997.

Texte 2

2 Voici l'extrait d'un roman. Transforme le texte pour que le narrateur soit placé en dehors de l'histoire.

Je ne sais pas comment je suis revenu ; les rues étaient éclairées mais pleines de fantômes noirs, et j'avais très mal à un pied. Et la pluie me mettait des larmes. Et j'avais très mal aux pieds, surtout un, et je reniflais en pensant à ce maudit Stéphane : ce petit-rien-du-tout ! Il était dangereux, avec ses idées de kidnapping à la gomme ! Un psychiatre, voilà ce qu'il lui faudrait, et armé, en plus.
Moi maintenant, je voulais mes parents, même s'ils me tuaient. Arrivé devant ma porte, j'ai quitté mes chaussures sur le paillasson et je me suis senti dans l'état du gars qui va recevoir un seau d'eau sur la tête et qui s'y attend, mais j'ai ouvert la porte et j'ai pas reçu de seau ; c'était pire, le grand silence.

Évelyne Renerg, *La Rédac*, coll. « Pleine Lune », © Éditions Nathan, 1995.

3 Raconte la promenade en ville d'une personne de ton choix. Mets-toi à la place du personnage principal.

→ **JE RETIENS**
• Dans un récit, la personne qui raconte l'histoire s'appelle **le narrateur**. On le repère grâce à des indices de personnes. Ces indices peuvent être des pronoms personnels (je – me – moi – il – nous – on – etc.), des déterminants possessifs (mon – ses – notre – etc.) ou des pronoms possessifs (le mien – le sien – le nôtre – etc.). Le narrateur peut raconter son histoire de différents points de vue :
– en se plaçant **en dehors de l'histoire** : Il eut une pensée pour elle.
– en se mettant **à la place du personnage principal** : J'eus une pensée pour elle.
• Il faut toujours veiller à la cohérence d'emploi de ces indices pour ne pas créer d'ambiguïtés chez le lecteur.

Quelle est la situation des femmes

Cherchons ensemble

- **Qu'est-ce qu'une domestique ?**
- **À ton avis, existe-t-il des femmes médecins au XIXᵉ siècle ?**
- **Aujourd'hui, les femmes peuvent-elles voter ?**

Le sais-tu ?

En France, pour la première fois, une femme devient médecin en 1875, avocate en 1900 et ministre en 1947.

? Que représente ce tableau (Doc. 1) ?

? À quoi vois-tu que c'est une femme de la bourgeoisie ?

Gervaise avait repris son panier. [...] « Mon Dieu ! je ne suis pas ambitieuse, je ne demande pas grand-chose… Mon idéal, ce serait de travailler tranquille, de manger toujours du pain, d'avoir un trou un peu propre pour dormir, vous savez, un lit, une table et deux chaises, pas davantage… Ah ! je voudrais aussi élever mes enfants, en faire de bons sujets, si c'était possible… Il y a encore un idéal, ce serait de ne pas être battue, si je me remettais jamais en ménage ; non, ça ne me plairait pas d'être battue… Et c'est tout, vous voyez, c'est tout. »

Émile Zola, *L'Assommoir*, 1877.

? Quel est l'« idéal » de Gervaise ?

? Que font ces femmes (Doc. 2) ?

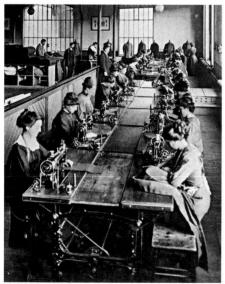

Doc. 2 : Des ouvrières dans l'atelier de couture d'une manufacture à Saint-Étienne, 1910.

Doc. 1 : *Jeune Mère et ses Enfants dans un salon* (peinture de Gustave Dejonche, fin du XIXᵉ siècle).

▶ Des femmes inférieures aux hommes

Durant le XIXᵉ siècle, les femmes ont une situation inférieure à celle des hommes dans la société. Selon le Code civil (établi par Napoléon en 1804), elles sont sous l'autorité de leur père ou de leur mari. Elles n'ont aucun bien personnel et ne peuvent pas travailler sans leur accord. En réalité, seules les femmes de la bourgeoisie ne travaillent pas (Doc. 1) ; les femmes du peuple (paysannes, ouvrières (Doc. 2), domestiques) doivent travailler pour faire vivre leur famille. Mais le rôle des femmes reste avant tout de s'occuper de la maison et des enfants (Doc. 1). Elles ne participent pas à la vie politique du pays.

▶ Vers un accès aux études

À partir de 1882, grâce à l'école qui devient obligatoire pour tous, garçons et filles, les femmes accèdent aux études : d'abord à l'école primaire, puis au baccalauréat et aux études supérieures (Doc. 3). L'une d'elles, Marie Curie, fait des études de physique et obtient le **prix Nobel** en 1903. Elle devient aussi, en 1906, la première femme professeur à l'**université**. Peu à peu, le niveau d'études des femmes s'élève et elles réclament plus de libertés.

? Que tiennent ces femmes dans leurs mains (Doc. 4) ?

? Que veulent-elles ?

? Observe la photographie (Doc. 3). À ton avis, comment se déroule un cours ?

Doc. 3 : Des jeunes filles assistant à un cours à l'université, vers 1930.

▶ Vers plus de droits et de libertés

En 1870, des femmes comme Louise Michel commencent à participer à la vie politique du pays. À la fin du XIXᵉ siècle, certaines s'organisent pour réclamer plus de droits. Un mouvement, né en Angleterre avec les **suffragettes**, se forme pour obtenir le droit de vote des femmes (Doc. 4). En France, il n'aboutira qu'en 1944. Et ce n'est que peu avant, en 1938, que les femmes, malgré le rôle important qu'elles ont joué pendant la Première Guerre mondiale, se libèrent de l'autorité de leur mari.

Doc. 4 : Des suffragettes manifestant pour le droit de vote des femmes (carte postale, 1910).

Lexique

le prix Nobel : prix fondé en Suède qui récompense tous les ans un bienfaiteur de l'humanité.

une suffragette : nom donné en Angleterre à une femme qui manifeste pour le droit de vote.

une université : établissement public d'enseignement supérieur.

→ JE RETIENS

- Au XIXᵉ siècle, les femmes sont tenues pour inférieures aux hommes et restent dépendantes d'eux. Elles doivent s'occuper de leurs enfants, peuvent travailler, mais n'ont aucun droit politique.
- Cependant, à la fin du XIXᵉ siècle, elles accèdent aux études et réclament plus de libertés.
- Elles luttent pour obtenir plus de droits. Mais elles ne se dégagent de l'autorité des hommes qu'en 1938 et n'obtiennent le droit de vote qu'en 1944.

Les mots du travail

Cherchons ensemble

- **Lis le texte. Repère les mots en** orange. **De quoi parlent-ils ?**
- **Cherche la définition du mot** contremaître.
- **Pourquoi les ouvrières font-elles la** grève **?**
- **Qu'est-ce que le** salaire **?**

---

2 novembre 17

Aujourd'hui, il n'y a pas d'école : c'est le jour des morts. Tante Jeanne est arrivée de Toulouse pour se reposer. Elle nous a parlé de son travail. Elle est munitionnette : elle fabrique de la poudre à canon. Les contremaîtres ne font pas de cadeau. Ils n'arrêtent pas de répéter aux ouvrières : « une minute perdue, un mort de plus au front ».

Pourtant, un jour, toutes les femmes ont fait grève pour réclamer de quoi pouvoir manger à leur faim.

On les a appelées « les folles de la poudrerie », mais elles ont tenu bon, et elles ont gagné. Leur salaire est passé de 6 F* à 12 F. Juste de quoi manger et se loger, tellement les prix ont augmenté.

* F : franc, ancienne monnaie.

Thierry Aprile, *Pendant la Grande Guerre*, coll. Le Journal d'un enfant, © Gallimard Jeunesse.

Une « munitionnette » au travail dans une usine d'obus en France, vers 1916.

2 **Copie ces expressions en les complétant avec un mot de la même famille que celui entre parenthèses.**

- (la **main**) : un travail …
- (**produire**) : une importante …
- (une **femme**) : un emploi …
- (**travailler**) : une grande …

1 **Dans ces listes, trouve l'intrus.**

- un gagne-pain – un emploi – un métier – une profession – une activité – une tâche – une tache
- les appointements – les gages – les honoraires – une dette – une rétribution – un salaire – un traitement
- bûcher – bosser – trimer – traverser – façonner – élaborer – fabriquer – besogner – œuvrer – produire – usiner

3 **Cherche le sens de ces expressions et utilise-les dans une phrase.**

- gagner sa vie
- tirer au flanc
- abattre du boulot
- avoir du pain sur la planche

4 **Copie chaque phrase en la complétant avec le nom qui convient.**

munitions – main-d'œuvre – grève – usines – embauches

- Le pays se trouve devant une pénurie de ….
- Les femmes cessent le travail : elles font ….
- Les … de jeunes ouvrières sont fréquentes.
- Ces femmes travaillent dans des … d'armement.
- Les « munitionnettes » fabriquent des ….

➡️ **JE RETIENS**

- En échange du **travail** – qu'il (qu'elle) effectue dans un atelier, une fabrique, une usine, un bureau – un ouvrier (une ouvrière) ou un employé (une employée) perçoit un salaire, une rémunération, une paie.
- Lorsque les conditions de travail sont trop pénibles, ou bien lorsque le salaire est trop faible, les ouvriers peuvent cesser le travail : ils se mettent en grève.

Objectif : Savoir placer les consonnes muettes en fin de mot.

O r t h o g r a p h e

Les consonnes finales muettes

Cherchons ensemble

- Lis le texte. Observe les mots en orange et en vert. Par quelle lettre se terminent-ils ? Entends-tu cette lettre à l'oral ?
- Trouve un verbe de la même famille que les deux mots en orange. Que remarques-tu ? Peux-tu faire la même chose avec le mot en vert ?

Une classe de jeunes filles, vers 1915.

Je fis observer que, de toute façon, il n'y avait aucune urgence, vu son âge. D'ici qu'elle obtienne son bac, elle avait le temps de voir venir. Elle s'inquiéta aussitôt :

« Mais, dans ma pension, on ne passe pas le bac, seulement le brevet élémentaire ! »

Ah. Le genre d'établissement qui préparait juste les jeunes filles à tenir leur rang dans la bonne société.

« Je me renseignerai, décida-t-elle, pour savoir comment on peut ensuite continuer des études. Mon père a le bac, pourquoi est-ce que je ne l'aurais pas ? »

Évelyne Brisou-Pellen, *Le Fils de mon père*, Le Livre de Poche Jeunesse, 2003.

1 Donne un nom, terminé par une lettre muette, de la même famille que ces verbes.

jeter – bondir – refléter – enfanter – réconforter – sauter – venter – flancher – choisir – aviser – planter – fusiller – draper – croiser – fracasser

2 Copie ces mots en les complétant avec la lettre muette finale correcte.

vraimen… – dehor… – beaucou… – prè… – bientô… – quan… – un cer… – autrefoi… – toujour… – dessou… – tro… – un ner… – une souri… – un foular… – un artichau…

3 Copie ces phrases en complétant le mot en gras avec une lettre finale correcte.

- Elle se dirige **ver**… l'école.
- Il dessine un arbre **ver**….
- Il est blessé, il perd du **san**….
- Je ne voyage jamais **san**… ma mallette.
- Que fais-tu avec ce **bou**… de ficelle ?
- Mes souliers sont pleins de **bou**….

4 Copie ces groupes de mots en mettant les adjectifs au masculin.

- une mauvaise note → un … camarade
- une question précise → un endroit …
- la craie blanche → un feuillet …
- une écolière sérieuse → un travail …

5 Copie ces phrases en complétant le mot en gras par une consonne muette.

- Tiens-toi bien **droi**… sur ton **ban**… !
- Aimais-tu le **cour**… de **françai**… ?
- Il fallait apporter son **repa**… à l'école.
- Le chemin était **parfoi**… **lon**….
- Le **plu**… **souven**…, nous avions le cartable sur le **do**….

→ **JE RETIENS**

- À la fin de certains mots, il y a une ou des **consonnes muettes** : le brevet – le rang – aussitôt.
- Pour trouver cette **lettre finale**, on peut essayer de former le féminin ou de chercher un mot de la même famille. On entend alors la bonne consonne : le brevet → breveter – le rang → ranger.
- Parfois, ce n'est pas possible, il faut alors consulter un dictionnaire : aussitôt.

Objectif : Identifier les compléments circonstanciels de temps et de lieu et mettre en évidence la possibilité de les déplacer.

Les compléments circonstanciels de temps et de lieu

Cherchons ensemble

Marie Curie dans son laboratoire, en 1911, l'année de son prix Nobel de Chimie.

- Lis le texte. Observe le groupe de mots en orange. Quelle information apporte-t-il ? À quelle question répond-il ? Peux-tu le déplacer ?

- Observe le groupe de mots en vert. Quel renseignement donne-t-il ? À quelle question répond-il ? Peux-tu le déplacer ?

> En 1910, Marie Curie dépose un échantillon de radium au Bureau des Poids et Mesures. Ce sera l'étalon de la radioactivité. Encouragée par des amis scientifiques, elle espère entrer à l'Académie des Sciences. Mais les Académiciens refusent de la compter au nombre de leurs membres. Pas de femme à l'Académie !
>
> Les savants suédois, eux, reconnaissent la qualité de ses travaux. Ils lui accordent, pour la seconde fois, le prix Nobel, mais le prix de chimie cette fois, pour sa préparation du radium pur.
>
> Marie-Pierre Perdrizet, *Marie Curie*, D.R.

1 Copie ces phrases, puis souligne les compléments circonstanciels de temps.

- Marie Curie voit le jour à Varsovie, en 1867.
- Après de longues recherches, elle découvre le radium.
- Bientôt, elle essaie d'entrer à l'Académie des sciences.
- Pendant la guerre, Marie soigne les blessés au front.

2 Copie ces phrases, puis souligne les compléments circonstanciels de lieu.

- Élève douée, Marie Curie fait ses études en Pologne.
- Elle vient à Paris afin de poursuivre ses recherches.
- À l'Université, elle suit les cours de grands professeurs.
- Elle enseigne là où son mari était professeur.

3 Copie ces phrases en déplaçant les compléments circonstanciels. Indique si ce sont des compléments de lieu (L) ou de temps (T).

- Marie épouse Pierre Curie le 25 juillet 1895.
- Elle obtient enfin du radium pur en 1910.
- Dans son laboratoire, elle étudie la radioactivité.

4 Copie ces phrases en les complétant avec un complément circonstanciel de temps, ou de lieu, de ton choix.

- Elle reçoit le prix Nobel de chimie ... .
- Irène Curie travaille avec sa mère ... .
- Elle rédige un compte rendu ... .

→ JE RETIENS

- **Les compléments circonstanciels de temps et de lieu** apportent des précisions qui enrichissent la phrase. Ils peuvent être placés avant ou après le verbe et souvent être déplacés ou supprimés :
En 1910, à Paris, Marie travaille. – Marie travaille à Paris, en 1910. – Marie travaille.

- On trouve le complément circonstanciel de **temps** en posant la question **quand ?** après le verbe :
En 1910, Marie Curie dépose un échantillon.   Elle dépose **quand ?** → en 1910.

- On trouve le complément circonstanciel de **lieu** en posant la question **où ?** après le verbe :
Marie Curie dépose un échantillon **au Bureau des Poids et Mesures**.
Elle dépose **où ?** → **au Bureau des Poids et Mesures**.

Les temps simples de l'indicatif des verbes en -yer

Cherchons ensemble

- **Lis le texte. Observe les verbes en** orange**. À quels temps sont-ils conjugués ?**
- **Donne leur infinitif. Que constates-tu ?**

Je m'appelle Hubertine Auclert et je suis née le 10 avril 1848. Voici quelques extraits de mon journal :
1868 : Je suis au couvent. Je m'ennuie.
1869 : Je pars et je monte à Paris. Quelle joie !
1871 : La République vient d'être proclamée. Ça va bouger ! Je vais enfin pouvoir exprimer mes idées sur les droits des femmes. J'essuierai sans doute des revers, mais ce n'est rien. Je suis prête à tout pour obtenir ce droit de vote qu'on nous refuse encore !
1876 : Je viens de fonder une société *Le Droit des femmes*. J'espère son succès.

Hubertine Auclert, suffragette française
(peinture du XXe siècle).

1 **Copie ces phrases en écrivant les verbes entre parenthèses au présent de l'indicatif.**

- Je (**balayer**) et je (**nettoyer**), mais je sais aussi lire.
- Tu (**déployer**) toute ton énergie pour ce projet.
- « Pourquoi me (**tutoyer**)-vous ? » dit-elle.
- Elles nous (**ennuyer**) avec leurs manifestations.
- Le chef d'atelier (**rudoyer**) souvent les ouvrières.

2 **Copie ces phrases en conjuguant les verbes entre parenthèses au futur simple.**

- Nous (**employer**) les grands moyens s'il le faut !
- Tu (**effrayer**) les autres avec tes revendications.
- Est-ce que le député (**relayer**) notre demande ?
- Les patrons nous (**payer**) à notre juste valeur !

3 **Copie ces phrases en écrivant les verbes en gras à l'imparfait de l'indicatif et les verbes en** orange **au passé simple.**

- Ce patron (**octroyer**) aux femmes un salaire inférieur à celui des hommes. Alors elles (débrayer).
- Ces femmes (essuyer) le mépris de leurs concitoyens.
- À l'époque, je (**côtoyer**) des suffragettes françaises.
- Au début, nous (**s'appuyer**) sur des actions pacifiques.
- Elles (noyer) le discours du maire sous les huées.

4 **Conjugue les verbes de ces expressions aux quatre temps simples de l'indicatif.**

- **foudroyer** du regard
- **essayer** une stratégie

JE RETIENS

- Les verbes terminés par **-yer** à l'infinitif transforment le **y** en **i** devant les terminaisons commençant par un **e** muet :
– au **présent** de l'indicatif : (s'ennu**yer**) je m'ennu**ie** – tu t'ennu**ies** – il s'ennu**ie** – elles s'ennu**ient**
– au **futur simple** : (essu**yer**) j'essu**ierai** – tu essu**ieras** – elle essu**iera** – nous essu**ierons** – vous essu**ierez** – ils essu**ieront**.
- À l'**imparfait** et au **passé simple**, il n'y a pas de terminaisons débutant par un **e** muet ; on conserve donc toujours le **y**.

Comment les différents espaces

Cherchons ensemble

- **Qu'est-ce qu'un espace industriel ?**
- **Où la plupart des Français partent-ils en vacances ?**

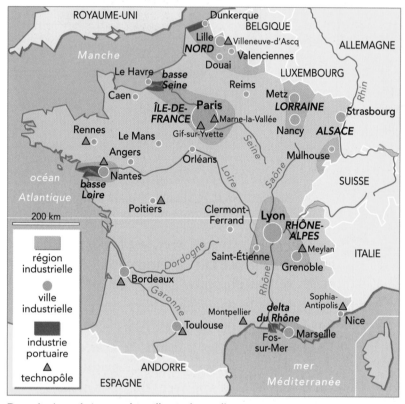

Doc. 1 : Les régions et les villes industrielles en France.

> Il est bon en effet de rappeler que le grand soleil produit des effets généralement catastrophiques sur les parents. Sous prétexte qu'une journée s'annonce radieuse, les voilà qui inventent aussitôt des visites à faire, des châteaux à découvrir, des contrées nouvelles à connaître, des musées à parcourir, des panoramas à embrasser et ainsi de suite.
>
> Jean-Noël Blanc, *Bonnes Vacances,* Scripto, © Gallimard Jeunesse, 2004.

? Quelles sont les activités des parents lorsqu'il fait beau en vacances ?

? Quelles sont les principales régions industrielles (Doc. 1) ?

? Près de quelle ville se trouve le technopôle de Sophia-Antipolis ?

▶ Des régions industrielles dynamiques ou en reconversion

Depuis les années 1980, les espaces industriels français connaissent de profonds changements. Les régions industrielles dynamiques, généralement situées autour de grandes agglomérations comme Paris, Lyon, Marseille, Nantes… (Doc. 1), se développent : des **industries de pointe** (informatique, nucléaire) s'y installent et des **technopôles** (Doc. 2) s'y établissent. Les régions industrielles anciennes (mines, sidérurgie, textile), principalement situées au Nord et à l'Est de la France, ont entrepris leur **reconversion** : elles accueillent des entreprises modernes et diversifient leurs activités.

? Observe cette photographie (Doc. 2). Dans quel environnement ces entreprises sont-elles installées ?

Doc. 2 : Le technopôle de Sophia-Antipolis (Alpes-Maritimes).

français évoluent-ils ?

? Où se trouvent les stations de sports d'hiver (**Doc. 3**) ?

? Quel est le plus important site de tourisme culturel ?

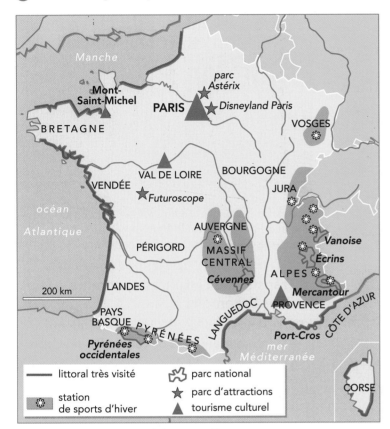

Doc. 3 : Les espaces touristiques en France.

Le sais-tu ?

Le Futuroscope de Poitiers a ouvert ses portes en 1987. Aujourd'hui, c'est le deuxième parc de loisirs en France après celui de Disneyland Paris.

▶ Des espaces touristiques en développement

Du fait de la variété de ses paysages et de son patrimoine historique, la France offre un vaste choix d'espaces touristiques (**Doc. 3**). Les régions littorales se transforment pour favoriser le tourisme balnéaire, les régions de montagne s'équipent de stations de sports d'hiver et multiplient leurs offres de loisirs en été, les régions rurales développent des activités autour du **tourisme vert** et les villes se tournent vers le tourisme culturel et les parcs d'attractions.

▶ Des espaces agricoles en mutation

Les espaces agricoles français sont très spécialisés (céréales, élevages, vignobles) selon les régions. On y pratique une agriculture moderne intensive avec des **rendements** élevés. Cependant, les problèmes de surproduction et de pollution conduisent de nombreux agriculteurs à se réorienter vers des activités plus respectueuses de l'environnement, comme l'agriculture biologique ou le tourisme vert (aménagement de gîtes ruraux et de bases de loisirs).

Lexique

une industrie de pointe : industrie qui utilise une technologie de haut niveau.

la reconversion : passage d'une industrie ancienne à une industrie moderne.

le rendement : quantité de produits agricoles obtenue sur un hectare de terre.

un technopôle : site industriel qui regroupe des entreprises de pointe et des centres de recherche.

le tourisme vert : activités touristiques centrées autour de la nature.

→ JE RETIENS

• Les régions industrielles françaises changent : les plus dynamiques attirent des entreprises de pointe et se développent, tandis que d'autres sont en reconversion et se modernisent.

• Les espaces touristiques se multiplient. Ils se transforment et diversifient leurs activités.

• Les espaces agricoles, devenus très performants, se tournent vers des activités liées à la nature.

Objectif : Identifier les suffixes qui permettent de caractériser une action ou le résultat de cette action.

Les suffixes pour exprimer une action ou un résultat

Cherchons ensemble

- **Lis le texte. Observe les mots en vert. À partir de quels verbes sont-ils formés ?**
- **Quelle est leur nature ? Quels sont les suffixes utilisés ?**

Autrefois, on appelait le Nord le « pays noir », le pays du charbon et du fer. Mais depuis 1960, les industries traditionnelles (textile, extraction de charbon, sidérurgie) sont en crise. En 1990, le dernier puits de charbon a été fermé à Oignies. Les licenciements massifs ont touché les villes industrielles : Dunkerque, Valenciennes, Roubaix, Tourcoing. Aujourd'hui, le chômage reste plus élevé dans le Nord que dans le reste de la France.

Marie-Odile Le Goff, *Méga France*,
© Éditions Nathan (Paris-France), 1996.

Une ancienne usine textile transformée en hôtel d'entreprise à Roubaix (Nord).

1 **Copie ces noms, entoure leur suffixe, puis donne le verbe à partir duquel chacun est formé.**

la fermeture – le réalisme – l'industrialisation – le passage – la comparaison – la confiance – le favoritisme – le développement – la promenade – un virage

2 **À partir de ces verbes, forme des noms en utilisant un suffixe différent pour chaque liste.**

- assurer – attirer – assister – confier – résister
- accomplir – achever – aligner – lancer – fonder
- exploiter – transformer – conserver – implanter
- plier – formater – repérer – déraper – chauffer

3 **Copie ces verbes, puis donne un nom dérivé.**

- développer → le … • posséder → la … • sonder → le …

4 **Transforme ces phrases, comme dans l'exemple.**

Ex. Le détroit du Pas-de-Calais est fréquenté.
→ la fréquentation du détroit du Pas-de-Calais

- La sidérurgie s'est modernisée.
- Les effectifs de cette usine ont été réduits.
- Les entrepôts sont concentrés près des ports.
- L'artisanat a disparu.
- Des entreprises agro-alimentaires se sont installées.

5 **Forme deux noms en ajoutant deux suffixes différents à chaque verbe. Puis emploie chacun de ces noms dans une phrase.**

équiper – isoler – investir

→ JE RETIENS

En ajoutant un **suffixe** à un verbe, on peut former de nombreux noms exprimant l'action de ce verbe ou le résultat de l'action :

- suffixe **-tion** : extraire → l'extraction
- suffixe **-ment** : licencier → un licenciement
- suffixe **-age** : chômer → le chômage
- suffixe **-ade** : baigner → la baignade

- suffixe **-ure** : blesser → la blessure
- suffixe **-son** : livrer → la livraison
- suffixe **-ance** : espérer → l'espérance
- suffixe **-ée** : traverser → la traversée

Objectif : Savoir placer le e muet à la fin des noms.

Le e muet à la fin d'un nom

Cherchons ensemble

- **Lis le texte. Observe les noms en vert. Quelle est leur dernière lettre ? Quand tu lis ces noms, entends-tu cette lettre ?**
- **Quel déterminant peux-tu placer devant ?**

> Avec quelque huit mille cinq cents chercheurs venus de partout et une bonne centaine de laboratoires, Grenoble est le deuxième centre scientifique et technique de France, juste derrière la région parisienne.
> Nucléaire, physique, **chimie**, informatique, microélectronique, **imagerie** numérique, sciences de l'Univers, le potentiel est extrêmement riche. [...] Implanté au confluent du Drac et de l'Isère, ce polygone scientifique s'est récemment enrichi du Synchrotron, accélérateur de particules géant, logé dans un immense bâtiment en anneau.
>
> *Les Plus Belles Villes de France*, © Sélection du Reader's Digest.

Le Synchrotron du technopôle de Meylan près de Grenoble (Isère).

1 **Dans chaque liste, trouve l'intrus.**

- l'allée – l'année – la bouée – la cheminée – la vérité
- une amnésie – une amnistie – une fourmi – une bougie
- une fondue – une tribu – une laitue – une revue
- la joie – la courroie – la loi – la voie – la proie
- la haie – le génie – la craie – la plaie – la monnaie

2 **Copie ces expressions en complétant les noms en gras par un e muet, si nécessaire.**

- la haute **technologi…**
- une grande **ru…**
- une **hai…** touffue
- une **vallé…** profonde
- la **mi…** de pain
- la **beauté…** du site
- la **paroi…** rocheuse
- une **chaussé…** glissante
- la visite du **musé…**
- une **plui…** battante
- une **tai…** d'oreiller
- la **sorti…** du **lycé…**

3 **Copie ces noms en les complétant avec le déterminant qui convient.**

… énergie – … cité – … lycée –
… baie – … bru – … sosie – … envie –
… continuité – … buée – … trophée –
… flambée – … parapluie – … bonté –
… scarabée – … vertu – … oie –
… avenue – … gaieté – … pâtée

4 **Copie ces expressions en les complétant avec un nom dérivé des verbes entre parenthèses.**

- la qualité de … (**vivre**)
- une … (**étendre**) d'eau
- une … (**avancer**) technologique
- une fiche de … (**payer**)
- une … (**sortir**) de secours

5 **Vérifie le sens de ces noms dans le dictionnaire, puis utilise chacun d'eux dans une phrase.**

la foi – le foie – une fois

→ JE RETIENS

- **Beaucoup de noms féminins** se terminent par un e muet : la chimie – la roue – la monnaie – une queue – la vallée – la rue – une histoire – la voie (ferrée).
- **Mais certains noms féminins** n'ont pas de e muet final : la santé – la valeur – la tribu – la paroi.
- **Certains noms masculins** prennent également un e muet : un incendie – le lycée – le beurre.

Les compléments circonstanciels de manière et de cause

Cherchons ensemble

- **Lis le texte. Repère le mot en** orange**.
Quelle information apporte-t-il ?
À quelle question répond-il ?**

- **Observe le groupe de mots en** vert**.
Quel renseignement donne-t-il ?
À quelle question répond-il ?**

Valmorel a su séduire les parents comme les enfants. Été ou hiver, l'animation et les sports sont bien organisés et tout le monde appréciera la tranquillité du site. Tes parents aimeront l'aspect traditionnel du village avec des hameaux, sa place centrale et ses arcades. Le domaine skiable est vaste, car relié aux villages de Saint-François-Longchamps et Combelouvière.

Vérène Colombani, *Alpes*, © Casterman S.A., 1997.

Un télésiège dans la station de sports d'hiver de Valmorel (Savoie).

1 **Copie ces phrases, puis souligne les compléments circonstanciels de manière.**

- Ces aménagements ont été réalisés sans leur avis.
- Certains ont réclamé haut et fort la fin des travaux.
- On recourt avec précaution à l'enneigement artificiel.
- Ces constructions s'intègrent bien dans le paysage.

2 **Copie ces phrases, puis souligne les compléments circonstanciels de cause.**

- L'été, la montagne attire les touristes car ils peuvent pratiquer une multitude d'activités sportives.
- Les stations agrandissent leur domaine skiable pour satisfaire une clientèle plus nombreuse.

3 **Copie ces phrases en soulignant les compléments circonstanciels de manière en** bleu **et les compléments circonstanciels de cause en** rouge**.**

- Comme le bois n'était pas de bonne qualité, cette exploitation forestière a été abandonnée.
- On s'aperçoit que l'on maîtrise de mieux en mieux l'urbanisation en zone de montagne.

4 **Copie ces phrases en les complétant avec un complément circonstanciel de manière ou de cause de ton choix.**

- Le géologue va étudier le terrain.
- Tu réfléchis à la façon de préserver la nature.
- Ils construisent des remontées mécaniques.

→ JE RETIENS

- Les **compléments circonstanciels de manière et de cause** apportent des précisions, qui enrichissent la phrase. Ils peuvent souvent être déplacés ou supprimés.
- On trouve le complément circonstanciel de **manière** en posant la question **comment ?** après le verbe : Il est organisé à la perfection.   Il est organisé **comment ?** → à la perfection.
- On trouve le complément circonstanciel de **cause** en posant la question **pourquoi ?** après le verbe : Le domaine skiable est vaste car relié aux autres villages.   Il est vaste **pourquoi ?** → car relié aux autres villages.

Objectif : Savoir conjuguer des verbes particuliers au présent et au futur simple de l'indicatif.

Les temps simples de l'indicatif des verbes en -eler et -eter

Cherchons ensemble

- Lis le texte. Observe le verbe en **vert**. À quel temps est-il conjugué ? Donne son infinitif.
- Observe les verbes en orange. À quel temps sont-ils conjugués ? Mets-les à l'imparfait. Que remarques-tu ?

En Auvergne, pays des lacs et des volcans, où le vert domine et où l'eau pure ruisselle, le tourisme est devenu un pilier de l'économie locale. Concentrées autrefois autour des villes thermales, les activités se développent aujourd'hui en direction de ce qu'on appelle le « tourisme vert » : les randonnées, le VTT, la découverte de la nature... Et il est vrai qu'ici, toutes les conditions sont réunies pour contenter ceux qui, hier, rejetaient la société de consommation et qui, à présent, projettent de participer à la conservation de la nature.

Une randonnée à cheval près du puy de Sancy (Puy-de-Dôme).

1 Copie ces phrases en écrivant les verbes entre parenthèses au présent de l'indicatif.

- Mes enfants me (**harceler**) pour aller en Auvergne.
- Comment (**épeler**)-tu le mot « randonnée » ?
- Les demandes de réservation (**s'amonceler**).
- Ces habitants (**projeter**) de créer un gîte rural.
- Beaucoup d'étrangers (**acheter**) des maisons en ruine.

2 Copie ces phrases en conjuguant les verbes entre parenthèses au futur simple.

- Nous (**démanteler**) cette vieille fabrique.
- Les eaux du lac (**étinceler**) dès le lever du soleil.
- Vous (**niveler**) cette butte pour faire passer la route.
- Les engins de terrassement (**s'atteler**) à la tâche.
- La municipalité (**rejeter**) le projet du promoteur.

3 Copie ces phrases en écrivant les verbes en gras au passé simple et les verbes en orange à l'imparfait de l'indicatif.

- Le mécontentement des habitants (**geler**) ce projet.
- Vous (projeter) d'abandonner l'élevage.
- Les eaux de pluie (ruisseler) trop.
- Nous (**appeler**) le chef de chantier.
- Nous (renouveler) régulièrement notre demande.

4 Conjugue ces expressions aux quatre temps simples de l'indicatif.

- **rejeter** cette idée
- **peler** un fruit
- **morceler** un terrain
- **acheter** utile

→ JE RETIENS

- Les verbes terminés par **-eler** et **-eter** à l'infinitif s'écrivent généralement avec **ll** ou **tt** devant un **e** muet : appeler → ils appellent – projeter → elle projettera.
- Quelques verbes courants (geler, acheter, peler, haleter, modeler, marteler, démanteler, crocheter, receler) ne doublent pas le **l** ou le **t** devant un **e** muet, mais la consonne simple est précédée d'un **è** : geler → il gèle – acheter → tu achèteras.

Écrire un texte poétique

Cherchons ensemble

- Lis ce poème. Quel est son titre ?
- Quel est l'auteur ?
- Observe la forme du poème. Un vers revient régulièrement. Lequel ? Dans une chanson, comment l'appellerait-on ?
- Combien y a-t-il de strophes ?
- Combien de vers compte chacune d'elles ?
- Quelle est la rime commune à tous ces vers ?
- Relis le titre du poème, puis les deux premiers vers. Quel est le sujet principal du poème ? Où se trouve-t-il ?
- Par quel type de phrase le poème commence-t-il ?
- Relis les quatre strophes. De quoi parlent-elles ?
- Quelles expressions ont-elles en commun ? Quel effet ces répétitions provoquent-elles ?
- Le poème répond-il à la question qui revient régulièrement ?
- Selon le poète, à qui faut-il s'adresser pour avoir la réponse à cette question ? Pourquoi ?

Un Arbre parmi les gratte-ciel
(dessin de Paul Levinson).

L'Arbre

Perdu au milieu de la ville
L'arbre tout seul, à quoi sert-il ?

Les parkings, c'est pour stationner,
Les camions pour embouteiller,
Les motos pour pétarader,
Les vélos pour se faufiler.

L'arbre tout seul, à quoi sert-il ?

Les télés, c'est pour regarder,
Les transistors pour écouter,
Les murs pour la publicité,
Les magasins pour acheter.

L'arbre tout seul, à quoi sert-il ?

Les maisons, c'est pour habiter,
Le béton pour embétonner,
Les néons pour illuminer,
Les feux rouges pour traverser.

L'arbre tout seul, à quoi sert-il ?

Les ascenseurs, c'est pour grimper,
Les Présidents pour présider,
Les montres pour se dépêcher,
Les mercredis pour s'amuser.

L'arbre tout seul, à quoi sert-il ?

Il suffit de le demander
À l'oiseau qui chante à la cime

© Jacques Charpentreau, *La Ville enchantée,*1976.

1 Lis ce poème et réponds aux questions.

- Quel est le titre du poème ?
- Combien comporte-t-il de strophes ?
- Comment s'effectuent les rimes dans la première strophe ? dans les autres strophes ?
- Quelle image l'auteur utilise-t-il pour parler de la foule dans la quatrième strophe ?

Ville

Trams, autos, autobus,
Un palais en jaune pâli,
De beaux souliers vernis,
De grands magasins, tant et plus.

Des cafés et des restaurants
Où s'entassent les gens.
Des casques brillent, blancs :
Des agents, encor des agents.

Passage dangereux. Feu rouge,
Feu orangé, feu vert.
Et brusquement tout bouge.
On entend haleter les pierres.

Je marche, emporté par la foule,
Vague qui houle,
Revient, repart, écume
Et roule encore, roule.

Nul ne sait ce qu'un autre pense
Dans l'inhumaine indifférence.
On va, on vient, on est muet,
On ne sait plus bien qui l'on est
Dans la ville qui bout, immense soupe au lait.

Maurice Carême, « Ville », extrait de *Sac au dos*,
© Fondation Maurice Carême, tous droits réservés.

2 Lis cette poésie et réponds aux questions.

- Quel est le titre du poème ?
- Combien a-t-il de strophes ?
- Combien y a-t-il de vers dans chaque strophe ?
- Retrouve les mots qui riment.
  Que constates-tu dans la première strophe ?
- Que reste-t-il, en ville, comme trace de la nature ?

En ville

On regrette les larges paysages,
Les pentes mauves, les ruisseaux trempés
Comme des lames d'acier pur, plantés
Entre les côtes grises des montagnes.

On rêve d'un château de bleu sauvage,
Battu de vignes, de vagues de blé,
De reposoirs de chênes ajourés
Dans la forêt sans visage et sans âge.

Mais c'est en ville ici quand l'air nous tient
À la vitre, seul comme un orphelin,
Que le temps approche son aile et pose

Son col irisé sur le bord du mur,
Sans plus de voyage, le regard sur
Le cœur replié d'un géranium rose.

Gérard Bocholier, *in* Jacques Charpentreau,
La Ville des poètes, coll. « Fleurs d'encre »,
© Hachette Jeunesse.

3 Écris un poème de deux strophes sur la ville ou sur la campagne.
Pense à donner un titre à ton poème.
Vérifie que tous les vers riment.

→ JE RETIENS

- Dans **un texte poétique**, l'auteur utilise le nombre de **strophes**, la longueur des **vers**, les **rimes**, les répétitions, le jeu des sons et des mots pour donner au poème un caractère toujours singulier.
- Le poète exprime ses émotions, ses sentiments en désignant souvent les choses non par leur nom mais par un autre qui fait image : le rouge peut évoquer le sang, la colère, la honte, le danger, la révolte… Il établit également des comparaisons entre deux réalités apparemment étrangères l'une à l'autre : la foule – la vague.

Comment la Seconde Guerre

Cherchons ensemble

- Pourquoi dit-on qu'une guerre est mondiale ?
- Qu'est-ce qu'un dictateur ?
- À ton avis, quels sont les effets d'une bombe atomique ?

? Observe la photographie (**Doc. 1**). Quel est le personnage principal ? Décris-le.

? À quoi vois-tu qu'il est populaire ?

? Où se passe la bataille (**Doc. 2**) ?

? Quel moyen les Japonais utilisent-ils pour attaquer les navires américains ?

Doc. 1 : Adolf Hitler saluant la foule d'un balcon à Berlin, en Allemagne, le 20 avril 1938.

Doc. 2 : L'attaque du port américain de Pearl Harbor, dans l'île d'Hawaï, par les Japonais, en décembre 1941 (lithographie du XXᵉ siècle).

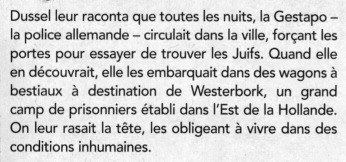

Dussel leur raconta que toutes les nuits, la Gestapo – la police allemande – circulait dans la ville, forçant les portes pour essayer de trouver les Juifs. Quand elle en découvrait, elle les embarquait dans des wagons à bestiaux à destination de Westerbork, un grand camp de prisonniers établi dans l'Est de la Hollande. On leur rasait la tête, les obligeant à vivre dans des conditions inhumaines.

Johanna Hurwitz, *Anne Frank, la vie en cachette*,
© Hachette Livre, 1997 pour la traduction française.

? Dans quel pays a lieu ce récit ?

? Qu'arrive-t-il aux Juifs ?

▶ Une guerre mondiale

Après la Première Guerre mondiale, l'Europe en ruine connaît une grave crise économique. En Allemagne, Hitler (**Doc. 1**) prend le pouvoir et installe une dictature qui se lance à la conquête de l'Europe. En septembre 1939, l'Allemagne envahit la Pologne. Pour l'arrêter, la France et la Grande-Bretagne lui déclarent la guerre. La France est envahie et la Grande-Bretagne soumise à d'importants bombardements. En 1941, le conflit s'étend : l'Allemagne, alliée à l'Italie, attaque les Anglais en Afrique, puis la Grèce, la Yougoslavie et l'**URSS** à l'Est de l'Europe ; en Asie, le Japon, allié de l'Allemagne, attaque les États-Unis à Pearl Harbor (**Doc. 2**). En 1942 (voir la carte en fin d'ouvrage), le conflit oppose les Alliés (Grande-Bretagne, États-Unis et URSS) à l'Allemagne, à l'Italie et au Japon aussi bien sur terre, sur mer que dans les airs.

Le sais-tu ?

Pendant la Seconde Guerre mondiale, de nombreuses innovations scientifiques ont vu le jour : la fourrure artificielle, le lait en poudre, le radar…

❓ Quel moyen les Alliés utilisent-ils pour se rendre en France (**Doc. 3**) ?

Doc. 3 : Le Débarquement allié sur les plages de Normandie, en juin 1944.

▶ La victoire des Alliés

À partir de 1943, les armées des Alliés progressent : les Allemands sont battus en Afrique par les Anglais et en Europe de l'Est (à Stalingrad) par les Soviétiques ; les Japonais sont stoppés dans le Pacifique (à Midway) par les Américains. En 1944, le Débarquement anglo-américain en Normandie (6 juin) et l'avancée des Soviétiques à l'Est amènent les Allemands à capituler (8 mai 1945). En Asie, après deux bombes atomiques sur Hiroshima et Nagasaki, les États-Unis obtiennent la capitulation du Japon (2 septembre 1945).

▶ L'Europe occupée

En 1942, l'Allemagne **nazie** domine l'Europe. Elle pille les pays occupés et soumet les populations au **STO**. Elle applique partout la même politique autoritaire et raciste qu'en Allemagne. Les juifs, mais aussi les **tsiganes**, les communistes et les opposants sont **déportés** dans des **camps de concentration**. À partir de 1942, les nazis mettent aussi en œuvre la « solution finale » avec des **camps d'extermination** pour éliminer tous les juifs. Plus de 10 millions de personnes mourront dans les camps dont 6 millions de juifs pour lesquels on parle de **génocide**.

Lexique

un camp de concentration : lieu où sont enfermés des prisonniers dans des conditions horribles.

un camp d'extermination : lieu où sont systématiquement tués des prisonniers.

déporter : transporter et enfermer dans un camp.

un génocide : extermination systématique d'un peuple.

nazi (national-socialiste) : parti politique raciste qui revendique la supériorité du peuple allemand.

le STO : service du travail obligatoire.

les tsiganes : peuple de nomades, appelés aussi « gitans », qui vit en Europe.

URSS : Union des Républiques socialistes soviétiques (nom de la Russie et des États fédérés sous le régime communiste).

➡ JE RETIENS

• La Seconde Guerre mondiale commence en 1939 en Europe. Dès 1941, le conflit devient mondial : l'Allemagne, l'Italie et le Japon se heurtent aux Alliés en Europe, en Afrique et en Asie.
• De 1940 à 1943, l'Allemagne domine l'Europe où elle impose une politique autoritaire et raciste. Les juifs, les tsiganes et les opposants sont déportés. Dix millions de personnes sont tuées.
• En 1945, grâce aux actions des armées alliées, l'Allemagne, puis le Japon capitulent.

Les mots pour comparer

Cherchons ensemble

- Lis le texte, puis observe le groupe de mots en orange. Quelle information nous apporte-t-il ?
- Qu'a voulu exprimer l'auteur ?

L'arrivée de Juifs en train au camp d'extermination d'Auschwitz-Birkenau, en juin 1944.

Dès 1933, Hitler a commencé, en Allemagne, à pourchasser les Juifs et à enfermer les opposants dans des camps de concentration. Puis il a appliqué cette politique dans les pays occupés. C'est ainsi que, partout où était l'armée allemande, des milliers de personnes ont été arrêtées, puis transportées comme du bétail dans des trains bondés vers ces camps où elles mouraient à cause de maladies ou de mauvais traitements. Le sort le plus terrible était réservé aux Juifs qui étaient directement acheminés vers des camps spécialement conçus pour les tuer : les camps d'extermination.

1 Associe les éléments de ces comparaisons.

être rapide •   • comme un linge
être blanc •   • comme une pie
être long •   • comme l'éclair
être mince •   • comme un jour sans pain
être bavard •   • comme un fil

2 Copie ces phrases en les complétant avec l'expression qui convient.

des fantômes – de la suie – neige au soleil – une bougie – un automate

- Les détenus déambulent dans le camp tels … .
- Cette nuit-là, le ciel était noir comme … .
- Il agit machinalement tel … .
- Leurs forces fondaient comme … .
- Leur vie s'éteignait petit à petit comme … .

3 Cherche le sens des comparaisons en gras, puis remplace-les par un mot synonyme.

Ex. Les enfants poussent comme des champignons.
→ Les enfants poussent rapidement.

- Les prisonniers travaillent **comme des bêtes**.
- Elle est arrivée première **comme une fleur**.
- Sa réponse est venue **comme un cheveu sur la soupe**.
- Ils les traitent **comme des chiens**.
- Tu avances **comme une tortue**.

4 Copie ces phrases et complète-les avec des mots de ton choix pour faire une comparaison.

- Elle restait muette comme …
- Il se révèle malin comme …
- Ses yeux brillent comme …
- Il est sage comme …
- Je suis triste comme …
- Sa tête est ronde comme …
- Elle est rouge comme …
- Tu es mince comme …

JE RETIENS

- La comparaison, introduite par **comme** (ou l'un de ses synonymes : ainsi que – tel – de même que…), permet d'enrichir les écrits et de surprendre le lecteur en rapprochant deux termes qui, *a priori*, n'ont pas de rapport direct : des hommes traités **comme du bétail** – des arbres dénudés **tels de sinistres spectres**.

- Certaines comparaisons sont passées dans le langage commun et sont aisément compréhensibles : une personne aimable **comme une porte de prison**.

Objectif : Placer correctement les accents pour faciliter la tâche du lecteur.

Les accents

Cherchons ensemble

- **Lis le texte. Observe les mots en vert. Quelle lettre est accentuée ? Comment se prononce-t-elle ?**
- **Procède de la même façon avec les mots en orange. Que constates-tu ?**
- **Observe maintenant les mots en gras. Quelles lettres sont accentuées ?**

Des immeubles en ruine à Londres après un bombardement allemand, en juin 1941.

Cela faisait déjà trois semaines que le Blitz avait commencé. Toutes les nuits, les avions allemands de la Luftwaffe bombardaient Londres et ce n'était pas les « saucisses volantes » qui pouvaient les empêcher de passer ! Chaque matin, en sortant des abris, on découvrait le même spectacle de désolation : des ruines fumantes et des canalisations éventrées. […] Et pourtant, tous les soirs, il y avait le même rituel : faire le black-out aussi bien dans les maisons, en calfeutrant toutes les fenêtres pour qu'aucune lumière ne filtre, que dans la rue, où les piétons et voitures circulaient à l'aveuglette…

Gilles Bonotaux et Hélène Lasserre, *Quand ils avaient mon âge... Londres, Paris, Berlin 1939-1945*, coll. « Jeunesse », © Éditions Autrement, 2003.

1 **Copie ces phrases en complétant les mots avec é ou è.**

- Des soldats d…blaient les d…combres.
- D…s que la sir…ne retentit, je descends à la cave.
- De la fum…e s'…chappe à l'arri…re de l'avion.
- Par s…curit…, les …l…ves de l'…cole sont …vacu…s.

2 **Copie ces phrases en complétant les mots avec è ou ê.**
- La population esp…re que la guerre va cesser.
- Les gens r…vent de pouvoir enfin dormir tranquilles.
- Tr…s affolé, il se dép…che de traverser la rue.
- Cet homme est gri…vement blessé à la t…te.

3 **Copie ces mots en les complétant avec l'une des lettres en orange.**
- a – à – â : la p…leur – la v…leur – déj… – celui-l…
- i – î : une …le – un av…on – para…tre – un cr…me
- o – ô : bient…t – un c…té – une c…lline – une b…tte
- u – û : un f…t – un ref…s – le go…t – une ch…te

4 **Copie ces phrases et place correctement les accents qui ont été oubliés.**
- La protection civile a etabli un perimetre de securite.
- L'ambulance evacue les premieres victimes.
- La bombe est tombee la ou etait sa maison.
- Les habitants hesitent a sortir apres la fin de l'alerte.

JE RETIENS

- **L'accent aigu** se place seulement sur la lettre **e** qui se prononce [e] : la désolation.
- **L'accent grave** se place sur la lettre **e** qui se prononce [ɛ] : la lumière.
On trouve parfois un accent grave sur la lettre **a** et sur la lettre **u** : déjà – où.
- **L'accent circonflexe** se place sur la lettre **e** qui se prononce [ɛ] : même – empêcher.
On peut aussi trouver un accent circonflexe sur les autres voyelles : un bâton – une chaîne – aussitôt – une flûte.

Les pronoms personnels compléments

Cherchons ensemble

- **Lis le texte. Repère le mot en orange. Quel autre mot remplace-t-il ?**
- **Observe le mot en vert. Quelle personne représente-t-il ? Quelle est sa fonction ?**

Il paraît qu'Hiroshima a été bombardé et qu'il y a de gros dégâts. En écoutant la radio, j'ai cru que le bombardement était très localisé ; mais Kinji dit que c'est ce qu'on appelle une bombe « atomique ».
La bombe atomique est une arme nouvelle d'une puissance extraordinaire ; elle tue autour d'elle tout ce qui est vivant.
D'abord j'ai dit à Kinji : « C'est une blague », mais il m'a répondu avec une terrible grimace : « Il paraît que ce n'est pas le moment de blaguer. Trois ou quatre de ces bombes-là et le Japon peut être complètement détruit. »

Isoko et Ichiro Hatano, *L'Enfant d'Hiroshima*,
© Les Éditions du Temps, 1959, pour la traduction.

Les ruines de la ville d'Hiroshima, au Japon, après l'explosion de la bombe atomique, le 6 août 1945.

1 **Copie ces phrases, puis entoure les pronoms personnels compléments.**

- Une sirène leur annonce la présence d'avions ennemis.
- L'appareil américain, il l'a vu dans le ciel.
- Il se rend à Hiroshima et il y voit un désastre.
- Il photographie les ruines pour les faire voir à tous.
- On lui montra un cliché : il le trouva horrible !

2 **Dans chaque phrase, retrouve le COD et remplace-le par un pronom personnel complément.**

Ex. En explosant, la bombe a détruit la ville.
→ En explosant, la bombe l'a détruite.

- Les Américains ont utilisé une nouvelle arme.
- Les États-Unis larguèrent deux bombes atomiques.
- Le Japon a accepté de capituler.
- Les États-Unis ont vaincu le Japon.

3 **Dans chaque phrase, retrouve le COI et remplace-le par un pronom personnel complément.**

Ex. Le général parle à ses soldats.
→ Le général leur parle.

- Les bombes mettent fin à la résistance des Japonais.
- Personne ne s'était préparé à cette attaque.

4 **Copie ces phrases en remplaçant les compléments en gras par les pronoms personnels qui conviennent.**

- Ces monuments sont dédiés **aux victimes d'Hiroshima**.
- La presse a annoncé **l'événement** à tous.
- Le Japon fait savoir **qu'il accepte de se rendre**.

→ JE RETIENS

Pour éviter les répétitions des compléments, on emploie des pronoms personnels compléments.
Ils sont placés avant le verbe : Kinji a répondu **à l'enfant**. → Kinji **lui** a répondu.
La bombe est tombée sur la ville et elle **l'**a entièrement détruite.
La bombe tue autour d'**elle** tout ce qui est vivant.

Objectif : Savoir placer des lettres ou des signes devant certaines terminaisons pour respecter le radical des verbes.

Les temps simples de l'indicatif des verbes en -cer et -ger

Cherchons ensemble

- **Lis le texte. Observe le verbe en** orange. **À quel temps est-il conjugué ?**
- **Que se passe-t-il si tu supprimes le** e **?**

> En marchant un peu à l'écart, j'aperçois un trou béant entouré de branchages. Personne ne nous a comptées. La nuit venue, j'y entraîne Jacqueline. [...] Au petit matin, les SS hurlent pour rassembler les troupes. Tout le monde s'éloigne. Ouf, ils n'ont rien vu ! Une demi-heure plus tard, des rafales de mitraillettes percent le silence. Puis plus rien. On ne peut rester là. Nous nous dirigeons vers une ferme. Quelques kilomètres plus loin, le long du bois, les corps de nos compagnes sont étendus par terre, troués de balles.
>
> Véronique Guillaud, *J'ai vécu les camps de concentration*,
> © Bayard Éditions Jeunesse, 2004.

Des prisonniers sous la garde d'un officier allemand, dans un camp de concentration, vers 1943.

1 Copie ces phrases en complétant les verbes en gras avec c ou ç.

- Personne ne nous **annon...a** son départ.
- Le professeur **retra...e** l'histoire de ce camp.
- Le froid leur **gla...ait** le sang.
- Ils s'**exer...aient** à fuir et se cacher.

2 Copie ces phrases en complétant les verbes en gras avec g ou ge.

- Vous **plon...iez** vite dans le désespoir.
- Rien n'**abré...ait** ses souffrances.
- Les prisonniers **man...aient** très peu.
- Nous **parta...ons** ta peine.

3 Copie ces phrases en mettant les verbes en gras à l'imparfait de l'indicatif.

- Les prisonniers (**se ranger**) docilement.
- Nous nous (**diriger**) vers la forêt.
- Tous (**avancer**) en silence.
- Ils nous (**juger**) aptes au travail.

4 Copie ces phrases en mettant les verbes en gras au passé simple.

- Le soldat les (**interroger**) un par un.
- Les Allemands (**renforcer**) la surveillance.
- Il ne (**prononcer**) aucun mot.
- Tu (**se forcer**) à tenir bon.

JE RETIENS

- Pour conserver le son [s], les **verbes du 1er groupe** terminés par **-cer** à l'infinitif prennent une cédille sous le **c** devant les terminaisons commençant par les voyelles **o** ou **a** :

avan**cer** → nous avan**ç**ons – ils avan**ç**aient.

On procède de même pour certains verbes du **3e groupe** : apercevoir → j'aperçois.

- Pour conserver le son [ʒ], les **verbes du 1er groupe** terminés par **-ger** à l'infinitif prennent un **e** après le **g** devant les terminaisons commençant par les voyelles **o** ou **a** :

diri**ger** → nous dirig**e**ons – tu dirig**e**ais.

Comment les Français ont-ils vécu la

Cherchons ensemble

- **Dans quelle région de France se trouve la ville de Vichy ?**
- **Que signifie le mot « collaboration » ?**
- **Qu'est ce qu'un résistant ?**

Le sais-tu ?

Pendant l'Occupation, comme il y a peu de produits alimentaires, les Français doivent utiliser des tickets de rationnement.
Souvent, il ne reste dans les magasins que des rutabagas et des topinambours, sortes de racines autrefois réservées aux animaux !

? Quel élément de la photographie (**Doc. 2**) permet de dire qu'il s'agit de la ville de Paris ?

? À quoi vois-tu que Paris est sous la domination de l'Allemagne nazie ?

? Observe la carte (**Doc. 1**). Dans quelle zone Paris se trouve-t-elle ? et Vichy ?

Doc. 1 : La France en 1940.

Doc. 2 : L'avenue des Champs-Élysées à Paris, en 1940.

▶ La France occupée

La France déclare la guerre à l'Allemagne en septembre 1939. Mais dès juin 1940, envahie par les Allemands, elle signe l'armistice. Le pays est coupé en deux (**Doc. 1**) : la moitié Nord est occupée (**Doc. 2**), tandis que la moitié Sud reste une zone « libre » où s'installe le gouvernement. Le 10 juillet, les députés réunis à Vichy donnent tous les pouvoirs au maréchal Pétain (**Doc. 3**). Celui-ci met fin à la IIIe République et établit un régime autoritaire : l'État français. Les libertés (droit de grève, syndicats, presse) sont supprimées et la devise nationale devient « Travail, Famille, Patrie ». Pour les Français, la vie est difficile car l'armée allemande contrôle tout et les vivres sont rares.

Seconde Guerre mondiale ?

? Où a lieu cette rencontre (**Doc. 3**) ?
Retrouve cet endroit sur la carte (**Doc. 1**).

? À ton avis, que signifie la poignée de main entre ces deux hommes ?

Doc. 3 : La rencontre du maréchal Pétain et de Hitler à Montoire, le 24 octobre 1940.

> J'aimais l'entendre parler de sa fuite. Comment il avait rejoint le Maquis pour éviter le STO et le travail en Allemagne. Comment c'était, le Maquis, au début, sans armes, sans rien, à aller mendier de ferme en ferme, et la peur d'être dénoncé, arrêté, torturé.
>
> Claude Gutman, *L'Hôtel du retour*,
> © Éditions Gallimard.

? Pourquoi l'homme a-t-il « rejoint le Maquis » ?

? Est-ce un collaborateur ou un résistant ?

► La Collaboration

Le maréchal Pétain met en œuvre une politique de soutien à l'Allemagne (**Doc. 3**). Il fait voter des lois antisémites, oblige les juifs à porter l'étoile jaune et organise leur déportation. Il applique les mesures imposées par Hitler : livraison de produits agricoles et militaires, Service du travail obligatoire (STO). Il crée aussi une police, la Milice, chargée de lutter aux côtés des Allemands contre les opposants. Il utilise la propagande qui encourage les Français à soutenir la Collaboration.

► La Résistance

Après l'armistice, certains Français refusent l'Occupation allemande. Le général de Gaulle part à Londres où il lance un appel au combat le 18 juin 1940 et fonde les Forces françaises libres (FFL). En France, des hommes et des femmes participent à des mouvements de lutte contre l'occupant. En 1943, Jean Moulin les regroupe et crée le Conseil national de la Résistance (CNR). La Résistance facilite le Débarquement des Alliés en Normandie et participe à la Libération de la France en 1944.

Lexique

la Collaboration : actions ou personnes qui aident les occupants allemands.

la déportation : envoi et enfermement de personnes dans un camp de concentration.

la propagande : action faite pour influencer les personnes.

la Résistance : actions ou personnes qui refusent l'Occupation allemande.

➜ JE RETIENS

• En 1940, la France, vaincue par l'armée allemande, est occupée. Le maréchal Pétain demande l'armistice, établit un régime autoritaire et fonde l'État français.

• Il choisit de collaborer avec l'Allemagne et prend des mesures antisémites.

• La Résistance s'organise, en Angleterre, autour du général de Gaulle et, en France, autour de Jean Moulin. En 1944, elle participe activement à la Libération de la France.

Les mots de la nation

Cherchons ensemble

- Lis le texte, puis repère les mots en orange. À quel État se rapportent-ils ?
- Repère les deux suites de mots en vert. À quoi correspondent-elles ? Associe chacune d'elles à l'un des régimes politiques cités.

Au mur de la classe est accroché un portrait du maréchal Pétain. Le professeur d'histoire nous a expliqué que la IIIe République n'existe plus. C'est l'État français de Vichy, en zone libre.

– Alors, nous, on n'est plus français, on est chleuhs ? a demandé une élève, ce qui a fait rire toute la classe.

– La devise de l'État n'est plus *Liberté, Égalité, Fraternité*, a ajouté le professeur, mais *Travail, Famille, Patrie*.

Le maréchal compte sur les enfants et la jeunesse. Il dit aussi qu'il faut collaborer avec les Allemands. Il a montré l'exemple en serrant la main de Hitler.

Yaël Hassan, *Pendant la Seconde Guerre mondiale*, coll. Le Journal d'un enfant, © Gallimard Jeunesse.

Image de propagande en faveur du maréchal Pétain et de l'État français (1940).

1 **Associe chacun de ces noms à sa définition.**

une démocratie – un parlement – une nation – une dictature

- organisation politique dans laquelle les citoyens exercent le pouvoir par l'intermédiaire de députés élus
- ensemble constitué d'un peuple et de son territoire
- organisation politique où un homme gouverne seul de façon autoritaire
- ensemble des députés élus qui votent les lois

2 **Classe en deux colonnes les mots ci-dessous selon qu'ils évoquent une démocratie ou une dictature.**

la liberté – l'oppression – voter – la censure – le despotisme – un débat – totalitaire – la tyrannie – un citoyen – le fascisme – une république – le pluralisme – la diversité – l'autoritarisme

3 **Trouve trois mots de la même famille que les noms** nation, élection, gouvernement.

4 **Associe chaque mot à son contraire.**

la collaboration • • collectif
un tyran • • la fierté
individuel • • minoritaire
la force • • la faiblesse
majoritaire • • la résistance
la honte • • un démocrate

JE RETIENS

- Pour parler d'un pays, on utilise parfois le terme de **nation** qui désigne à la fois « les hommes et le territoire d'un pays » ou celui d'**État** qui désigne un « territoire qui rassemble toute une population sous un même gouvernement ».
- Tous les États n'ont pas le même type de **régime politique**. Ce peut-être : une république – une monarchie – une dictature...
- Souvent, un État s'identifie grâce à : un drapeau – une devise – un symbole – un hymne national.

Distinguer leur (déterminant) et leur (pronom)

Cherchons ensemble

- **Lis le texte, puis observe le mot en orange.**
  Essaie de le remplacer par ses. Que remarques-tu ?
- **Essaie de remplacer le mot en vert par lui.**
  Que remarques-tu ?

À Paris, en 1941, un garçon de seize ans, Guy Môquet, distribue des tracts contre les nazis. Son père, un député communiste, a été envoyé par le gouvernement de Pétain en Algérie, dans un bagne. Le jeune Guy Môquet est dénoncé, arrêté à son tour, puis jeté en prison, pour un simple tract. Or, le 20 octobre 1941, à Nantes, un officier allemand est assassiné ; les Allemands demandent alors au gouvernement de Pétain de **leur** fournir une liste d'« otages » français qui resteront leurs prisonniers jusqu'à ce que le meurtrier de l'officier allemand se dénonce.

Philippe Godard, *La Seconde Guerre mondiale*, coll. « Vie des enfants »,
© De La Martinière Jeunesse (Paris), 2003.

Tract de propagande contre l'occupation allemande (1942).

1 **Copie ces phrases en mettant les noms en gras au pluriel. Effectue tous les accords.**

- Les nazis menaçaient d'exécuter leur **otage**.
- Ils ont interrogé leur **prisonnier**.
- Les FFI voient leur **effectif** s'étoffer.
- Leur **acte** de sabotage agace les Allemands.
- Ils ont aussi arrêté leur **ami**.

2 **Copie ces phrases en remplaçant les mots en gras par un pronom.**

- Les Alliés parachutent des armes **aux résistants**.
- La fuite évita **à certains** d'être pris.
- Il donne le signal du départ **aux combattants**.
- Le chef attribua un pseudonyme **à ses hommes**.
- Ils parlent du sabotage de la voie ferrée **aux voisins**.

3 **Copie ces phrases en indiquant si leur est employé comme déterminant (D) ou comme pronom (P).**

- La police allemande leur mène une chasse impitoyable.
- Leur discrétion pouvait leur sauver la vie.
- On doit leur faire parvenir de nouveaux tracts.
- Leurs contacts avec la France libre sont réguliers.

4 **Copie ces phrases en les complétant par leur (déterminant) ou leur (pronom). Effectue les accords.**

- Tu … recommandes de ne pas informer … proches de … activités clandestines.
- … informations … ont permis de faire sauter le dépôt.
- Pour commémorer … courageuses actions, on … a élevé des monuments.
- Ils se cachent pour assurer … sécurité.

→ **JE RETIENS**

- **Leur(s)**, souvent placé devant un nom ou un adjectif, est un **déterminant possessif** qui s'accorde avec le nom. Il peut être remplacé par un autre déterminant possessif, **son**, **sa** ou **ses** :
  leur prisonnier → **son** prisonnier – **leurs** prisonniers → **ses** prisonniers.
- **Leur**, placé près du verbe, est un **pronom personnel** de la 3e personne du pluriel que l'on peut remplacer par **lui** (3e personne du singulier) : Il faut **leur** parler. → Il faut **lui** parler.

Objectif : Reconnaître et employer correctement les pronoms possessifs, démonstratifs et indéfinis.

Les pronoms possessifs, démonstratifs et indéfinis

Cherchons ensemble

- **Lis le texte, puis observe les mots en** orange. **Quels mots remplacent-ils ?**
- **Observe le mot en** vert. **À la place de quels mots est-il employé ?**

Aujourd'hui, nous sommes le 16 janvier 1941. Il fait très froid à Paris. Il n'y a plus de feu dans la cheminée. Maman a enfilé un vieux pull bien épais mais troué. Le mien ne vaut guère mieux. Tout manque pour avoir chaud : le charbon, la laine, la nourriture… Sauf pour les Allemands ! Eux ne se rendent pas compte que nous ne faisons que survivre. Ils se pavanent sur les boulevards et vont au restaurant tandis que nous faisons la queue devant les boutiques. Enfin, celles où il reste un peu quelque chose ! Mais c'est ça ou prendre le risque de faire du « marché noir » !

Une file d'attente devant une boulangerie à Paris sous l'Occupation, en 1943.

① **Copie ces phrases en remplaçant les groupes nominaux en gras par un pronom possessif.**

- Leurs chaussures sont usées, **mes chaussures** aussi.
- As-tu encore des pâtes ? **Leurs pâtes** sont terminées.
- Mes parents ont reçu un jambon. Et **tes parents** ?
- Ces fruits viennent du jardin. D'où viennent **tes fruits** ?

② **Copie ces phrases en remplaçant les groupes nominaux en gras par un pronom démonstratif.**

- **Cette file d'attente** s'allonge devant la boulangerie.
- L'hiver dernier fut doux, **cet hiver-ci** sera plus rude.
- **Ces denrées** sont devenues rares.
- **Ces légumes** que tu as apportés sont frais.

③ **Complète ces phrases par un des pronoms indéfinis de la liste.**

personne – la plupart – tout – chacun – certains

- … des produits sont soumis à un rationnement.
- … se débrouille pour améliorer le quotidien.
- … ne sait quand la pénurie prendra fin.
- … font discrètement du marché noir.
- … est difficile à obtenir.

④ **Copie ces phrases en les complétant avec les pronoms qui conviennent.**

- Je n'ai plus de voiture. As-tu encore … ?
- Les Allemands ne manquent de …. … est évident !
- Les habitants des villes souffrent de la pénurie. … des campagnes un peu moins.
- Tu envies … à qui ces bottes appartiennent.
- Les femmes attendent, mais … ne pourront acheter du pain.

→ JE RETIENS

- **Le pronom possessif** (le mien, les tiens, le nôtre, les leurs…) remplace un GN dont le déterminant est possessif : **Mon pull** est troué. → **Le mien** est troué.
- **Le pronom démonstratif** (celui, celles, ceci, ça, ceux-ci…) remplace un GN dont le déterminant est démonstratif : **Ces boutiques-ci** sont ouvertes. → **Celles-ci** sont ouvertes.
- **Le pronom indéfini** (chacun, certains, personne, tout, tous, la plupart…) remplace un GN dont le déterminant est indéfini : **Tout le nécessaire** manque. → **Tout** manque.

Objectif : Découvrir la particularité de deux séries de verbes du 1er groupe aux temps simples.

Les temps simples de l'indicatif des verbes comme semer et céder

Cherchons ensemble

- **Lis le texte. Observe les verbes en** orange.
À quel temps sont-ils conjugués ?
- **Donne leur infinitif. Quel changement observes-tu au niveau du radical ?**

Des policiers français arrêtant et contrôlant l'identité de Juifs à Paris, en 1941.

> Des hommes en civil, que je pris d'abord pour des Allemands, avaient envahi l'immeuble. Très vite, je me rendis compte de ma méprise. Ces hommes étaient français. Des policiers français. [...] J'entendais les policiers forcer les portes, entrer dans les appartements et ordonner à leurs occupants de faire leurs valises et de les suivre. Il y avait beaucoup de locataires juifs dans l'immeuble et dans le quartier. [...]
> – Mais où vous emmènent-ils ?
> – Je sais pas, Jacques.
> – Où les emmenez-vous ? hurlai-je alors à l'intention d'un des hommes qui fermaient la marche.
> – Te mêle pas de ça, petit ! Rentre chez toi et va te recoucher !
>
> Yaël Hassan, *Quand Anna riait*, © Casterman S.A., 1999.

1 **Copie ces phrases en choisissant la forme correcte du verbe.**

- Il (**intercéde/intercède**) auprès des autorités.
- Nous (**libérons/libèrons**) les prisonniers.
- Vous (**opérez/opèrez**) en pleine nuit.

2 **Copie ces phrases en écrivant les verbes en gras au présent de l'indicatif.**

- Les tirs de mitraillettes (**semer**) la mort.
- Beaucoup (**se démener**) pour cacher des fugitifs.
- Le chef (**décréter**) qu'il faut les arrêter.

3 **Copie ces phrases en mettant le verbe en gras au futur simple.**

- Un grand silence (**précéder**) l'arrivée de la police.
- Cette scène (**se répéter**) régulièrement.
- Ils ne (**tolérer**) aucun passe-droit.
- Ceci ne (**mener**) à rien.

4 **Copie ces phrases en écrivant le verbe en gras au passé simple et les verbes en** orange **à l'imparfait de l'indicatif.**

- Des policiers (fureter) partout.
- Le matin, des papiers (parsemer) les rues.
- Ils (**achever**) rapidement les préparatifs du départ.
- La présence de la police (peser) sur la vie des gens.

→ **JE RETIENS**

- Les verbes du 1er groupe qui ont un **e** dans l'avant-dernière syllabe de leur infinitif, transforment ce **e** en **è** devant une terminaison qui commence par un **e** (qui se prononce [ə]) :
emmener : j'emmène – ils emmènent – tu emmèneras, mais vous emmenez (sans accent).
- Les verbes du 1er groupe qui ont un **é** dans l'avant-dernière syllabe de leur infinitif, transforment ce **é** en **è** devant une terminaison qui commence par un **e** (qui se prononce [ə]) :
céder : tu cèdes – elles cèdent – il cèdera, mais vous cédez (accent aigu).
Au futur simple, il est possible de conserver le **é** devant la terminaison : je céderai.

Commenter une affiche historique

Cherchons ensemble

- Observe cette affiche et lis sa légende. À quelle date est-elle parue ? Que se passe-t-il à ce moment-là en France ? Est-ce dit dans la légende ?

- Quel est le titre de l'affiche ?

- Décris la partie gauche de l'affiche, puis la partie droite. À ton avis, que cherche à montrer cette affiche ?

- Maintenant, lis le texte ci-dessous.

- Observe les expressions en vert et les expressions en orange. Lesquelles décrivent ce que tu vois sur l'affiche ? Qu'apportent les autres ?

- Lis le dernier paragraphe. Pourquoi est-ce une affiche de propagande ?

Affiche de propagande en faveur de la Révolution Nationale mise en place par le maréchal Pétain, en 1940.

Cette affiche est parue en France en 1940. À ce moment-là, le pays est occupé par les Allemands et le maréchal Pétain, qui vient de prendre le pouvoir, tente d'installer un nouveau régime, l'État français, en faisant la « Révolution nationale » dont parle l'affiche. Celle-ci se compose de trois éléments principaux :

– au centre, en haut, le titre écrit en lettres capitales indique le sujet de cette affiche la « Révolution nationale ». Il est écrit en bleu et rouge sur fond blanc ce qui met en relief son aspect patriotique et révolutionnaire (les couleurs bleu, blanc, rouge rappellent la Révolution française) ;

– à gauche, se trouve une vieille maison, nommée « France et Cie ». Elle a l'air abandonnée et s'écroule sous l'effet d'un amoncellement de pierres mal rangées qui évoquent des défauts (« égoïsme, radicalisme, désordre… »). Ses fondements « paresse, démagogie et internationalisme » sont aussi en train de tomber en ruine. Cette maison représente l'ancienne France, celle de la IIIᵉ République ;

– à droite, se tient une maison neuve appelée « France ». Elle est toute pimpante, habitée, et surmontée d'un drapeau bleu, blanc, rouge. Elle est bien assise sur ses fondations « travail, famille, patrie » (qui sont les termes de la devise de l'État français) et sur ses piliers « discipline, ordre, épargne, courage » qui évoquent des qualités. Cette maison représente l'État français tel que veut le construire le maréchal Pétain.

On voit donc que cette affiche explique la Révolution nationale (passage de la IIIᵉ République à l'État français) et la justifie : tout est fait pour montrer combien le nouveau régime symbolisé par la maison neuve est mieux que l'ancien. Il s'agit d'un document de propagande élaboré pour inciter les Français à soutenir l'action du maréchal Pétain.

1 Observe cette affiche, lis sa légende et réponds aux questions.

- En quelle année cette affiche est-elle parue ?
- Que se passe-t-il en France à cette époque ?
  Explique l'expression « les mauvais jours ».
- Que représente le dessin central de l'affiche ?
- Que disent ces deux personnes ?
  Pourquoi ont-elles l'air contentes ?
- Où le père est-il représenté sur l'affiche ? Dans quel pays
  part-il travailler ? Quel est son métier ?
- Que cherche à montrer cette affiche ?
- Qui a fait publier cette affiche ? Pourquoi encourage-t-elle
  les ouvriers à partir travailler en Allemagne ?
  À ton avis, les familles françaises sont-elles contentes
  de voir le père partir travailler en Allemagne ?

Affiche de propagande du gouvernement de Vichy encourageant le STO (Service du travail obligatoire) en 1942.

2 Observe cette affiche, lis la légende et complète les phrases ci-dessous.

Sur cette affiche, on voit...	→ cela signifie que...
– un homme avec un casque et	→ il s'agit d'un ...
– un homme avec ... dans la main	→ il s'agit d'un ...
– le fond de l'affiche est un ... bleu, blanc, rouge	→ les deux hommes sont ...
– la Manche les sépare	→ l'un est en ... l'autre est en ...
– les deux hommes se tiennent par ...	→ ils veulent ...
– l'un montre avec sa main gauche le mot ...	→ ils sont ...
– les mots « liberté, ..., fraternité »	→ c'est la devise de ...
– l'affiche est parue en	→ la France est ...
– « un seul combat »	→ c'est celui contre ...
– « une seule patrie »	→ c'est ...

Affiche de propagande de la Résistance contre l'Occupation allemande en France, en 1942.

3 Observe l'affiche de la page 160 et rédige son commentaire.

→ **JE RETIENS**

- Pour commenter une affiche historique, il ne faut pas simplement décrire ce qu'on voit, mais il faut donner des explications ou faire des remarques sur ce qu'elle suggère.
- On lit d'abord la légende qui situe le contexte historique (1940).
- Ensuite, on examine les différents éléments (dessin, texte) de l'affiche en relevant les points caractéristiques (le titre – la vieille maison – la maison neuve). Chacun d'eux est décrit et mis en relation avec d'autres éléments de l'affiche ou des connaissances personnelles. Les remarques qui en découlent constituent le commentaire : On **observe** une vieille maison et une maison neuve. On **explique** qu'elles représentent l'ancienne IIIᵉ République et le nouvel État français.

Quelles sont les aires d'influence

Cherchons ensemble

- **Peux-tu aller à pied de chez toi à la mairie ?**
- **Y a-t-il un collège dans le village ou la ville où tu habites ?**
- **L'hôpital est-il situé à proximité de ton domicile ?**

? Que montre cette photographie (Doc. 1) ?
À ton avis, ce bâtiment est-il ancien ou récent ?

? Où se trouve Marseille sur la carte (Doc. 2) ?
Fait-elle partie des villes qui ont un rayonnement important ?

Le sais-tu ?

Les membres du conseil régional et du conseil général sont élus au suffrage universel tous les six ans.

Doc. 1 : Le siège du conseil général à Marseille (Bouches-du-Rhône).

? Observe la carte (Doc. 2). Quelle ville a le plus important rayonnement régional ?

? À l'aide de la carte administrative située en début d'ouvrage, indique à quels départements correspondent les zones où le réseau urbain est inexistant.

▶ Des villes hiérarchisées

En France, le réseau urbain est hiérarchisé. Il est largement dominé par Paris, la capitale, et son agglomération qui comptent plus de 11 millions d'habitants. Viennent ensuite les grandes villes de plus de 500 000 habitants (Lyon, Marseille (Doc. 1), Lille, Bordeaux, Nantes, Toulouse, Lens…), puis les villes moyennes autour de 200 000 habitants (Orléans, Dijon, Brest…), et enfin les petites villes qui comptent autour de 20 000 habitants. L'importance de ces villes et leur rayonnement (Doc. 2) sur l'espace rural environnant se déterminent en fonction des différents services qu'elles proposent.

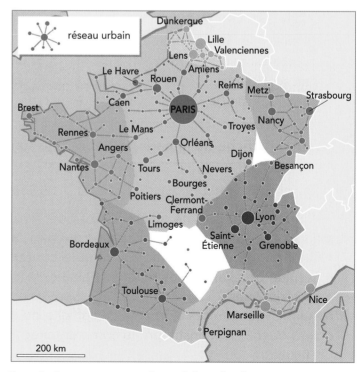

Doc. 2 : Le rayonnement régional des villes françaises.

des villes françaises ?

On a fini par arriver dans le centre-ville, tout fourmillant de gens et de voitures. Sur la place de la Mairie, Nico s'est arrêté net. Et il a dit :

« Super ! »

Il m'a forcé à m'asseoir sur un banc au milieu de la place. Je ne voyais vraiment pas ce qu'il y avait là de super. Seulement des gens qui se croisaient, se bousculaient, couraient autour de nous.

Anne Mirman, *Si on adoptait un papa*,
Le Livre de Poche Jeunesse, 1999.

? Où se trouve la « place de la Mairie » ?

? Relève les phrases qui montrent que cet endroit est animé ?

? Décris cette place (Doc. 3). Y a-t-il une grande activité ?

? Quels services y trouve-t-on ?

▶ Des petites villes en retard

Contrairement aux grandes villes, les villes moyennes (Doc. 3) et les petites villes ont une aire d'influence limitée. On n'y trouve que des services de base : mairies, médecins et pharmacies, écoles, piscines, bibliothèques, **hypermarchés** et boutiques… Cependant, le développement des transports y favorise l'installation de nouvelles populations en provenance des métropoles.

▶ Des grandes villes très influentes

Les villes les plus importantes offrent une grande variété de services. On y trouve les sièges administratifs (**préfecture, conseil régional, conseil général** (Doc. 1)), et l'ensemble des services liés à la santé (hôpitaux, médecins), à l'éducation (universités, lycées, collèges, écoles), au sport (stades), à la culture (théâtres, cinémas, musées), à l'économie (sièges sociaux d'entreprises, zones industrielles et commerciales, magasins divers, etc.). Ces activités font de ces villes des centres attractifs à l'échelle de la région. On parle de métropoles régionales.

Doc. 3 : La place Lamagdelaine avec l'office du tourisme, à Alençon (Orne).

Lexique

un conseil général : assemblée qui administre un département.

un conseil régional : assemblée qui administre une région.

un hypermarché : magasin en libre-service avec une grande surface de vente.

une préfecture : services du préfet qui représente l'État dans un département.

→ JE RETIENS

• Le réseau urbain français est très hiérarchisé. Il est largement dominé par la capitale, Paris.

• Les grandes villes proposent une importante variété de services et sont très attractives. Elles ont souvent une aire d'influence qui s'étend à la région. Ce sont des métropoles régionales.

• Les villes moyennes et les petites villes ont une offre de services plus réduite. Leur aire d'influence est faible.

Les mots issus du grec et du latin

Cherchons ensemble

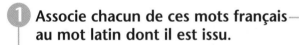

- Lis le texte. Observe le mot en vert, puis cherche sa définition dans le dictionnaire. Est-ce un mot issu du grec ou du latin ?
- Procède de même pour les mots en orange.

> Grâce à son université renommée et florissante (quelque 50 000 étudiants) et à sa vocation traditionnelle en matière de recherche (plus de 50 centres de recherche liés au C.N.R.S), Montpellier est une brillante technopole qui attire de nombreuses entreprises de pointe. Les activités se regroupent en cinq pôles : Agropolis, spécialisé dans l'agronomie tropicale et méditerranéenne ; Euromédecine ; Communicatique qui se développe autour d'I.B.M. : Antenna, qui regroupe les activités de communication ; et Héliopolis, chargé de mettre en valeur les possibilités touristiques.
>
> *Le Languedoc*, coll. « Voyages en France », © Larousse, 1992.

Le site d'Agropolis à Montpellier (Hérault).

1 Associe chacun de ces mots français au mot latin dont il est issu.

- le facteur – une audition – vulgaire – la chaleur – l'orateur – une pâture – un recteur – une piscine
- vulgus – rector – piscis – audire – factor – orator – pastura – calor

2 Voici une liste de mots latins. Trouve deux mots français formés à partir de chacun d'eux.

Ex. aqua (eau) → **aqua**tique – un **aqua**rium

- centum (cent) → centi...
- multus (nombreux) → multi...
- aequus (égal) → équi...
- navigarer (naviguer) → nav...
- manus (une main) → ma...
- forma (une forme) → for...

3 À partir de chacun de ces éléments issus du grec forme deux mots français.

chrono... – géo... – hydro... – démo...

4 Ces mots français issus du latin ont gardé leur forme latine. Donne leur définition.

un album – un agenda – un ultimatum – un mémento – un visa – un forum – illico – un maximum – quasi – a priori

5 Ces mots abrégés proviennent du grec ou du latin. Retrouve leur forme complète.

une auto – la télé – le métro – le ciné – un vélo – un micro – une photo – un stylo – une moto – une promo – le labo – un magnéto – la radio – un pneu

→ JE RETIENS

L'étude de l'origine des mots s'appelle l'**étymologie**. Une grande partie des mots du français d'aujourd'hui sont issus du **latin** ou du **grec**, même si l'usage les a peu à peu transformés :
- le mot latin **agros** (le champ) a donné les mots français : l'agriculture – agricole – l'agronomie...
- le mot grec **tekhnê** (l'art, le métier) a donné les mots français : la technique – un technicien – la technologie – un technocrate – une technopole...

Distinguer peu/peux/peut et près/prêt(s)

Cherchons ensemble

- **Lis le texte, puis observe les mots en orange. Qu'est-ce qui les différencie ? Mets les phrases au passé. Que remarques-tu ?**

- **Observe les mots en vert. Remplace-les par loin. Que remarques-tu ?**

> Nous habitons un village de Beauce près de Chartres. Depuis les années 1960, celui-ci ne cessait de décliner : l'épicerie et même la boulangerie avaient fermé ; les maisons aussi s'étaient vidées… Un jour, des Parisiens sont venus s'installer chez nous, rachetant une maison, faisant construire un pavillon. Bref, la vie est revenue. Je peux bien l'avouer aujourd'hui, personne ici n'était prêt à les accueillir. Et il s'en est fallu de peu que la guerre n'éclate entre deux voisins. Mais finalement, nous sommes plutôt contents !

Un village de Beauce près de Chartres (Eure-et-Loire).

1 **Copie ces phrases en écrivant les verbes en gras au présent de l'indicatif.**

- Elle ne **pouvait** pas se faire à l'idée d'habiter ici.
- **Pourras**-tu aller facilement à la ville voisine ?
- Bernard **pouvait** envisager d'ouvrir un commerce.
- Je **pourrai** m'approvisionner à la nouvelle épicerie.

2 **Copie ces phrases en les complétant par peu, peux ou peut.**

- Il y a …, ce village était pratiquement désert.
- Le maire fait tout ce qu'il … pour son village.
- Depuis …, des familles anglaises s'installent.
- Je … vous assurer que ce village est animé.

3 **Copie ces phrases en remplaçant les mots en gras par les mots entre parenthèses. Effectue les accords.**

- **La mairie** (le maire) est prête à soutenir ce projet.
- Quand **ces maisons** (ces lieux) seront-elles prêtes ?
- **L'entreprise** (les entrepreneurs) est prête à commencer les travaux.

4 **Copie ces phrases en les complétant par près ou prêt(s).**

- Es-tu … à tenter cette expérience de télétravail ?
- Ils sont … à tout quitter pour retrouver un emploi.
- Le village se trouve … d'une gare.

→ JE RETIENS

- **Peut** et **peux** sont des formes conjuguées du verbe **pouvoir** au présent de l'indicatif. Elles peuvent être remplacées par d'autres formes de ce verbe à l'imparfait ou au futur simple :
Je **peux** nager. (prés.) → Je **pouvais** nager. (imp.) – Il **peut** nager. (prés.) → Il **pourra** nager. (futur)
- **Peu** est un **adverbe de quantité**. On peut le remplacer par **beaucoup** (ou **très**) :
Il s'en est fallu de **peu**. → Il s'en est fallu de **beaucoup**.
- **Près** est une **préposition** (ou un adverbe de lieu). Elle peut souvent être remplacée par une autre préposition (ou un autre adverbe) : Il habite **près** de Chartres. → Il habite **loin** de Chartres.
- **Prêt(s)** est un **adjectif qualificatif** : Léo est **prêt**. – Les hommes sont **prêts**.

Objectif : Isoler une proposition subordonnée conjonctive et identifier sa fonction.

La proposition subordonnée conjonctive

Cherchons ensemble

- **Lis le texte, puis observe les groupes de mots en** orange **et en** vert**. Quelle est leur nature ?**
- **Lequel peux-tu supprimer ou déplacer ?**

Le lendemain, maman propose une promenade à pied pour découvrir le pays. Papa a vendu la vieille R.19 avant le départ. Il avait besoin d'argent et pensait qu'elle ne lui servirait plus puisque l'épicier c'était lui et que nous n'aurions plus besoin d'aller en vacances pour nous aérer. Il a eu tort. Je comprends rapidement **que je ne me plairai pas à Conchy.** C'est le désert. Un désert d'arbres, de végétation, de maisons vides, de ruines.

Anne-Marie Desplat-Duc, *Cet été, on déménage*, © Rageot Éditeur, 1997.

Un village dans la verdure (Oise).

① Copie ces phrases. Souligne les propositions principales en bleu **et les subordonnées conjonctives en** rouge**. Entoure la conjonction de subordination.**

- J'ai vu que ces maisons étaient à l'abandon.
- Il est parti quand il a su que la boulangerie fermait.
- J'imagine que ce village débordait d'activité autrefois.
- Lorsqu'il pleut, ce lieu paraît encore plus triste.
- Il vendra sa maison dès qu'il pourra.

② Copie ces phrases, puis indique la fonction (COD ou CC) des propositions subordonnées.

- Il attend que ses voisins partent bientôt.
- Sais-tu que le village a perdu trois cents habitants en dix ans ?
- Nous déménageons puisqu'il n'y a plus de magasins au village.

③ Copie ces phrases. Souligne les subordonnées conjonctives et indique si elles sont compléments d'objet direct (COD) ou compléments circonstanciels (CC).

- Comme l'agriculture déclinait, les paysans ont quitté leurs terres.
- Te rappelles-tu quand tout cela a commencé ?
- Tu constates que la place n'accueille plus de marchés.
- Je me souviens que les gens aimaient se retrouver près du kiosque.

④ Copie ces phrases en leur ajoutant une subordonnée conjonctive, dont tu indiqueras la fonction.

- Les personnes âgées sortent de chez elles.
- Il est difficile de se ravitailler.
- La boutique de vêtements n'existe plus.

→ JE RETIENS

Certaines phrases sont formées d'une proposition principale (que l'on ne peut pas supprimer) et d'une proposition subordonnée introduite par une **conjonction de subordination** : que – quand – puisque – dès que – si – lorsque – aussitôt que… Cette **subordonnée conjonctive** peut être :

- **COD** du verbe de la principale : Je comprends **que je me plairai ici**.
- **complément circonstanciel** du verbe de la principale : Elle ne lui servira plus, **puisqu'il part**.

Objectif : Savoir reconnaître et former les temps composés de l'indicatif.

C o n j u g a i s o n

Les temps composés de l'indicatif

Cherchons ensemble

- **Lis le texte, puis observe les verbes en** vert. **De combien de parties sont-ils formés ?**
- **À quel temps les auxiliaires sont-ils conjugués ?**

En 1945, Dunkerque avait subi tant de dommages que personne ne croyait à sa renaissance. Et pourtant, la ville a été reconstruite et elle s'est développée : dans les années 60, des aménagements portuaires ont été entrepris, favorisant ainsi l'implantation d'industries. Puis, malgré la crise économique vers 1980, elle a su profiter de sa situation (entre Paris, Londres et Bruxelles) pour rester le 3e port français. Elle est même devenue une ville étudiante depuis 1991. Aujourd'hui, elle rayonne au cœur d'une agglomération de plus de 200 000 habitants.

Le port de Dunkerque (Nord).

1 **Copie ces phrases, entoure les verbes, puis indique à quel temps ils sont conjugués.**

- Nous avons aménagé des espaces publics.
- Ils avaient modernisé la gare.
- Ce quartier avait d'abord accueilli l'université.
- Ce maire aura fait preuve d'esprit d'initiative.
- Vous aviez décidé d'investir dans les transports.

2 **Copie ces phrases en mettant les verbes au temps demandé.**

- (**passé composé**) – Je me promène dans Dunkerque.
- (**plus-que-parfait**) – Les boutiques se multipliaient.
- (**passé antérieur**) – Les habitants surent attendre.
- (**futur antérieur**) – Le quartier gardera son charme.

3 **Conjugue les verbes de ces expressions à la 2e personne du singulier et du pluriel des quatre temps composés de l'indicatif.**

- **embarquer** sur le ferry
- **devenir** grand
- **finir** un travail
- **pouvoir** choisir

4 **Copie ces phrases en mettant le verbe entre parenthèses au temps composé de l'indicatif qui convient.**

- Vous ne pourrez partir que lorsque vous (**visiter**) ce musée.
- L'année dernière, il faisait beau et nous (**participer**) au Carnaval.
- Quand ils (**finir**) les travaux, la circulation s'améliora.

→ JE RETIENS

Aux quatre temps simples de l'indicatif, correspondent **quatre temps composés** formés avec l'auxiliaire (**avoir** ou **être**) et le participe passé :

- **passé composé** (auxiliaire au présent + participe passé) : Il a subi. – Il est venu.
- **plus-que-parfait** (auxiliaire à l'imparfait + participe passé) : Il avait subi. – Il était venu.
- **passé antérieur** (auxiliaire au passé simple + participe passé) : Il eut subi. – Il fut venu.
- **futur antérieur** (auxiliaire au futur simple + participe passé) : Il aura subi. – Il sera venu.

Qu'est-ce que

Cherchons ensemble

- Qu'est-ce qu'un pays indépendant ?
- Qui étaient les principaux pays colonisateurs ?
- Sur quel continent se trouvent le Maroc, l'Algérie et la Tunisie ?

? Observe la photographie (Doc. 1). Qui participe à la manifestation ?

? Que tient la femme dans sa main au premier plan ?

? Que font les personnes assises (Doc. 2) ?

? Où se trouve le représentant de la France ?

Doc. 1 : Une manifestation pour l'indépendance de l'Inde, en 1942.

Doc. 2 : La signature par la France de l'accord d'indépendance du Mali, le 21 juin 1960.

▶ Les indépendances pacifiques

À la fin de la Seconde Guerre mondiale, les peuples colonisés prennent conscience que les pays d'Europe ne sont pas tout-puissants. Ils ne veulent plus subir leur domination et réclament leur **indépendance** (Doc. 1). L'ONU, qui vient d'être créée en 1945, les encourage dans cette voie, de même que les États-Unis et l'URSS qui sont contre la colonisation. La **décolonisation** (voir la carte en fin d'ouvrage) commence en Asie où l'Angleterre négocie et accorde son indépendance à l'Inde, en 1947. Elle se poursuit en Afrique où la plupart des pays obtiennent **pacifiquement** leur indépendance : les colonies françaises (la Tunisie et le Maroc en 1956, l'Afrique noire vers 1960 (Doc. 2)) ; les colonies anglaises, entre 1957 et 1965 ; le Congo belge, en 1960.

la décolonisation ?

? Décris la photographie (**Doc. 3**).
Dans quel endroit se passe cette bataille ?

À la même seconde, de toute part, des centaines de klaxons retentirent. [...] : tu tu tu – tu tu. José expliqua :
– Ça veut dire : Al-gé-rie, fran-çaise. C'est radio OAS qui a donné l'ordre hier soir : tous ceux qui ne veulent pas se laisser chasser d'Algérie doivent klaxonner comme ça, tous les jours, de une heure à une heure et demie.

Pierre Davy, *Oran 62, la rupture*,
© Nathan (Paris, France), 2002.

Doc. 3 :
L'arrivée de parachutistes français lors de la bataille de Diên Biên Phu, en Indochine, en 1954.

? D'après le texte, les Français ont-ils envie de partir d'Algérie ?

▶ Les guerres d'indépendance

Cependant, l'indépendance ne s'obtient pas toujours de façon négociée. Certains pays doivent faire la guerre : l'Indonésie lutte contre les Pays-Bas avant de devenir indépendante en 1949 ; l'**Indochine** aussi se bat contre la France dès 1946 et n'obtient son indépendance qu'en 1954, après la défaite française à Diên Biên Phu (**Doc. 3**) ; l'Algérie est en guerre contre la France de 1954 jusqu'à son indépendance en 1962 ; le Mozambique et l'Angola combattent le Portugal et ne deviennent indépendants qu'en 1975 (**Doc. 4**).

? Observe ce timbre (**Doc. 4**). Que signifie la main avec le fusil ?

REPÚBLICA POPULAR

ANGOLA
1975 ANO DA INDEPENDÊNCIA

1.50

Doc. 4 :
Un timbre célébrant l'indépendance de l'Angola, en 1975.

Lexique

la décolonisation : période où les colonies deviennent indépendantes.

l'indépendance : fait pour un pays de se diriger seul, de ne pas être soumis à l'autorité d'un autre pays.

l'Indochine : colonie française d'Asie où se trouvent aujourd'hui le Viêt-nam, le Cambodge et le Laos.

pacifiquement : dans la paix, sans conflit.

→ JE RETIENS

• Après la Seconde Guerre mondiale, les pays colonisés aspirent à l'indépendance. Affaiblis, les pays européens abandonnent peu à peu leurs colonies. Cette décolonisation est souvent pacifique.
• Mais un certain nombre de pays ont recours à la guerre pour acquérir leur indépendance, en particulier l'Indonésie contre les Pays-Bas, l'Indochine et l'Algérie contre la France.

Vocabulaire

Objectif : Apprendre à reconnaître
et à former des mots composés.

Les mots composés

Cherchons ensemble

- **Lis le texte, puis observe les mots en** orange. **De combien de mots sont-ils formés ?**
- **Comment sont-ils reliés ?**

L'épreuve de force survient en décembre 1952. À la suite d'une grève générale et de manifestations, la police tire sur la foule. Un couvre-feu est institué. [...] Les autorités françaises jugent que le sultan soutient secrètement les milieux nationalistes. Il est déposé le 20 août 1953 et immédiatement exilé en Corse. [Deux ans plus tard,] le sultan est invité à participer à des négociations sur l'avenir du Maroc. La France compte désormais sur lui pour rétablir l'ordre dans son pays. Le 2 mars 1956, une déclaration franco-marocaine met fin à un demi-siècle de domination française.

La France face à la décolonisation,
TDC n° 840, © CNDP, 2002.

La signature de la déclaration franco-marocaine pour l'indépendance du Maroc, le 2 mars 1956.

1 **Associe l'un des éléments en** orange **à chacun des mots ci-dessous pour former des noms composés.**

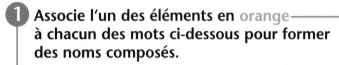

malade – fou – côte – temps – montagne – partout – bonheur – voix – drapeau – faim – gorge – papier

2 **Forme des mots composés comme dans le modèle.**

Ex. français et anglais → franco-anglais

- anglais et allemand
- américain et japonais
- autrichien et hongrois
- russe et polonais
- arabe et musulman
- grec et romain

3 **Associe ces mots deux à deux pour former des noms composés.**

un état •	• monsieur
un coffre •	• cœur
un croque •	• jour
un crève •	• poste
un abat •	• major
un timbre •	• fort

4 **Copie ces phrases, entoure les mots composés, puis indique s'il s'agit d'un nom ou d'un adjectif.**

- Nous descendons au sous-sol.
- Voici une feuille extra-fine.
- Le sultan a rencontré le vice-roi.
- Cet homme est pro-européen.
- Il regarde avec une longue-vue.

JE RETIENS

- **Les noms composés** sont formés de deux ou trois mots reliés par un ou deux **traits d'union.** Ils permettent d'être plus précis pour définir un être, une chose, une notion :
un couvre-feu – un demi-siècle – un va-nu-pieds.
- Certains anciens noms composés sont désormais soudés par l'usage : un portefeuille.
- Il existe également des **adjectifs composés** eux aussi reliés par des **traits d'union** :
une déclaration **franco-marocaine** – un sultan **tout-puissant.**

Objectif : Découvrir quelques-unes des règles qui président à la formation du pluriel des noms composés.

O r t h o g r a p h e

Le pluriel des noms composés

Cherchons ensemble

- **Lis le texte, puis observe le mot en** orange. **Quel nom précise-t-il ? Quel est le nombre de ce mot ?**
- **Mets-le au singulier. Que remarques-tu ?**

> Puisque le gouvernement anglais ne veut rien savoir, Gandhi prépare un plan de résistance non-violent et un appel à la désobéissance civile. La désobéissance civile ? Angoissée par la tension qui règne ici, je n'ose pas demander en quoi cela consiste. Rajiv m'explique que c'est un refus de coopérer avec les Anglais dans les écoles, les ministères et les usines, les magasins même, en boycottant les produits anglais ou en se mettant en grève. En agissant ainsi, les Indiens deviennent des hors-la-loi et sont passibles d'emprisonnement.
>
> © Martine Laffon, *La Vie de Gandhi, au fil de l'amour*.

Gandhi entouré de ses collaborateurs en Inde, en 1937.

1 **Écris ces noms composés au singulier.**

les portes-fenêtres – des rouges-gorges – des sous-sols – des oiseaux-mouches – des francs-tireurs – des sous-fifres – des sourds-muets – des arrière-boutiques – des après-midi – les derniers-nés – des gratte-papier – des porte-plume

2 **Écris ces noms composés au pluriel. Utilise ton dictionnaire.**

un casse-tête – un lance-flamme – un presse-citron – un taille-crayon – un attrape-nigaud – un trompe-l'œil – un sans-cœur – une porte-fenêtre – un arc-en-ciel – un non-dit

3 **Copie ces phrases en les complétant avec un nom composé. Vérifie les accords.**

grand-chose – sous-homme – hors-jeu – compte-gouttes

- Il ne les prend pas pour des … .
- Les mesures pour l'égalité sont prises au … .
- Les Anglais seront bientôt mis … .
- Certains ne comprennent rien ou pas … .

4 **Copie ces phrases en mettant le nom en gras au pluriel. Effectue tous les accords.**

- Cette femme a une magnifique **garde-robe**.
- Qui est ce **trouble-fête** ?
- Gandhi s'occupe d'un **mal-logé**.
- Un **rabat-joie** boude l'arrivée de l'indépendance.
- Ils s'apitoient sur le sort d'un **sans-abri**.

→ JE RETIENS

- Seuls les **noms** et les **adjectifs** qui forment les noms composés peuvent prendre (dans certains cas) la marque du **pluriel**, les autres mots (verbes, prépositions, adverbes) demeurent invariables :
un wagon-citerne → des wagon**s**-citerne**s** – un laissez-passer → des laissez-passer.
- Le sens impose parfois le singulier ou le pluriel pour le dernier mot du nom composé :
des couvre-feu (on ne couvre qu'**un** seul feu) – **un** porte-clés (il y a toujours **plusieurs** clés).

La proposition subordonnée relative

Cherchons ensemble

- Lis le texte, puis observe le groupe de mots en orange. Identifie le verbe qu'il contient.
- Par quel mot commence cette proposition ? Quel nom remplace-t-il ?

> Enfin des touffes vertes apparaissent à l'horizon, puis les premières maisons d'El-Oued, posées sur le sable comme des poteries fragiles.
>
> – On arrive, les gars, courage ! Plus que quelques kilomètres ! crie le lieutenant.
>
> Les soldats se sont redressés et tout endoloris regardent la grande mosquée qui flotte, blanche et vibrante, sur un ciel bleu acier. Les camions ralentissent à l'approche des premières maisons carrées, couvertes de coupoles en terre rose.
>
> Jacques Delval, *Le Train d'El-Kantara*,
> © Castor Poche Flammarion pour le texte et l'illustration, 1987.

Des soldats français en Algérie, en 1961.

1 Copie ces phrases. Souligne la proposition subordonnée relative, puis entoure le pronom relatif et indique quel nom il remplace.

- La guerre qui oppose la France à l'Algérie est terrible.
- Il lui montre le village où il est né.
- Le soldat dont tu parles est courageux.
- La maison que l'on aperçoit est complètement isolée.

2 Copie ces phrases en les complétant avec le pronom relatif qui convient.

qui – que – dont – où

- Le désert … nous traversons est immense.
- Le pays … je parle est situé en Afrique du Nord.
- La frontière passe là … se trouvent les gardes.
- J'admire les dunes … se dressent au loin.

3 Copie ces phrases en les complétant avec le pronom relatif qui convient.

lequel – lesquelles – laquelle – lesquels

- La route par … nous passons est peu sûre.
- Le camion dans … se trouvent les soldats avance vite.
- Les armes avec … ils combattent sont redoutables.
- Les ennemis contre … nous luttons sont nombreux.

4 Copie ces phrases en remplaçant les expressions en gras par une proposition subordonnée relative.

- Les Algériens voient les colons **quitter leur pays**.
- Je regarde l'armée **embarquer à bord des navires**.
- Des familles **ayant peur** se cachent dans les maisons.

→ JE RETIENS

- **La proposition subordonnée relative** débute par un pronom relatif. Elle complète un nom (ou un pronom) ; elle appartient donc au groupe nominal : Ils regardent la mosquée **qui brille au soleil**.
- Il existe des **pronoms relatifs** invariables (qui – que – dont – où) et des pronoms relatifs qui s'accordent en genre et en nombre avec le nom (l'antécédent) qu'ils remplacent (lequel – laquelle – lesquelles – auxquels…) : Le lieutenant conduit le camion **avec lequel** nous traverserons le désert.

Objectif : Découvrir et savoir employer un nouveau temps, le présent du conditionnel.

Conjugaison

Le présent du conditionnel

Cherchons ensemble

- **Lis le texte, puis observe le verbe en orange. Quelle est sa terminaison ?**
- **Conjugue-le au futur simple, puis à l'imparfait de l'indicatif. Que remarques-tu ?**

Le *Privateer Cesar 11* amorce une brève descente et largue sa bombe. C'est la dixième depuis le début de son raid sur la vallée de Diên Biên Phu. [...] L'objectif de Prieur saisit la bombe, qui tombe comme au ralenti. [...] Vue d'en haut, la zone entière est criblée d'impacts. « Comme après une pluie de météorites », se dit le photographe, rêveur. Il esquisse un petit sourire, en pensant au prix que ces photos pourraient lui rapporter s'il les vendait à un grand journal, genre *Paris Match*...

Stéphane Descornes, *Indochine 54, tombés du ciel*, © Éditions Nathan (Paris-France), 2004.

Un hélicoptère survolant le site de Diên Biên Phu, en 1954.

① Copie ces phrases en choisissant la forme correcte du verbe.

- Si je pouvais, je (**retournerais/retourneras**) là-bas.
- Il ne pensait pas que les Vietnamiens (**se rebelleront/ se rebelleraient**) contre les Français.
- Je n'imaginais pas que la guerre (**fera/ferait**) autant de victimes.
- Si tu lisais cet article, tu (**apprendrais/apprendras**) ce qui a déclenché le conflit.

② Conjugue les verbes de ces expressions au présent du conditionnel.

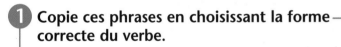

- **réclamer** son indépendance
- **partir** en Indochine
- **choisir** son camp
- **savoir** s'arrêter

③ Copie ces phrases en mettant le verbe entre parenthèses au conditionnel.

- Je (**vouloir**) partir d'ici dans quelques jours.
- Nous savions que les troupes (**s'épuiser**) vite.
- Vous espériez qu'ils (**vaincre**) leur peur.
- Si c'était possible vous (**revenir**) plus tard.

④ Copie ces phrases en conjuguant les verbes en gras à l'imparfait et ceux en orange au présent du conditionnel.

- La France (**penser**) qu'elle (conserver) son empire.
- Si les négociations n'(**aboutir**) pas, on se (diriger) vers la guerre.
- Les Vietnamiens (**savoir**) qu'ils (devoir) se battre pour obtenir l'indépendance.
- Qui (**se douter**) que l'insurrection (se transformer) en une véritable guerre ?

→ JE RETIENS

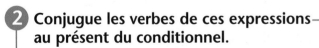

- Au **présent du conditionnel**, tous les verbes prennent les mêmes terminaisons. Généralement, on les place après l'infinitif conservé en entier : tomber : je tomber**ais** – tu tomber**ais** – il/elle tomber**ait** – nous tomber**ions** – vous tomber**iez** – ils/elles tomber**aient**.
- Quelques verbes du **3e groupe** perdent le **e** de l'infinitif : vendre : je vendr**ais** – tu vendr**ais**...
- Pour certains verbes, on retrouve la même **modification du radical** qu'au futur simple : faire : je **fer**ais – venir : tu **viendr**ais – voir : il **verr**ait – savoir : vous **saur**iez.

Rédiger le compte rendu d'une interview

Cherchons ensemble

- Lis le texte. Qui l'a écrit ?
- Quel est son titre ?
- En quoi consiste une interview ?
- Dans ce texte, qui pose les questions ?
- Qui répond ?
- Lis les phrases en vert. Quelles informations donnent-elles ?
- Relis ce que disent les deux dernières personnes. Chayan pose-t-il une question ? Que formule-t-il ? Que répond le maire ?

L'hôtel de ville de Tours (Indre-et-Loire).

À l'école, chaque trimestre nous publions un journal. La semaine dernière, la maîtresse nous a demandé de nous préparer pour aller interviewer le maire. Nous avons donc cherché des questions et toute la classe est allée à l'hôtel de ville. Certains avaient une question à poser, les autres devaient noter la réponse du maire pour faire un article dans le journal de l'école. Le voici :

Interview de monsieur le maire par la classe de CM2 B

MAXIME : Bonjour, monsieur le maire. Nous sommes la classe de CM2 B de l'école Jules-Ferry. Nous allons écrire un article dans le journal de l'école sur l'avenir de la ville et nous avons quelques questions à vous poser. Voici la première : combien d'habitants compte la ville aujourd'hui et combien pensez-vous qu'elle en comptera dans dix ans ?

LE MAIRE : Bonjour à tous. Aujourd'hui, la ville compte plus de 136 000 habitants. D'après nos estimations, elle en comptera 250 000 dans dix ans. C'est une importante augmentation.

LOANA : Avez-vous prévu de construire des immeubles ?

LE MAIRE : Oui. En effet, comme nous savons que la population augmente chaque année, tous les ans nous prévoyons de proposer des terrains à bâtir. Malheureusement, c'est de plus en plus difficile, car il reste de moins en moins de place. Parfois, avec mes conseillers municipaux, nous choisissons donc de détruire une vieille maison, pour construire un immeuble.

FARID : Y a-t-il un grand projet pour la ville ?

LE MAIRE : Pour le moment aucun chantier n'est encore ouvert, mais nous avons différents plans pour construire un grand centre commercial à la place du vieux marché de la Potinière. D'ailleurs, ces projets seront montrés au public sous forme de maquettes dans le hall de la mairie car nous souhaitons recueillir l'avis des habitants.

JENNY : Nous avons remarqué que la circulation devient de plus en plus difficile et que la pollution augmente dans la ville. Avez-vous l'intention de faire quelque chose ?

LE MAIRE : C'est en effet un grave problème. Pour éviter qu'il empire, la mairie prévoit de créer de nouvelles lignes d'autobus et de multiplier les possibilités de circuler à vélo.

CHAYAN : Nous n'avons plus de questions. Nous vous remercions et nous espérons que notre ville sera de plus en plus belle.

LE MAIRE : Je suis très heureux de voir que des jeunes gens comme vous s'intéressent à l'avenir de leur ville. Continuez !

1 Voici l'interview du maire d'une petite commune par un journaliste. Les questions du journaliste sont restées dans l'ordre, mais les réponses du maire ont été mélangées. Reconstitue l'interview entière. Quel est le sujet principal de cette interview ?

Questions du journaliste

– Bonjour, monsieur le maire. Il y a peu, j'ai appris que la commune que vous dirigez a le projet d'adhérer à une « communauté d'agglomérations ». J'ai l'intention d'en parler dans le prochain numéro du journal local. Qu'est-ce qu'une communauté d'agglomérations ?

– Est-ce qu'il y a beaucoup de coopérations communales aujourd'hui en France ?

– Est-ce que les communes conserveront une part d'autonomie ?

– Où en est le projet pour notre commune aujourd'hui ?

Réponses du maire

– Oui, et de plus en plus. Le nombre de communautés d'agglomérations est passé de 50 en 2000 à 143 en 2003. En effet, les besoins d'équipements ne cessent de croître, mais ils ne peuvent plus être assurés comme avant par des communes dont les moyens sont limités. La communauté d'agglomérations est une façon de répondre à ce besoin.

– Le projet entre dans sa phase décisive. Je souhaiterais qu'une décision soit prise rapidement et que la mise en œuvre de la communauté d'agglomérations soit effective avant la fin de l'année. Une réunion à ce sujet aura lieu le 10 juin prochain.

– Bien entendu. La communauté d'agglomérations ne pourra intervenir que dans les seuls domaines où les communes lui auront donné une compétence. L'autonomie de chacune des communes sera respectée.

– Bonjour, monsieur. Je suis ravi de voir que ce projet commence à susciter l'intérêt des médias. Une « communauté d'agglomérations » est un regroupement de plusieurs communes correspondant à un ensemble de plus de 50 000 habitants. Sa gestion est assurée collectivement par des conseillers municipaux issus des communes participantes.

2 Imagine que tu es maire et que tu dois répondre aux questions d'un journaliste. Lis les questions ci-dessous, prépare tes réponses, puis écris l'interview complète.

– Que projetez-vous de faire pour lutter contre la pollution ?

– Quand commencera la construction du nouveau stade ?

– Quelle est la réalisation dont vous êtes le(la) plus fier(e) ?

→ JE RETIENS

• Pour rapporter, par écrit, **une interview**, il faut respecter certaines règles :

– donner **un titre** qui situe l'événement et indique les personnes qui interviennent ;

– prévoir que la première personne qui parle donne **l'objectif** de l'interview ;

– citer **les intervenants** en mettant leur nom (Maxime) ou leur fonction (Le maire) ;

– placer **les questions** des uns, suivies immédiatement **des réponses** des autres ;

– terminer par quelques **mots de conclusion**.

• Pour être efficace, il convient de prévoir plusieurs personnes pour la prise de notes au cours de l'entretien. La confrontation de ces notes permet d'obtenir une transcription concise des propos, sans commentaires excessifs.

Comment le territoire français

Cherchons ensemble

- **Dans quelle région de France habites-tu ?**
- **De l'endroit où tu habites, pour te rendre à Paris, quel moyen de transport utilises-tu ?**

? Observe le **Doc. 1**. Où est situé le plus important centre de décision en France ?

? Compare le **Doc. 2** et le **Doc. 3**. Que constates-tu concernant la répartition de la population active ?

Le sais-tu ?

Le territoire français est organisé en collectivités territoriales. Il compte 26 régions, 100 départements et, environ, 36 500 communes.

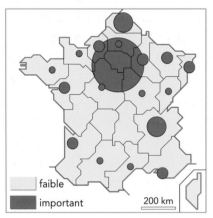

faible

important   200 km

Doc. 1 : Le pouvoir de décision en France.

faible

importante   200 km

Doc. 2 : La part des agriculteurs dans la population active.

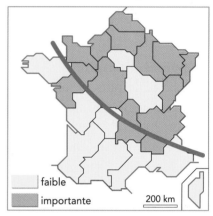

faible

importante   200 km

Doc. 3 : La part des emplois industriels dans la population active.

▶ Un territoire déséquilibré

Le territoire français n'est pas organisé de manière uniforme. Il existe de grands déséquilibres (**Doc. 1, 2 et 3**) : Paris et la région parisienne occupent une place très importante dans les domaines politique et économique comparativement à la province ; les activités agricoles sont surtout concentrées dans l'Ouest du pays et les activités industrielles dans le Nord-Est. Si on trace une ligne Le Havre-Marseille, c'est dans l'Est que se trouvent les régions les plus dynamiques.

Les Ares verts

Le bûcheron et sa cognée
font des trous dans la forêt
tout au bout l'on aperçoit
une scierie pour le bois

la scierie est dynamique
la scierie est prolifique
les usines poussent comme des petits pois
la forêt n'est plus qu'un bois

on arrache les derniers arbres
pour que circulent les ouatures
ô promoteur urbain arrête un peu le bras
laisse aux végétariens quelques ares de square

Raymond Queneau, « Les Ares verts »
in Battre la campagne, © Éditions Gallimard.

? Qu'est-ce que les hommes construisent à la place des forêts ?

est-il aménagé ?

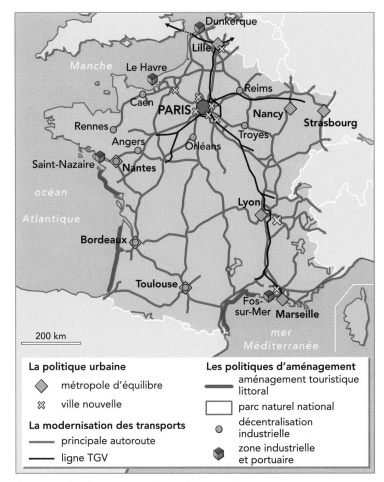

Doc. 4 : L'aménagement du territoire en France.

La politique urbaine
- ◇ métropole d'équilibre
- ✕ ville nouvelle

La modernisation des transports
- —— principale autoroute
- —— ligne TGV

Les politiques d'aménagement
- —— aménagement touristique littoral
- ☐ parc naturel national
- ● décentralisation industrielle
- ◈ zone industrielle et portuaire

? Observe la carte (Doc. 4). Quelles sont les huit métropoles d'équilibre ?

? Quelles sont les villes ayant bénéficié de la décentralisation industrielle ?

▶ Des politiques pour rééquilibrer le territoire

Face à la position dominante de Paris, dès les années 1970, l'État mène une politique de **décentralisation**. Huit villes de province sont désignées comme **métropoles d'équilibre** (Doc. 4) et des **villes nouvelles** sont construites près de Paris, Lyon, Marseille et Lille. Pour rééquilibrer la répartition des activités économiques, des zones industrialo-portuaires et des pôles de décentralisation sont mis en place, des stations balnéaires sont implantées sur les littoraux et des parcs naturels sont créés dans les zones rurales. De plus, des autoroutes sont construites pour **désenclaver** des régions plus difficiles d'accès. Depuis 1982, cette politique est conduite avec l'appui des **collectivités territoriales**.

▶ Des réussites et des échecs

Peu à peu, les déséquilibres diminuent : la croissance de Paris se ralentit et les métropoles régionales se développent. Les régions du Sud et de l'Ouest sont devenues plus dynamiques et attirent les touristes mais aussi les entreprises de haute technologie. Le retard en matière de transport a été rattrapé. Cependant, Paris conserve une position dominante par rapport à la province.

Lexique

une collectivité territoriale : institution au niveau de la région, du département ou de la commune.

la décentralisation : politique visant à donner moins de pouvoir à l'État.

désenclaver : faire cesser l'isolement.

une métropole d'équilibre : ville destinée à limiter l'importance de Paris.

une ville nouvelle : ville créée pour limiter l'importance d'une grande agglomération.

→ JE RETIENS

- Le territoire français souffre de déséquilibres importants entre la capitale et le reste du pays, ainsi qu'entre une moitié ouest rurale, moins dynamique, et une moitié est plus industrielle.
- L'État et les collectivités territoriales tentent de réduire ces déséquilibres par une politique de décentralisation et d'aménagement en matière de transports et d'équipements touristiques.
- Toutefois, malgré la redynamisation de nombreuses régions, Paris garde une position dominante.

Objectif : Acquérir du vocabulaire autour de la notion d'aménagement du territoire et d'environnement.

Les mots de l'aménagement du territoire

Cherchons ensemble

- **Lis le texte, puis repère le mot en orange. Cherche sa définition dans le dictionnaire.**

- **Observe les mots en vert. Quels sont ceux qui évoquent les communications et ceux qui se rapportent au littoral ?**

Tout en restant territoire d'élection de la vigne, cette plaine littorale languedocienne, qui relie les pays du bas Rhône au Midi aquitain d'un côté, et à la frontière espagnole de l'autre, a retrouvé, depuis quelques années, sa vocation de grande voie de passage. Canaux, voies ferrées, routes, autoroutes s'y juxtaposent, favorisant ainsi les courants toujours plus actifs de voyageurs et de marchandises. La côte, longtemps abandonnée aux pêcheurs et aux bergers, accueille aujourd'hui dans ses stations nouvelles, outre la population locale, les vacanciers du reste de la France et de l'Europe occidentale.

Le Languedoc, coll. « Voyages en France », © Larousse, 1992.

La Grande-Motte, station balnéaire au bord de la Méditerranée (Hérault).

1 Dans chaque liste, trouve le mot qui n'est pas de la même famille que les autres.

- un terrain – une terrasse – un terroir – territorial – un terre-plein – déterrer – terrible – du terreau
- aménageable – emménager – les méninges – un déménagement – du remue-ménage
- l'environnement – les environs – envier – environner

2 Associe les noms de sens contraire.

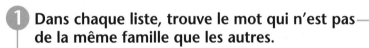

- la déforestation •
- la construction •
- la sécheresse •
- l'amélioration •
- un avantage •

- • l'humidité
- • la dégradation
- • un inconvénient
- • le reboisement
- • la destruction

3 Recopie en bleu les mots qui ont un rapport avec la mer et en vert ceux qui concernent la montagne.

un port – un mont – une crique – la cime – un voilier – neigeux – la pente – une digue – un alpiniste – maritime – un glacier – aquatique – grimper – un massif – côtier

4 Copie ces phrases en les complétant avec les noms ci-dessous.

infrastructures – contournement – protection

- Le maire œuvre pour la … du littoral.
- Le … de cette ville évitera les embouteillages.
- Ce projet vise à améliorer les … régionales.

→ JE RETIENS

- En fonction de leurs besoins, les hommes aménagent leurs **territoires**, ce qui entraîne d'importants changements dans le paysage : construction d'habitations ou d'usines dans les campagnes, abattage d'arbres pour tracer de grandes voies de communication, etc.
- L'objectif de ces grands travaux est d'améliorer la vie des habitants, mais le défi majeur est de préserver l'environnement (éviter la pollution) et d'œuvrer pour un développement durable.

Objectif : Distinguer les homophones grammaticaux **quel(s)**, **quelle(s)**, **qu'elle(s)**.

O r t h o g r a p h e

Distinguer quel(s), quelle(s), qu'elle(s)

Cherchons ensemble

- **Lis le texte, puis observe les mots en vert. Donne leur genre et leur nombre ? À quels mots sont-ils associés ? Quelle est leur nature ?**

- **Quelle est la nature du mot qui se trouve après qu'elle ? Remplace elle par il. Qu'observes-tu ?**

C'est fait ! Après quinze ans d'études et de travaux, l'autoroute A75 relie Clermont-Ferrand à Béziers. Quelle belle réalisation ! Cette autoroute de seconde génération, qui prend en compte l'environnement, s'intègre avec bonheur dans le paysage ; et elle permet aux sept départements qu'elle traverse de mettre fin à leur isolement grâce aux nombreux échangeurs qui la jalonnent. Quel changement, surtout, pour Millau, qui avec son célèbre viaduc ne sera plus la petite ville au légendaire bouchon des vacances d'été !

Le viaduc de Millau (Aveyron), inauguré en 2004.

1 **Copie ces expressions en les complétant par quel, quelle, quels ou quelles.**

- … gain de temps, ce viaduc !
- … sont les conditions de circulation ?
- … magnifique voie express !
- … travaux entreprennent-ils ici ?
- … est le nom de l'aire de repos ?

2 **Remplace les noms en gras par les noms entre parenthèses, puis accorde.**

- Quel est l'**ingénieur** (architectes) de ce projet ?
- Quel **budget** (sommes) nous accordera-t-on ?
- À quelle **distance** (niveau) se trouve la sortie ?
- À quel **endroit** (altitude) se situe le viaduc ?
- Vers quel **endroit** (ville) te diriges-tu ?

3 **Écris les noms en gras au pluriel, puis accorde.**

- Quelle est la **voie** réservée au télépéage ?
- Sais-tu quel est le **tarif** appliqué aux poids lourds ?
- Quel est le **problème** posé par ce tracé ?
- À quel **spécialiste** fera-t-on appel ?
- Quelle est la **conséquence** sur l'environnement ?

4 **Copie ces phrases en les complétant avec quel, quelle, qu'elle ou qu'elles. Attention aux accords.**

- Cette autoroute, il me semble … est payante.
- De … pays ces camions viennent-ils ?
- Connais-tu l'itinéraire … a choisi ?
- Je ne sais à … heure j'arriverai.
- Il cherche la route … ont empruntée à l'aller.

→ JE RETIENS

- **Quel** s'accorde avec le nom qu'il accompagne :
  Quel changement ! – Quels travaux ! – Quelle réalisation ! – Quelles vacances !
- **Qu'elle(s)** peut se décomposer en « **que elle(s)** ». En remplaçant le pronom personnel féminin (**elle-elles**) par le pronom personnel masculin (**il-ils**), on sait que **qu'elle(s)** s'écrit en deux mots :
  L'autoroute, je crois **qu'elle** traverse la région. – Le train, je crois **qu'il** traverse la région.

Les propositions coordonnées et juxtaposées

Cherchons ensemble

- Lis le texte. Observe la phrase en vert et la phrase en orange. De combien de propositions sont-elles composées ?
- Quels éléments relient ces propositions ?

Le parc du Mercantour

C'est le dernier-né des parcs nationaux, et sa création, en 1979, a été très laborieuse. Il suffit de regarder sur une carte le tracé du contour de la zone centrale du parc pour en être convaincu : sa forme n'a pas grand-chose à voir avec les impératifs écologiques et beaucoup avec les projets des promoteurs de la neige et les exigences des chasseurs. [...]

Claude-Marie Vadrot, *Voyage au cœur de la nature : Parcs, réserves et espaces protégés*, © Le Livre de Paris – Hachette.

Le parc national du Mercantour (Alpes-Maritimes).

1 Relie ces propositions par une conjonction de coordination.

donc – car – ou – mais – et

- Nous aimons la nature … nous la protégeons.
- Il apprécie la montagne … il préfère la mer.
- Ce parc est protégé … sa faune est remarquable.
- Il fait beau … vous pouvez partir en randonnée.
- Vas-tu vers le nord … te diriges-tu vers le sud ?

2 Relie ces propositions par un signe de ponctuation (, – ; – :).

- Le parc s'organise autour d'un projet … il est fondé sur la valorisation de son patrimoine.
- La faune est exceptionnelle … des espèces en voie de disparition y ont trouvé refuge.
- Ils contribuent à l'aménagement du territoire … ils définissent les nouveaux projets.

3 Copie ces phrases. Souligne les deux propositions coordonnées et entoure l'élément qui les relie.

- Pourquoi les parcs sont-ils créés et comment sont-ils gérés ?
- Ils contribuent à des recherches ou ils expérimentent des méthodes nouvelles.
- Tu ne connais pas cet itinéraire or il aboutit à un cirque glaciaire.
- Cette randonnée est superbe mais il faut être accompagné d'un guide de montagne.

4 Complète la première proposition par une proposition coordonnée ou juxtaposée.

- Ce projet m'intéresse …
- Cette mesure est indispensable …
- Je connais bien cette zone de lacs …

→ JE RETIENS

Les **propositions** d'une phrase complexe peuvent être :

- **coordonnées**, c'est-à-dire reliées par une conjonction de coordination (mais – ou – et – donc – or – ni – car) : Il existe une zone périphérique **et** sa largeur ne dépasse pas deux kilomètres.
- **juxtaposées**, c'est-à-dire simplement séparées par un signe de ponctuation (, – ; – :) : Il suffit de regarder le tracé **:** sa forme s'éloigne des impératifs écologiques.

Objectif : Ne pas confondre le futur simple et le présent du conditionnel, notamment les 1res personnes du singulier.

Conjugaison

Futur simple ou présent du conditionnel ?

Cherchons ensemble

- Lis le texte, puis observe les terminaisons des verbes en vert. À quel temps sont-ils conjugués ?
- Observe la terminaison du verbe en orange. À quel temps est-il conjugué ?

L'image est saisissante : dans un an, les Rémois **mettront** moins de temps pour aller à Paris que certains banlieusards. Autant dire qu'en plaçant Reims à 45 minutes [...] de la gare de l'Est, le TGV offre une occasion unique de renforcer l'attractivité de l'agglomération. [...]
Au-delà de Reims, c'est toute la région qui devrait profiter de l'effet TGV. Car d'autres villes **bénéficieront** du programme d'aménagement du réseau ferroviaire décidé par le conseil régional, associé aux départements de la Marne et des Ardennes.

Éric Bailly-Bazin, « La Révolution TGV » *in L'Express* du 15/06/2006.

La construction de la ligne à grande vitesse du TGV-Est près de Reims (Marne).

1 Copie ces phrases, puis indique si le verbe est au futur simple ou au présent du conditionnel.

- En venant plus tôt, tu éviterais l'attente au guichet.
- Ce TGV circulera à plus de 320 km/h.
- Cette nouveauté bouleversera les habitudes.
- Il faudrait composter son billet maintenant.

2 Copie ces phrases en mettant le sujet au singulier.

- Ces techniques augmenteraient la vitesse.
- Nous présenterons les billets au contrôleur.
- Vous vous munirez d'un titre de transport.
- Utiliserions-nous un téléphone portable ici ?

3 Copie ces phrases en mettant le pronom sujet au pluriel.

- Tu devrais réserver tes places à l'avance.
- Je gagnerai du temps par rapport à l'avion.
- Je ne supporterai plus les formalités !
- Tu attendras tranquillement le départ.
- Je pourrais m'asseoir dans un autre wagon.

4 Copie ces phrases en conjuguant les verbes en gras au futur simple ou au présent du conditionnel.

- Bientôt, le TGV (**aller**) encore plus vite.
- Savais-tu qu'un jour je (**préférer**) le train ?
- Je ne pensais pas que vous (**arriver**) à temps.

→ JE RETIENS

- Le **futur simple** indique la réalisation certaine d'une action à venir :
Dans un an, les Rémois **mettront** peu de temps pour aller à Paris.
- Le **présent du conditionnel** indique la réalisation possible d'une action à venir.
Toute la région **devrait** profiter de l'effet TGV.
- Les terminaisons de la 1re personne du singulier de ces deux temps sont homophones. Pour ne pas les confondre, il faut simplement changer de personne :

Avec le TGV, je mettr**ai** 1 h. → Avec le TGV, tu mettr**as** 1 h. (futur simple)
Si je prenais le TGV, je mettr**ais** 1 h. → Si tu prenais le TGV, tu mettr**ais** 1 h. (conditionnel)

Qu'est-ce que la

- Qu'est-ce qu'une Constitution ?
- Qui a le droit de vote en France ?
- Aujourd'hui, qui est le président de la République française ?

> J'avais encore beaucoup de choses à dire sur notre système politique, mais il y avait trop de bavardages dans la classe. Pour capter l'attention des élèves, il m'a semblé préférable de changer de sujet.
> – Pensez-vous qu'il soit juste que la majorité l'emporte toujours ? Imaginez que quelqu'un vienne dire à la télévision qu'il faut abolir la démocratie ! »
>
> Menno Lievers, *C'est vrai*, Le Livre de Poche Jeunesse, 2005.

❓ Quelle question le professeur pose-t-il aux élèves ?

❓ Décris le général de Gaulle (Doc. 1).

Doc. 1 : Le général de Gaulle, chef du gouvernement provisoire, en 1945.

❓ Que signifient le sigle « RF » et le grand V derrière la statue (Doc. 2) ?

❓ À ton avis, pourquoi le général de Gaulle a-t-il choisi de faire son discours place de la République ?

Doc. 2 : Le discours du général de Gaulle, le 4 septembre 1958, place de la République à Paris, pour présenter la Constitution de la Vᵉ République avant le référendum.

▶ Les débuts de la Vᵉ République

Dès 1945, à la fin de la Seconde Guerre mondiale, l'État français du maréchal Pétain est remplacé par un gouvernement provisoire dirigé par le général de Gaulle (Doc. 1) et des personnalités issues de la Résistance. En 1946, les Français votent pour une nouvelle Constitution qui donne naissance à la IVᵉ République. Le gouvernement s'occupe avec succès de reconstruire la France, mais il ne réussit pas à résoudre les conflits liés à la décolonisation. En 1958, les Français, inquiets face à la guerre d'Algérie, approuvent le retour au pouvoir du général de Gaulle. Celui-ci fait voter par **référendum** une nouvelle Constitution, celle de la Vᵉ République (Doc. 2), qui est toujours en vigueur aujourd'hui.

Vᵉ République ?

▶ La Constitution de la Vᵉ République

Le régime de la Vᵉ République est fondé sur la séparation des pouvoirs **exécutif**, **législatif** et **judiciaire**. Le pouvoir exécutif appartient au président de la République. Il nomme le Premier ministre qui forme le gouvernement. Il a le pouvoir de dissoudre l'Assemblée nationale. Depuis 1962, il est élu au suffrage universel direct pour 7 ans (pour 5 ans depuis l'an 2000). Le pouvoir législatif est confié aux deux Chambres : l'Assemblée nationale et le Sénat. Le pouvoir judiciaire relève des juges et des tribunaux.

Le sais-tu ?

En France, depuis 1974 tous les citoyens (hommes et femmes) ont le droit de voter à partir de 18 ans (avant il fallait avoir 21 ans).

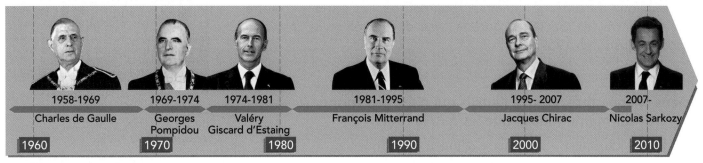

1958-1969	1969-1974	1974-1981	1981-1995	1995- 2007	2007-
Charles de Gaulle	Georges Pompidou	Valéry Giscard d'Estaing	François Mitterrand	Jacques Chirac	Nicolas Sarkozy

1960   1970   1980   1990   2000   2010

Doc. 3 : Les présidents de la Vᵉ République.

▶ Les présidents de la Vᵉ République

Depuis 1958, cinq présidents se sont succédé (**Doc. 3**). Le premier président, Charles de Gaulle, règle le problème de la décolonisation et affronte la crise de mai 1968 qui paralyse le pays. Son successeur, Georges Pompidou, connaît une période de prospérité économique, tandis que Valéry Giscard d'Estaing est confronté à deux **chocs pétroliers** qui entraînent une crise économique. La montée du chômage et le mécontentement amènent l'élection du premier président socialiste en 1981, François Miterrand qui est réélu en 1988. En 1995, lui succède Jacques Chirac puis Nicolas Sarkozy en 2007.

? Observe la frise chronologique (**Doc. 3**). Qui a été le premier président de la Vᵉ République ?

? Qui a succédé à Valéry Giscard d'Estaing ?

Lexique

un choc pétrolier : hausse importante du prix du pétrole.

exécutif : qui prépare et fait exécuter les lois.

judiciaire : qui fait respecter les lois votées.

législatif : qui vote les lois.

un référendum : vote des citoyens qui doivent répondre par oui ou non à une question.

➔ JE RETIENS

- En 1946, les Français votent pour la Constitution de la IVᵉ République. En 1958, ils rappellent au pouvoir le général de Gaulle qui fait adopter une nouvelle Constitution et fonde la Vᵉ République.
- Celle-ci est basée sur la séparation des pouvoirs et prévoit, dès 1962, l'élection du président au suffrage universel direct.
- Depuis 1958, six présidents se sont succédé.

Objectif : À partir d'un radical, apprendre à former de nouveaux mots par adjonction de suffixes et/ou de préfixes.

La dérivation

Cherchons ensemble

- Lis le texte, puis observe les mots en orange. Quel est celui qui a permis de former l'autre ?
- Repère les mots en vert. Retrouve les mots dont ils sont dérivés. Que leur a-t-on ajouté ?

> De Gaulle met en place la Ve République en faisant approuver, par référendum, le 28 septembre 1958, une nouvelle Constitution. Elle instaure un régime de type présidentiel avec renforcement du pouvoir exécutif et recours fréquents au référendum : ainsi est approuvée par référendum en 1962, l'élection du président de la République au suffrage universel. Soutenu par les partis de droite et du centre, de Gaulle affronte la crise de Mai 68 et conserve le pouvoir jusqu'en 1969.
>
> *La France au XXe siècle*, coll. « Bonjour l'histoire », © Éditions PEMF, 1999.

Une affiche en faveur du référendum pour l'élection du président de la République au suffrage universel direct (1962).

1 Dans chaque liste, trouve l'intrus qui n'est pas formé à partir du même radical que les autres mots.

- un jour – journalier – ajourner – déjouer – une journée
- un front – une fronde – affronter – une frontière
- le centre – une centaine – concentrer – centrifuge
- une élection – éligible – élire – relire – un électeur

2 Transforme chaque phrase comme dans le modèle.

Ex. L'Assemblée délibère. → la délibération de l'Assemblée

- Il nomme le Premier ministre.
- Les députés discutent.
- Il dirige le gouvernement.
- Le peuple élit le président.

3 À partir de chacun de ces verbes, forme un nom dérivé. Utilise le même suffixe pour chaque liste.

- ordonner – convenir – alterner – délivrer – confier
- commander – déplacer – enraciner – élargir – amender
- réguler – déterminer – situer – varier – fonder
- assembler – durer – avancer – lever – arriver

4 Pour chaque nom, trouve un adjectif dérivé.

- le parlement → …
- la démocratie → …
- la constitution → …
- le président → …
- l'indépendance → …
- la république → …
- le ministre → …

5 À partir de ces verbes, forme deux verbes dérivés en ajoutant des préfixes.

former – verser – mettre – peupler – monter

→ JE RETIENS

- À partir du **radical** d'un mot, il est souvent possible de former d'autres mots (nom, verbe, adjectif, adverbe…) de la même famille, par dérivation, en ajoutant un suffixe et/ou un préfixe : force (nom) → forcer (verbe) – **ren**forcer (verbe) – forcé**ment** (adverbe).
- Parfois le radical est modifié : un for**ç**at – fort – le renfort – l'effort – forcé**ment** – fortement.

Objectif : Retenir quelques principes de placement des consonnes doubles en début de mot.

Les consonnes doubles après une voyelle initiale

Cherchons ensemble

- Lis ce texte, puis observe les mots en orange.
- Par quelle sorte de lettres commencent-ils ? Par quelle sorte de lettres sont-elles suivies ?

> Devenu, suite au soulèvement des Français d'Algérie et à la crise politique en France, président de la Ve République avec des pouvoirs étendus, le général de Gaulle va accélérer la politique de modernisation de la France. Tout en liquidant, dramatiquement, le problème de l'Algérie française, il s'emploie à accroître le rayonnement international de la France et dote le pays de l'arme nucléaire. Réélu en 1965, il voit son autorité ébranlée par la crise de Mai 1968.
>
> *Histoire de France, les dirigeants : de Vercingétorix à la Vᵉ République,*
> © AEDIS éditions, 03200 Vichy.

La première explosion de la bombe atomique française à Mururoa dans le Pacifique, le 24 août 1968.

1 Copie ces mots en les complétant par t/tt ou c/cc.

un a...ent – a...endre – a...epter – a...roître – une a...ache – un a...ueil – les a...entats – a...omique – un a...ompte – une a...élération – a...irer – a...rister – a...omplir – un a...elage

2 Copie ces mots en les complétant par p ou pp.

une o...ération – une a...ostrophe – a...orter – a...aiser – un a...el – l'a...rentissage – un a...éritif – o...oser – une o...ortunité – a...laudir – un a...areil

3 Copie ces mots en les complétant par f ou ff.

une a...irmation – une a...iche – une o...re – l'e...icacité – une a...aire – un a...rontement – une o...ensive – un o...ice – e...leurer – un e...ort

4 Copie ces phrases en complétant les mots en gras avec les consonnes qui conviennent.

- Nous **a...endons** les résultats de l'élection.
- Il a obtenu des **a...uis** importants.
- On note une grande **a...luence** dans le bureau.
- Nous **a...rouvons** cet **a...ord**.
- Le général **a...elle** les citoyens aux urnes.
- Il s'**e...orce** de ne pas **a...icher** sa déception.

➜ JE RETIENS

- Les mots commençant par **at-** prennent souvent deux **t** : l'attaque – attendre.

Principales exceptions : l'atelier – l'athlète – l'atome – atroce – l'atout – l'atmosphère.

- Les mots commençant par **ac-** prennent souvent deux **c** : accroître – accélérer.

Principales exceptions : l'acrobate – l'académie – l'acacia – l'acompte – l'acajou – acquitter.

- Les mots commençant par **af-**, **ef-**, **of-** prennent deux **f** : afficher – l'effort – offrir.

Exceptions : afin de – l'Afrique – africain.

- Les mots commençant par **ap-** prennent souvent deux **p** : l'appui – apprendre.

Principales exceptions : apercevoir – apaiser – après – l'apostrophe – l'apéritif – aplatir.

Seuls quelques mots commençant par **op-** prennent deux **p** : l'opposant – opprimer.

Les adverbes

Cherchons ensemble

- **Lis le texte, puis repère les mots en orange. Mets tous les noms de la dernière phrase au pluriel. Les mots en orange sont-ils modifiés ?**
- **Observe le mot en vert. À partir de quel mot est-il formé ?**

> Dans une démocratie, la souveraineté nationale – c'est-à-dire le pouvoir politique – appartient au peuple qui l'exerce de deux manières : soit directement dans le cadre du référendum, soit en le confiant à des représentants élus. Dans les deux cas, chaque citoyen participe à la consultation par l'intermédiaire de son droit de vote. Bien qu'institué en France au début du XIXᵉ siècle, ce droit de vote a mis presque un siècle et demi pour devenir le suffrage universel tel que nous le connaissons aujourd'hui.
>
> Hugues Festis et Pierre Seigneur, *Dictionnaire du citoyen*, Le Livre de Poche Jeunesse, 1997.

Une femme qui vote au moment du référendum sur la IVᵉ République, le 21 octobre 1945.

1 **Copie ces phrases, puis entoure les adverbes.**

- Il y a longtemps que la démocratie existe.
- Désormais, les femmes ont le droit de voter.
- Soudain, il fut sûr de les convaincre.
- Avec de la conviction, la victoire n'est jamais loin.
- Il parle volontiers de sa fonction de député.

2 **À partir de ces adjectifs, forme des adverbes comme dans le modèle.**

Ex. dur → dure**ment**

calme – petit – grand – fort – froid – indéfini – haut – lourd – délicat – chaud – fier – lent – fin

3 **Copie ces phrases en les complétant par un adverbe formé à partir de l'adjectif en gras.**

- Il prépare (**minutieux**) sa campagne électorale.
- Il répond (**adroit**) aux arguments de son adversaire.
- Je choisis (**soigneux**) mon candidat préféré.

4 **Copie ces phrases en les complétant par un des adverbes ci-dessous.**

beaucoup – davantage – tout à fait

- Il faut … prendre à cœur ton devoir d'électeur.
- Ces personnes ont … de préjugés.
- L'égalité homme/femme n'est pas … parfaite.

JE RETIENS

- **L'adverbe** est un mot **invariable** qui complète le sens d'un verbe ou d'un adjectif (quelquefois d'un autre adverbe ou d'un nom) : Il vote **aujourd'hui**. – Il est **presque** élu. – Il vote **très souvent**.
- Il existe des adverbes : – de **temps** : déjà – jamais – parfois – avant – toujours…
  - de **lieu** : ici – au-delà – partout – dedans – ailleurs – loin – près…
  - de **manière** : bien – mieux – mal – volontiers – peu à peu…
- Beaucoup d'adverbes de manière sont formés à partir d'adjectifs féminins auxquels on ajoute la terminaison **-ment** : directe**ment** – universelle**ment** – timide**ment**…

Objectif : Reconnaître, et savoir conjuguer, les verbes au présent du subjonctif.

Le présent du subjonctif

Cherchons ensemble

- **Lis le texte, puis observe le verbe en** orange**. Retrouve son infinitif, puis conjugue-le au présent de l'indicatif. Que remarques-tu ?**
- **Procède de la même façon avec le verbe en** vert**. Que constates-tu ?**

> – [...] Il paraît qu'ils ont brûlé des voitures dans certaines rues, mais j'ai pas eu le temps d'aller voir avec ce fichu devoir de maths !
> – Moi, j'ai vu des carcasses noires, de loin, en allant à l'école. Je ne veux pas que tu y ailles ! déclara Chantal. S'il t'arrivait quelque chose, ta mère ne nous le pardonnerait pas. Brûler des voitures... Mais pourquoi font-ils ça ?
> – J'ai lu un ou deux tracts que j'ai trouvés dans la rue. Les étudiants en ont marre qu'on les considère comme des enfants. Ils veulent plus de libertés, de meilleures conditions pour étudier.
>
> Danielle Martignol, Alain Grousset, *68, boulevard Saint-Michel*,
> © Castor Poche Flammarion, 1998.

Une rue de Paris après des émeutes, en mai 1968.

1 **Copie ces phrases, puis souligne en** bleu **les verbes qui sont au présent du subjonctif et en** rouge **ceux qui sont au présent de l'indicatif.**

- Je ne souhaite pas que tu deviennes un rebelle.
- Les étudiants veulent que la révolution réussisse.
- Leurs conditions de vie s'améliorent.

2 **Copie ces phrases en les complétant avec la forme correcte du verbe.**

- Nous regrettons que vous (**réagissez/réagissiez**) ainsi.
- Il se peut que la crise (**se termine/se termina**) bien.
- Je me réjouis que vous (**faites/fassiez**) ce choix.

3 **Copie ces phrases en mettant les verbes en gras au présent du subjonctif.**

- Il est prévu que nous (**transformer**) la société.
- Il est nécessaire que vous (**se rendre**) sur place.
- Il est probable qu'ils (**reprendre**) le travail dès le mois de juin.
- Il se peut que tu (**intervenir**) à la télévision.
- Il est normal que ces révoltes leur (**faire**) peur.

4 **Transforme ces slogans des années 1968-70 comme dans l'exemple.**

Ex. **Vous occupez l'université.**
  → **Il faut que vous occupiez l'université.**

- Il est interdit d'interdire.
- L'imagination prend le pouvoir !
- Les murs ont la parole.
- Prenez vos désirs pour la réalité !

→ JE RETIENS

- **Au présent du subjonctif**, tous les verbes (sauf **être** et **avoir**) prennent les mêmes terminaisons. Dans la phrase, le sujet est souvent précédé du mot **que** : **courir** : (il faut que) je cour**e** – ... tu cour**es** – ... il cour**e** – ... nous cour**ions** – ... vous cour**iez** – ... ils cour**ent**.
- **Pour certains verbes le radical est modifié :**

être : ... que je **sois**	**faire :** ... que tu **fasses**	**aller :** ... qu'il **aille**
avoir : ... que nous **ayons**	**savoir :** ... que vous **sachiez**	**venir :** ... qu'ils **viennent**.

Écrire un article pour Internet

Cherchons ensemble

- Lis ce texte. Quel en est l'auteur ?
- Quel est son titre ?
- Quel est l'objet du premier paragraphe ?
- Observe les mots en vert. Qu'indiquent-ils à propos de ce projet. Qui sont les autres intervenants dans ce projet ?
- Observe la phrase en orange. À ton avis, pourquoi la mairie de Saint-Paul-Trois-Châteaux met-elle un article de ce type sur son site ?
- Pourquoi peut-on dire qu'il s'agit d'un texte informatif ?

La centrale nucléaire de Tricastin à Saint-Paul-Trois-Châteaux (Drôme).

AGENDA	CONTACT	PLAN D'ACCÈS	PLAN DE LA VILLE	S'ABONNER À LA LETTRE

Vous êtes ici :
accueil /
Pôle de compétitivité

Se cultiver et se divertir
- Cinéma
- Sports et Loisirs
- Culture
- Musée d'archéologie

Visiter et découvrir
- Carte d'identité
- Un peu d'histoire
- Visiter la ville
- Tourisme
- Autour de la ville
- Jumelages

Travailler et entreprendre
- Entreprises
- Pôle de compétitivité
- Secteurs d'activités
- La ville employeur
- Marchés publics

SAINT-PAUL-TROIS-CHÂTEAUX
Au cœur du pôle de compétitivité Trimatec

Suite à l'appel à projets lancé par l'État en 2004, une dynamique est née entre Tricastin et Gard rhodanien, un territoire connu et reconnu pour sa forte activité industrielle. Avec un soutien affirmé des élus et l'implication de scientifiques et d'industriels de divers horizons, les équipes d'AREVA et du CEA de la vallée du Rhône ont initié ce projet de pôle de compétitivité interrégional regroupant les régions Languedoc-Roussillon, PACA, Rhône-Alpes et plus particulièrement les départements du Gard, de la Drôme, du Vaucluse, de l'Ardèche et de l'Hérault.

Le but de ce pôle de compétitivité qui s'appuie sur la recherche développée dans le nucléaire (domaine où la France est leader mondial) est de développer dans de nombreux secteurs industriels (agroalimentaire, pharmacie, cosmétique, électronique, traitements de déchets et de liquides pollués…) le savoir-faire acquis sur ce territoire depuis une quarantaine d'années.

TRIMATEC est un atout majeur pour le développement économique régional. La stratégie retenue s'inscrit dans une démarche de développement durable puisque les développements attendus ambitionnent d'économiser les ressources par la valorisation, la séparation et l'enrichissement des matières ; de protéger l'environnement par la gestion optimisée des sous-produits de la production industrielle (déchets et rejets) et de protéger l'homme, par la réhabilitation du patrimoine industriel et la maîtrise de l'intervention en milieux extrêmes.

Mairie de la ville de Saint-Paul-Trois-Châteaux. Site Internet www.saintpaultroischateaux.fr

Objectif : Savoir écrire un texte informatif et organiser les informations sur une page de site Internet.

1 Voici les différentes rubriques d'un site Internet et trois extraits d'articles tirés de ce site. Associe ces textes aux rubriques dans lesquelles tu penses les trouver.

La FRANCE

- **Histoire**
- **Géographie**
- **Institutions et vie politique**
- **Économie**
- **Éducation**
- **Culture et loisirs**
- **Aménagement du territoire**

Le secteur tertiaire, celui des services (administration, banque, tourisme, communication…), est le secteur économique le plus dynamique. Il représente 74 % de la population active.

Texte 1

Le Sénat est composé de 331 sénateurs. Depuis 2003, ils sont élus pour 6 ans au lieu de 9 ans. Les élections ont lieu tous les 3 ans et permettent de renouveler la moitié du Sénat à chaque fois.

Texte 2

Depuis 1983, la plupart des compétences de l'État en matière d'aménagement du territoire ont été transférées aux collectivités territoriales (communes, départements, régions).

Texte 3

2 Parmi les trois textes ci-dessous, indique celui qui est informatif.

Depuis les années 60, les politiques de l'environnement visent à protéger les milieux naturels. Pour cela ont été créés :
– six parcs nationaux en Métropole, celui de Basse-Terre de Guadeloupe.

Bernard Jenner, *Encyclo Junior*, © Hachette Livre, 2000.

Texte 1

– Allô Isabelle ?
– Maman, je n'ai pas beaucoup de temps. Qu'est-ce qui se passe ?
– Comment, qu'est-ce qui se passe ? C'est à moi de te poser la question, non ? Pourquoi avez-vous enfermé Chloé dans sa chambre ?

Rachel Hausfater-Douïeb et Yaël Hassan, *Petit Roman portable*, Le Livre de Poche Jeunesse, 2002.

Texte 2

Personne ne lit la feuille du journal officiel affichée au mur de la mairie.
Si la chèvre.[…]
Sa lecture finie, ce papier sentant bon la colle fraîche, la chèvre le mange.
Tout ne se perd pas dans la commune.

Jules Renard, « La Chèvre » *in Histoires naturelles*, 1894.

Texte 3

3 Imagine que tu dois mettre en place un site Internet pour parler de ton école. À partir des titres de rubriques ci-dessous, organise la page d'accueil et rédige un article qui présente le site.

L'école	Les dernières nouvelles	Les projets	Récréation	Vos idées

JE RETIENS

- La multitude d'articles disponibles sur Internet impose de rédiger des **articles courts**, mais précis, qui retiennent immédiatement l'attention de celui qui consulte le site :
– choisir un **titre explicatif** qui permette de situer rapidement le type d'information apportée (Au cœur du pôle de compétitivité) ;
– séparer nettement les **paragraphes** et mettre en valeur les **termes importants** en utilisant les majuscules ou des caractères différents ;
– illustrer éventuellement le texte informatif par des photographies.
- Il convient aussi de bien **référencer** le texte de l'article parmi les rubriques à choisir pour que l'internaute le repère facilement. (ici, l'article est référencé dans **Travailler et entreprendre**).

Quelle place la France occupe-t-elle

Cherchons ensemble

- **Qu'est-ce que les DOM-TOM ?**
- **Sur quel continent se trouve la Guyane ?**
- **Qu'est-ce qu'un pays francophone ?**

— Alors écoutez-moi bien, faut tous se retrouver vers onze heures du matin sur le port de Cayenne pour accueillir l'*Ariana*.

— C'est qui cette fille, Ariana ? demanda naïvement Stéphanie.

— C'est pas une fille l'*Ariana*, Stéphanie ! C'est un très gros bateau qui pèse 1 250 tonnes et mesure 123 mètres de long. Il n'a mis que douze jours pour arriver de la Métropole.

Jean Claude Djian et Philippe Willekens,
Ariane, Mission accomplie, Folio Junior,
© Gallimard Jeunesse.

❓ Par quel mot le territoire français situé en Europe est-il désigné ?
Qu'est-ce que cela sous-entend ?

❓ Observe cette photographie (**Doc. 2**).
Quels différents moyens de transport y vois-tu ?

Doc. 2 : Arrivée des pièces de la fusée *Ariane* par bateau cargo à Cayenne (Guyane).

❓ Où a été prise cette photographie (**Doc. 1**) ?
Qu'est-ce qui indique qu'il s'agit d'un territoire français ?

Doc. 1 : Une visite du président de la République française à Basse-Terre (Guadeloupe).

▶ Des liens étroits avec l'Outre-mer

Ancien pays colonisateur, la France conserve des territoires sur presque tous les continents (voir la carte en début d'ouvrage). Ce sont principalement : les départements d'Outre-mer (la Guadeloupe (**Doc. 1**), la Martinique, la Réunion et la Guyane), les territoires d'Outre-mer (la Nouvelle-Calédonie, la Polynésie, la terre Adélie, Wallis-et-Futuna…) et les collectivités territoriales (Mayotte, Saint-Pierre-et-Miquelon). Grâce à ces territoires, qui sont le plus souvent des îles, la France est présente sur tous les océans du monde et dispose du 3e domaine maritime mondial avec une **zone économique exclusive** de 10 millions de km². L'économie des DOM-TOM dépend largement de la **Métropole** avec laquelle ils réalisent 90 % de leurs échanges (**Doc. 2**) et dont ils reçoivent d'importantes subventions.

dans le monde ?

? Vers quels pays les axes de transports français mènent-ils (**Doc. 3**) ?

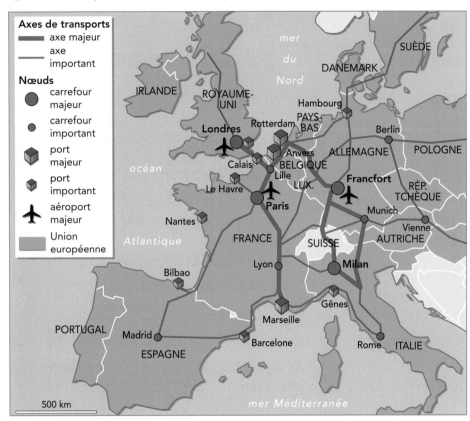

Doc. 3 : La France au cœur des échanges internationaux européens.

▶ Un rayonnement mondial

La France fait partie des grandes puissances mondiales : sur le plan politique et militaire, elle est membre permanent du Conseil de sécurité de l'ONU, elle possède l'arme nucléaire et elle intervient souvent sur la scène internationale ; sur le plan économique, c'est la 5e puissance mondiale, le 5e exportateur du monde et elle participe aux réunions du **G8** ; sur le plan culturel, elle défend la **francophonie** et diffuse partout son image (mode, cinéma, gastronomie…).

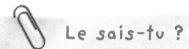

Le sais-tu ?

Le français est une langue officielle dans 32 pays. Il est parlé par environ 200 millions de personnes dans le monde.

▶ Un rôle important en Europe

La France est un des pays signataires du traité de Rome (1957) qui a posé les bases de l'Union européenne (voir les cartes en fin d'ouvrage). Elle occupe aujourd'hui une place importante au cœur de l'Europe (**Doc. 3**) et effectue environ 1/3 de ses échanges commerciaux avec les pays de l'UE. Cependant, avec l'élargissement aux anciens pays de l'Est et le refus du projet de Constitution en 2005, sa position dans l'Union européenne semble s'être affaiblie.

Lexique

la francophonie : ensemble des pays dans lesquels on parle français.

le G8 : groupe des huit pays les plus puissants du monde.

la Métropole : partie de la France située en Europe.

une zone économique exclusive : domaine maritime dont l'exploitation est réservée au pays riverain.

➜ JE RETIENS

- La France possède de nombreux DOM-TOM qui lui permettent d'être présente sur tous les océans du monde.
- Pays fondateur de l'Europe, elle joue un rôle économique très important dans l'Union européenne.
- C'est aussi une grande puissance mondiale sur les plans politique, militaire, économique et culturel.

Les mots nouveaux

Cherchons ensemble

- **Lis le texte, puis observe les mots en vert. Cherche leur définition dans le dictionnaire. Quelle est leur origine ? Pouvaient-ils exister en 1900 ?**

> – C'est donc un programme clandestin.
> – Sans doute. Un programme comme s'en procure aujourd'hui n'importe quel abonné d'**Internet**. Car le **bidouilleur** qui a mis au point ce **logiciel** diabolique doit le vendre ! [...]
> – Monsieur Kosto, avez-vous envisagé la vengeance d'un de vos employés ? Je ne sais pas moi... par exemple un technicien qui n'aurait pas obtenu la promotion qu'il espérait ? [...]
> – Une vengeance ? C'est une hypothèse à ne pas écarter. Vous trouverez ici une liste de nos employés. Il y en a plus de trente mille, disséminés en Europe et en Asie du Sud-Est.
>
> Christian Grenier, *L'Ordinatueur*, © Rageot Éditeur, Paris, 1997.

Un supermarché Carrefour en Corée du Sud, en 1999.

1 **Voici quelques noms récents. Associe-les à leur définition.**

un lave-glace – une microfibre – un ordinateur – un téléfilm – la domotique – un magnétoscope

- (1951) machine qui traite numériquement des informations en suivant un programme
- (1961) appareil qui permet d'enregistrer des images et des sons
- (1962) appareil qui envoie un jet d'eau sur le pare-brise
- (1972) film réalisé pour la télévision
- (1980) filament textile synthétique très fin
- (1982) technique de traitement automatique des affaires liées à la maison

2 **Complète ces phrases par un des noms ci-dessous.**

la bureautique – la télévision – le micro-ondes

- Nous regardons les informations à la ....
- Dans la cuisine, nous avons un ....
- La ... permet de travailler plus rapidement.

3 **Associe chaque mot ancien à un mot plus récent.**

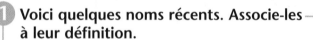

occire • • la gaieté
la maréchaussée • • tuer
la gaillardise • • la gendarmerie
moult • • beaucoup

4 **Copie ces phrases en remplaçant les mots en gras par un mot ou une expression synonymes.**

- Je **zappe** pour trouver une bonne émission.
- Je n'utilise plus que des **Kleenex**.
- J'ai cassé le **Zip** de mon blouson.
- Ma mère a acheté un nouveau **mixer**.

→ JE RETIENS

- Le français est une langue vivante qui évolue. Il emprunte des mots à d'autres langues (parfois en les déformant...) ou forme de nouveaux mots : Internet – un logiciel – télécharger – un jean.
- Il intègre aussi des mots populaires, voire argotiques, que l'usage tend à généraliser : bidouiller (bricoler, faire fonctionner en s'arrangeant comme on peut).
- Inversement, certains mots disparaissent parce qu'ils sont remplacés par des mots plus courants. On ne dit plus ouïr une chanson, mais écouter une chanson.

Participe présent ou adjectif verbal ?

Cherchons ensemble

- **Lis le texte, puis compare les deux mots en vert. Qu'ont-ils de commun ?**
- **Par quel mot chacun d'eux est-il précédé ?**
- **Quelle est la fonction de rassurant ?**

Un plat provençal.

« Tu vas en avoir des choses à raconter à tes copains !
– Si mon consulat veut bien me rapatrier en France, ai-je plaisanté. […] »
Une bonne odeur de cuisine provençale avait envahi la pièce. En **fermant** les yeux, j'aurais pu me croire à Cannes dans la cuisine de Rosette, la cuisinière de mes grands-parents. Cannes ! Qu'ils étaient loin les horaires militaires des repas qui m'empêchaient de profiter librement de mes vacances ! Quand on commençait à s'amuser, il fallait rentrer. Au fond, c'était **rassurant**, mais je le regrettais presque.

Olivier Jozan, *California-stop*, D.R.

1 **Copie ces phrases. Souligne en bleu les participes présents et en rouge les adjectifs verbaux.**

- Il s'est enrichi en ouvrant un restaurant à Tokyo.
- En s'exportant, notre gastronomie s'est épanouie.
- Ce plat est attirant rien que par sa couleur.
- Connaissant le restaurant, il est entré sans hésiter.

2 **Copie ces expressions en les complétant avec l'adjectif verbal correspondant au verbe en gras. Effectue les accords.**

Ex. des meubles (**embarrasser**)
→ des meubles **embarrassants**

- une recette (**innover**) • des mélanges (**surprendre**)
- une soupe (**bouillir**) • des plats (**encombrer**)

3 **Transforme ces phrases comme dans l'exemple.**

Ex. Il tourne le chocolat **et verse** le lait.
→ Il tourne le chocolat **en versant** le lait.

- Il crée un produit et garde sa fabrication secrète.
- Elle améliore sa recette et la goûte.
- Je manifeste ma joie et je bats des mains.

4 **Copie ces phrases en les complétant par la forme verbale qui convient. Effectue les accords, si nécessaire.**

- En (**lire**) cet article, j'ai appris que la curiosité des Chinois pour la gastronomie française est (**croître**).
- Sa cuisine est restée (**séduire**) tout en (**devenir**) une référence universelle.

→ JE RETIENS

- Le **participe présent**, assez souvent précédé de **en**, est une forme verbale invariable :
Le cuisinier est parti en **fermant** la porte.
- L'**adjectif verbal**, dérivé d'un verbe, s'accorde avec le nom comme un adjectif qualificatif :
C'est **rassurant**. – Il m'a tenu des propos **rassurants**. – Sa présence est **rassurante**.
- Pour distinguer ces deux mots quand ils sont homophones, on remplace le nom masculin par un nom féminin et on lit la phrase en entier : Il est parti en **souriant**. → Elle est partie en **souriant**. (participe présent) – Cet homme est **souriant**. → Cette femme est **souriante**. (adjectif verbal).

La voix passive

Cherchons ensemble

- Lis le texte, puis repère les verbes en vert.
  De combien de parties sont-ils formés ?
  Quel est l'auxiliaire employé ?
- Quels sont leurs sujets ?

La francophonie regroupe 55 pays dans le monde. Cependant, il est toujours difficile de dire combien il y a de francophones. En effet, cela dépend de la définition qui **est donnée** au terme « francophone ». Pour le Haut Conseil de la francophonie (HCF), il existe des francophones « réels » qui ont le français pour langue maternelle ou langue d'adoption et des francophones « occasionnels » qui ne parlent français que de temps en temps. De ce fait, le nombre de francophones dans le monde **est estimé** par le HCF à environ 200 millions.

Le Xᵉ Sommet de la francophonie à Ouagadougou, au Burkina Faso (Afrique), en 2004.

1 Copie ces phrases, puis indique si le verbe est à la voix active (VA) ou à la voix passive (VP).

- La Suisse est un pays francophone.
- Je suis plus attiré par les pays anglophones.
- Cette réunion est organisée par le Haut Conseil.
- On parle aussi français dans ce pays.

2 Copie ces phrases, puis souligne les compléments d'agent.

- Je suis invité par l'attaché culturel français.
- Il est interviewé par les journalistes.
- Une résolution a été votée par les diplomates.
- Ce professeur de lettres est admiré de tous.
- Le français est parlé par la population de 52 pays.

3 Copie ces phrases en les transformant à la voix active. Respecte le temps du verbe.

Ex. Des réunions **sont prévues** par les chefs.
→ Les chefs **prévoient** des réunions.

- Les Français étaient intéressés par ce projet.
- Il a été nommé délégué par le directeur.
- Votre demande a été transmise par le délégué.
- Nous sommes déçus par cette conférence.

4 Copie ces phrases en les transformant à la voix passive. Respecte le temps du verbe.

- Les pays francophones réclament la tenue d'un sommet.
- Ces professeurs enseignent le français à l'étranger.
- Le conférencier évoque la culture française.
- Tout le monde écoute attentivement son discours.

→ JE RETIENS

- Lorsque le sujet fait l'action, le verbe est à la **voix active** : <u>Le maître</u> **donne** la définition.
- Lorsque le sujet subit l'action, le verbe est à la **voix passive**. C'est le complément d'agent (souvent introduit par le mot **par**) qui fait l'action : La définition **est donnée** <u>par le maître</u>.
- À la voix passive, les verbes sont conjugués avec l'auxiliaire **être**. C'est lui qui indique le temps : La définition **est donnée**... (présent) – La définition **a été donnée**... (passé composé de l'indicatif)

Présent de l'indicatif ou présent du subjonctif ?

Cherchons ensemble

- **Lis le texte, puis observe les verbes en orange. À quel temps sont-ils conjugués ? Donne leur infinitif.**
- **Repère les verbes en vert. Quel est leur infinitif ? À quel temps sont-ils conjugués ?**

Que ce soit en France, en Europe ou dans le monde, la France est toujours très présente quand il s'agit de porter secours aux populations frappées par une catastrophe naturelle ou par la misère. Grâce à ses nombreuses organisations humanitaires comme *Médecins sans frontières* ou *Médecins du monde* et à ses associations telles que le *Secours populaire* ou les *Restos du cœur* qui chaque année font campagne pour que les Français viennent en aide aux plus démunis, elle participe activement aux actions d'aide humanitaire.

Un hôpital de secours à la frontière du Soudan (Afrique), en 2004.

1 **Copie ces phrases en indiquant si les verbes en gras sont à l'indicatif (I) ou au subjonctif (S).**

- Je souhaite que l'aide humanitaire **s'accroisse**.
- Ils constatent que vous **travaillez**.
- Il faut que chacun **soit** généreux.
- On sait que ce pays **se meurt**.

2 **Copie ces phrases en choisissant la forme du verbe qui convient.**

- Il faut que je (**peux/puisse**) partir rapidement.
- On attend qu'il (**fait/fasse**) une erreur.
- Il faut que vous lui (**dites/disiez**) la vérité.
- Je crains qu'ils ne (**veulent/veuillent**) pas de mon aide.

3 **Transforme ces phrases comme dans le modèle.**

Ex. Nous **assurons** leur sécurité.
→ Il faut que nous **assurions** leur sécurité.

- Nous recevons des dons.
- Les secouristes sont partis.
- Vous allez dans un endroit dangereux.
- Tu reviens de mission.

4 **Copie ces phrases en mettant les verbes entre parenthèses au présent de l'indicatif ou du subjonctif.**

- Il faut que tu (**réfléchir**) aux conséquences.
- Je souhaite qu'on (**définir**) les objectifs.
- Je crois que tu (**pouvoir**) faire mieux.
- Il est prévu que nous (**intervenir**).

→ JE RETIENS

- Le **présent de l'indicatif** marque surtout que l'action s'accomplit au moment où l'on parle :
La France **est** toujours présente. – Les organisations **font** campagne.
- Le **présent du subjonctif** exprime généralement un désir, un souhait, un ordre, un doute, un regret, une supposition : Il souhaite que les Français **viennent** en aide aux plus démunis.
- Quelques formes verbales de ces deux temps sont homophones. Pour ne pas les confondre, il faut simplement changer pour une des deux premières personnes du pluriel :
Ce malheureux **meurt** de faim. → Nous **mourons** de faim. (indicatif)
Il ne faut pas qu'il **meure** de faim. → Il ne faut pas que nous **mourions** de faim. (subjonctif)

Comment la société française

Cherchons ensemble

- **Qu'est-ce que la société de consommation ?**
- **Cite les appareils électriques qui se trouvent chez toi dans la cuisine.**
- **Y a-t-il des ordinateurs dans ton école ?**

Le sais-tu ?

Au milieu des années 1950, les hommes se lancent à la conquête de l'espace : en 1961, les Soviétiques envoient le premier homme dans l'espace et, en 1969, un Américain marche sur la Lune.

Doc. 1 : Une publicité pour un chauffe-eau au gaz, 1954.

? Observe ce document (**Doc. 1**). Où se passe la scène ? Décris-la.

? Quel produit est mis en avant par cette publicité ?

? À quoi vois-tu qu'il s'agit d'un départ en vacances (**Doc. 2**) ?

Doc. 2 : Le départ de vacanciers en 2CV et en 4CV, le 14 août 1963.

▶ Les années de prospérité

Après la Seconde Guerre mondiale, la plupart des pays du monde entrent dans une période de prospérité marquée par des progrès techniques considérables : développement des transports (automobiles et avions), invention de l'ordinateur, découverte de médicaments, construction de centrales nucléaires... Durant cette période de trente ans (1945-1975) que l'on appelle les « Trente Glorieuses », les biens de consommation se multiplient (voitures, télévisions, machines à laver, réfrigérateurs...) et la publicité se développe (**Doc. 1**). Le mode de vie des Français change. Leur niveau de vie augmente et ils sont de plus en plus nombreux à partir en vacances (**Doc. 2**). C'est le début de la **société de consommation** et de la société de loisirs.

Cités-Dortoirs

Cages à lapins, à poules
hlm, cités-dortoirs.
Chacun vit dedans sa boule
chacun dit bonjour, bonsoir.

Chacun porte seul sa peine
face à face, dos à dos.
Chacun parmi tous se traîne
au métro, boulot, dodo.

Puis le soir, dedans les cages,
chacun devant sa télé,
mange le même potage,
le même plat surgelé.

Et les enfants, aux fenêtres,
rêvent de jardins profonds.
« sœur Anne, vois-tu paraître
un peu d'herbe à l'horizon ? »

Liliane Wouters,
in Jacques Charpentreau,
La Ville des poètes,
coll. « Fleurs d'encre »,
© Hachette Jeunesse.

? À l'aide du poème, explique
ce qu'est une « cité-dortoir ».

▶ Aujourd'hui

Malgré les problèmes économiques qui continuent de
peser sur elle, la société française ne cesse d'évoluer. La
participation des femmes dans la vie économique et
dans la vie politique augmente. Cependant, confronté
aux problèmes de l'immigration et de la pauvreté, le
pays connaît de graves manifestations de racisme et
doit lutter contre différentes formes d'exclusion.

▶ Les années de crise

Au milieu des années 1970, la France, comme d'autres pays d'Europe,
connaît une grave crise économique qui provoque une forte hausse des
prix et la montée du chômage (Doc. 3). En dépit des mesures de lutte
contre le chômage (réduction du temps de travail à 39 heures par semaine
en 1981, 35 heures en 1998) une partie de la population tombe dans la
misère et la société devient de plus en plus inégalitaire.

? À ton avis, pourquoi ces gens ne veulent-ils pas
que l'usine ferme (Doc. 3) ?

Doc. 3 : Une manifestation contre la fermeture d'une usine, en 1978.

Lexique

la société de consommation :
société où l'abondance et la multiplication
des produits provoquent un besoin
de consommer toujours plus grand.

➡ JE RETIENS

• De 1945 à 1975, la société française connaît une période de prospérité. Les modes de vie
changent et les Français entrent dans l'ère de la société de consommation et de loisirs.
• Dans les années 1970, la crise économique apporte le chômage et la pauvreté.
• Aujourd'hui, la population évolue vers une société où les femmes occupent une place
plus importante. Mais elle est confrontée aux problèmes du racisme et de l'exclusion.

Les comparatifs et les superlatifs

Cherchons ensemble

- Lis le texte, puis observe les mots en orange. De quel mot sont-ils suivis ?
- Quels sont les deux éléments de la comparaison ?

> J'ai été content de retrouver la maison, elle sent bon, et puis ma chambre avec tous les jouets, et Maman est allée me préparer le déjeuner, et ça c'est chouette, parce qu'à la colo, on mangeait bien, mais Maman cuisine mieux que tout le monde, et même quand elle rate un gâteau, il est meilleur que n'importe quoi que vous ayez jamais mangé. Papa s'est assis dans un fauteuil pour lire son journal et moi je lui ai demandé :
> – Et qu'est-ce que je fais maintenant ?
>
> René Goscinny et Jean-Jacques Sempé,
> *Les Vacances du petit Nicolas*, © Éditions Denoël, 1962, 2003.

Une femme dans sa cuisine, vers 1960.

1 Copie ces phrases, puis entoure les adjectifs comparatifs. Indique s'il s'agit de comparatifs d'infériorité (I), d'égalité (É) ou de supériorité (S).

- Boris est plus grand que Sacha.
- Jules est moins rapide que Rachid.
- Chang est aussi jolie que Lucie.
- Ahmed travaille mieux que Jean.
- Dolorès est moins gentille qu'Alice.

2 Copie ces phrases en mettant les adjectifs entre parenthèses au superlatif. Pense aux accords.

- C'est (**beau**) film que j'aie vu.
- Ce sont les livres (**intéressant**) de la bibliothèque.
- Ce sont les filles (**gourmand**) de ma classe.
- C'est la maman (**gentil**) que je connaisse.

3 Copie ces phrases en les complétant avec les comparatifs demandés.

- (**infériorité**) – Cet immeuble est … haut … celui-là.
- (**supériorité**) – Son père est … âgé … sa mère.
- (**égalité**) – Tes cheveux sont … bouclés … les miens.

4 Copie ces phrases en mettant l'adjectif en gras au comparatif de supériorité ou au superlatif.

- Ma maison est (**grand**) que la tienne.
- C'est l'idée (**ridicule**) que j'aie entendue.
- C'est la chose (**difficile**) qui soit.

➜ JE RETIENS

- **Les comparatifs** permettent de comparer la qualité de deux noms (ou pronoms). Il existe des comparatifs d'infériorité, d'égalité et de supériorité :
Ce mot est **moins long que** celui-là. – Il est **aussi long que** celui-là. – Il est **plus long que** celui-là.
Il est **moins bien que** celui-ci. – Il est **aussi bien que** celui-ci. – Il est **mieux que** celui-ci.
- **Les superlatifs** permettent d'accentuer encore plus la qualité d'un nom (ou d'un pronom). Il existe des superlatifs d'infériorité et de supériorité :
Ce gâteau est **le moins gros** de tous. – Ce gâteau est **le plus gros** de tous. – C'est **le meilleur**.

Objectif : Ne pas confondre ces deux terminaisons, oralement très proches.

Orthographe

Participe passé en -é ou imparfait en -ait ?

Cherchons ensemble

- **Lis le texte. Repère les mots en** orange **et lis-les à voix haute. Que remarques-tu ?**
- **Observe ces verbes. Lequel est un participe passé. Lequel est un verbe conjugué à l'imparfait ?**

Depuis qu'ils étaient à la retraite, papy et mamie (les parents de Colette) vivaient dans l'ancienne ferme de pépé et mémé. La maison et le village avaient bien changé. Il n'y avait plus d'école ni de café, et l'épicerie de la mère Laplante venait juste de fermer. Le village se dépeuplait… C'était l'exode rural. Mais pendant les vacances la maison reprenait vie. Papy et mamie faisaient des risettes à Cécile, leur dernière petite-fille.

Gilles Bonotaux et Hélène Lasserre, *Quand ils avaient mon âge… 50 ans de vacances*, © Éditions Autrement, 2005.

Une épicerie dans un petit village à la campagne, en 1964.

1 **Copie ces phrases en les complétant avec la forme correcte du verbe.**

- Nous avions (**loué/louait**) une maison.
- L'été, il (**préféré/préférait**) faire du camping.
- Il s'(**été/était**) endormi dans le pré.
- Je ne suis jamais (**allé/allais**) en colonie de vacances.

2 **Copie ces phrases en mettant les verbes entre parenthèses à l'imparfait.**

- Quand j'(**être**) petit, je (**passer**) l'été chez ma mamie.
- Ma tante (**rester**) des heures dans son hamac.
- Les enfants (**partir**) tous les jours en promenade.
- Le camping à la ferme (**se développer**) rapidement.

3 **Copie ces phrases en mettant les verbes en gras au passé composé.**

- **J'allais** tous les jours à la piscine.
- Nous **économisions** toute l'année pour les vacances.
- Tu **aimais** faire des parties de cache-cache.
- Il **profitait** des vacances pour se reposer.
- Elles **organisaient** des pique-niques dans les bois.
- Vous **profitiez** du soleil.

4 **Copie ces phrases en complétant les verbes en gras par la bonne terminaison.**

- Le village **perd…** peu à peu ses habitants.
- Il a **décid…** d'aller vivre à la campagne.
- J'ai **particip…** à une randonnée à cheval.
- Tu **souhait…** acheter une maison.
- Nous sommes **rest…** longtemps dehors.
- Ils **choisi…** leur lieu de vacances.

JE RETIENS

- Oralement, on peut confondre les terminaisons de certaines formes de **l'imparfait** avec celles du **participe passé** des verbes du 1er groupe et des verbes **être** et **aller** :

il chang**ait** – il a chang**é**   ils ét**aient** – ils ont été   il all**ait** – il est all**é**.

- Pour les distinguer, on peut essayer de changer de personne ou de temps :

il chang**ait** – nous chang**ions**   il chang**ait** – je chang**e**   il a chang**é** – nous avons chang**é**.

La nature des mots

Cherchons ensemble

- **Lis le texte, puis observe les mots en** orange. **Donne la nature de chacun d'eux. Quels sont leur genre et leur nombre ?**
- **Repère les mots en** vert. **Quel est leur point commun ?**
- **Observe les mots en gras et donne leur nature.**

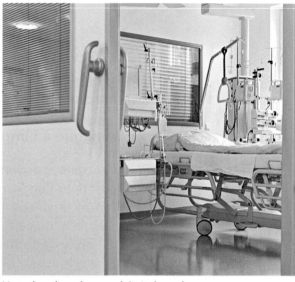

Une chambre dans un hôpital moderne.

> Et puis, à l'hôpital, il y a **aussi** des tas de panneaux lumineux avec des inscriptions un peu bizarres **dessus**, c'est comme si ce n'était pas vraiment du français : *Traumatologie, Bloc opératoire, Maternité, Scanner, Ch. 101 à 215…* j'en **passe** **et** des meilleures… Un vrai labyrinthe ! En plus, tous les étages **se ressemblent** – si ce n'est la couleur des murs – et il y a **partout** des affiches pas vraiment rassurantes : *Drogue, Sida, MST… parlons-en !* ou *Vaccination : le geste qui sauve !…*
>
> Cécile Demeyère-Fogelgesang, *Chambre 203*, Le Livre de Poche Jeunesse, 2002.

1 **Copie ces phrases, puis entoure tous les verbes. Indique s'ils sont conjugués ou s'ils sont à l'infinitif.**

- Sais-tu à quoi sert la vaccination ?
- Ils ont décidé de construire un hôpital plus moderne.
- Ils ont obtenu que soit installé un scanner.
- L'accueil des malades ne se fait que le matin.

2 **Copie ces phrases, puis entoure tous les mots invariables. Précise leur nature.**

- Le blessé a aussitôt été transporté aux urgences.
- L'infirmière se dévoue inlassablement.
- Aujourd'hui, les technologies médicales progressent.
- Je sortirai très prochainement de l'hôpital.

3 **Copie ces phrases. Entoure les déterminants et souligne les noms.**

- Mon médecin m'a conseillé ce sirop.
- Cette opération chirurgicale est très délicate.
- Quelques malades déambulent dans les couloirs de l'hôpital.
- Certains soins réclament une attention particulière.

4 **Copie ces phrases, puis indique sous chaque mot sa nature.**

- L'intervention a duré trois heures.
- Ce chirurgien est un spécialiste de la microchirurgie.
- Mon médecin travaille dans un cabinet privé en ville.

→ JE RETIENS

- Les mots n'appartiennent pas tous à la même **catégorie grammaticale** : c'est ce qui constitue leur **nature**. La nature d'un mot ne change jamais, quelle que soit la place du mot dans la phrase.
- Lorsqu'on écrit, il est important de retrouver la nature d'un mot car certains sont invariables (les adverbes, les prépositions, les conjonctions, etc.) et d'autres s'accordent (les noms, les déterminants, les adjectifs, les verbes, les pronoms) :

Cet	hôpital	est	moderne,	mais	il	est	loin	de	tout.
(dét.)	(nom)	(v.)	(adj.)	(conj.)	(pronom)	(v.)	(adv.)	(prép.)	(pronom)

Objectif : Repérer les formes écrites de l'impératif et la singularité des verbes du 1ᵉʳ gr. à la 2ᵉ pers. du sing.

Le présent de l'impératif

Cherchons ensemble

- Lis le texte, puis observe le verbe en orange. Quelle est sa terminaison ?
- Quel est son sujet ?

Une famille à table qui regarde le journal télévisé.

> La fermeture de l'usine était le premier titre du jour et, après deux trois phrases d'explications, le présentateur a lancé le reportage.
> – Regardez ! C'est l'usine ! a braillé Laura.
> – Évidemment ! j'ai répondu d'un air exaspéré. Ils allaient pas filmer la tour Eiffel !
> – Chut ! est intervenu Papi.
> – Là ! C'est tonton Ahmed ! a dit Jess pour qui n'importe quel homme adulte était un oncle.
> – On le reconnaît bien, a dit maman.
>
> Mikaël Ollivier, *Star-Crossed Lovers*,
> © Éditions Thierry Magnier, 2002.

1 Écris ces phrases en mettant le verbe à la 2ᵉ personne du singulier.

- Allumez la télévision.
- Regardez attentivement ce reportage.
- Écoutons ce que dit l'animateur.
- Appelez le caméraman.
- Approchons-nous du micro.
- Ne parlez plus.

2 Conjugue ces verbes au présent de l'impératif en les mettant à la forme négative.

- **manquer** son rendez-vous
- **lire** le journal
- **agir** rapidement
- **faire** une remarque

3 Transforme ces phrases selon l'exemple, en conservant la personne.

Ex. Nous devons passer un entretien.
→ Passons un entretien.

- Tu dois finir ton travail.
- Vous devez envoyer votre candidature.
- Tu dois dire ce que tu penses.
- Nous devons rédiger un article sensationnel.
- Vous devez consulter les petites annonces.

4 Copie ces phrases en écrivant les verbes en orange à la 2ᵉ personne du singulier du présent de l'impératif et ceux en gras au présent de l'indicatif.

- (Envoyer) le communiqué de presse au journal régional.
- Tu (**être**) inactif : (chercher) du travail !
- (Essayer) de me convaincre.
- Le patron (**prononcer**) un discours : (enregistrer)-le.

→ JE RETIENS

- **L'impératif** est employé pour donner **des ordres, des conseils** ou formuler **une interdiction**.
Il n'y a que **trois personnes** et le sujet n'est jamais exprimé :
regarder (1ᵉʳ groupe) : regarde – regardons – regardez
réagir (2ᵉ groupe) : réagis – réagissons – réagissez
répondre (3ᵉ groupe) : réponds – répondons – répondez
Attention ! pour les verbes du **1ᵉʳ groupe, à la 2ᵉ personne du singulier**, la terminaison est **-e**.
- Quelques verbes ont des formes particulières :
être : sois – soyons – soyez   **avoir** : aie, ayons, ayez   **aller** : va – allons – allez.

Écrire un texte humoristique

Cherchons ensemble

- Lis le texte. Où se passe cette scène de théâtre ?
- Quels sont les différents personnages ?
- À ton avis, qui sont Thomas et Virginie ?
- Quel événement vient perturber la classe de Mlle Duchemin ?
- Observe les phrases en orange. Pourquoi ce que dit Thomas est-il drôle ?
- Observe le mot en vert. Que fait Mlle Duchemin quand elle entend ce mot ? Pourquoi ? Quelle réaction cela provoque-t-il chez les élèves ?

Une souris et un clavier.

École branchée

LE DIRECTEUR

[...] Le ministère s'est enfin décidé à nous attribuer des ordinateurs ! Un par classe ! Je les ai reçus ce matin, avec cette circulaire du ministre... Je vous en cite quelques extraits : *(Il déplie un papier.)* « La révolution technologique est là et bien là. Donnons à nos enfants les moyens de profiter de ces fabuleux outils de communication. C'est notre tâche la plus urgente ! »* [...]
Le directeur sort. Aussitôt, Thomas en tête, les enfants se précipitent sur l'ordinateur avec des cris de joie et commencent à tout déballer...

MADEMOISELLE DUCHEMIN, *ne sachant plus où donner de la tête.*

– Mais ça... ça se branche ?

THOMAS, *rigolard.*

– Vous croyez pas que ça marche au charbon, quand même ?

VIRGINIE, *très calme, maîtrisant parfaitement la situation.*

– Ne vous inquiétez pas, mademoiselle. Il n'y en a pas pour longtemps, il faut juste initialiser la disquette d'installation, brancher le câble d'interface dans le port du modem avec le module d'alimentation de la souris et...

MADEMOISELLE DUCHEMIN, *paniquée, grimpant sur une chaise.*

– La souris ? Quelle souris ? Je ne supporte pas les souris !

Au milieu des enfants écroulés de rire, Thomas force Mademoiselle Duchemin à descendre de sa chaise et à s'asseoir à côté de lui, face à l'écran et au public.

THOMAS, *montrant la souris de l'ordinateur.*

– Mais non ! La souris, c'est ça, regardez ! Vous cliquez, vous double-cliquez, vous faites ce que vous voulez avec ! Qu'est-ce que vous voulez faire ? Une bataille navale, un démineur, un poker, un morpion ?

MADEMOISELLE DUCHEMIN.

– Rien de tout ça ! Quelle horreur !

Virginie s'assied de l'autre côté de l'institutrice et prend en main un CD-ROM.

VIRGINIE, *bousculant Thomas.*

– Mais vous pouvez aussi trouver plein d'informations... En histoire, en géographie, en musique, en peinture, en sculpture, dans ce petit disque, il y a l'équivalent de vingt-trois volumes d'encyclopédie...

MADEMOISELLE DUCHEMIN, *stupéfaite.*

– Vingt-trois volumes ! Et moi qui n'en ai même pas un dans ma classe depuis trente ans ! [...]

La sonnerie retentit. Les enfants commencent à partir en courant...

Fanny Joly, *Si on jouait ?*, Le Livre de Poche Jeunesse, 1999.

Objectif : Créer une complicité entre l'auteur et le lecteur au travers une situation humoristique.

1 Lis ce texte et recherche l'élément comique.

« Attention ! ici, pas question de crier ou de cavaler dans tous les sens… Le musée des Beaux-Arts, ce n'est pas la cour de récréation ! Et puis, je vous le répète pour la dernière fois, il est strictement interdit de toucher aux peintures et aux sculptures ! C'est bien compris ? » […]
Derrière moi, Joël traînait des pieds en protestant :
« C'est nul, je n'avais pas bien compris ; je croyais qu'on allait visiter le musée des Beaux Lézards ! Les peintures, c'est complètement nul ! Moi, je voulais voir des serpents, des crocodiles, des… »

Hubert Ben Kemoun, *Comment ma mère est devenue célèbre*, Le Livre de Poche Jeunesse, 2001.

2 Associe ces mots à double sens à leurs définitions et utilise-les dans une phrase qui fera sourire.

une bière – un palais – un fou – le son – une touche

- un grand bâtiment ou la partie supérieure interne de la bouche
- une boisson gazeuse ou un cercueil
- homme chargé de distraire le roi ou personne qui n'a plus sa raison
- du bruit ou une substance végétale
- pièce d'un clavier ou petite secousse qui indique que le poisson mord à l'hameçon

3 Lis cette interview. Quel est l'élément comique ? À travers cette scène, que critique l'auteur ?

LE JOURNALISTE : Justement, en parlant du club de football de Saint-Martin, une partie des supporters trouve curieux que vos fils soient tous titulaires en équipe première.
LE PRÉSIDENT DU CLUB : C'est une attaque personnelle ! Mes cinq fils ont le niveau requis. C'est l'entraîneur qui décide quand même !
LE JOURNALISTE : Mais l'entraîneur est un proche parent ?
LE PRÉSIDENT DU CLUB : En effet, c'est mon frère. Il est le meilleur !
LE JOURNALISTE : Les rumeurs disent qu'un nouveau gardien de but devrait arriver ?
LE PRÉSIDENT DU CLUB : Oui, je suis actuellement en pourparler avec un excellent gardien. Comme il est mineur, il viendra si son père est d'accord. Et, pour parler franchement, comme je suis d'accord, il viendra.

4 Cherche le sens des expressions ci-dessous puis utilise-les dans un court texte en les prenant « au pied de la lettre » pour ménager un effet comique comme dans l'exemple.

Ex. exécuter un ordre
→ Le pharmacien décida d'**exécuter** l'ordonnance qu'on lui tendait. Il alla chercher **un fusil**…

ne pas être dans son assiette – tomber dans le panneau – manger sur le pouce – prêter l'oreille – faire une queue de poisson – ne pas avoir sa langue dans sa poche – prendre la porte

JE RETIENS

- **Un texte humoristique**, qu'il soit lu ou joué, est destiné à **faire rire**. Pour cela l'auteur utilise :
– **des situations** basées sur l'opposition entre des personnages (l'institutrice/des élèves), leurs caractères (traditionnel/moderne), leurs habitudes (une dictée/un ordinateur) ;
– **des mots à double sens** (la souris) qui peuvent provoquer des quiproquos, des malentendus entre plusieurs personnes.
- Un texte humoristique permet souvent de mettre en évidence les défauts ou les excès d'un personnage, de proposer une vision critique de la société. Il n'est jamais méchant ; il ne cherche qu'à accentuer les attitudes des uns et des autres pour provoquer le rire.

Alphabet phonétique

1. LES VOYELLES

[i] i   : une crise
     y   : un cyclone

[a] a   : un esclave, le climat

[ɑ] â   : un âne

[e] é   : une résidence
     er : un foyer
     ez : un nez

[ɛ] è   : une sphère
     ê   : une tête
     ai, aî : une baie, un maître
     ei : la neige
     et : un alphabet
     e + cons. : le bec, le relief, la mer
     e + double cons. : une palette, elle, la terre

[ə] e   : devenir

[œ] eu : un propulseur
     œu : un cœur

[ø] eu : une banlieue
     œu : un nœud

[y] u   : une rue
     û   : sûr
     eu : tu as eu

[o] o   : le métro
     ô   : un pôle
     au : une épaule
     eau : un bateau

[ɔ] o   : un col
     au : Paul

[u] ou : rouge

[ɑ̃] an, am : un océan, un ambassadeur
     en, em : résidentiel, un empire, le temps

[ɔ̃] on, om : un bidonville, rompre

[ɛ̃] in, im : un bassin, une imprimerie
     ein : une empreinte
     ain, aim : une main, la faim

[œ̃] un, um : lundi, un parfum

2. LES SEMI-VOYELLES

[j] y   : les yeux
     i   : un panier
     il, ill : un œil, une bataille

[ɥ]   : un druide, un duel

[w]   : une mouette, oui

[wa] oi : le roi

[wɛ̃] oin : loin

3. LES CONSONNES

[p] p, pp : un pictogramme, une steppe

[b] b, bb : une bibliothèque, un abbé

[t] t, tt : une photographie, attendre

[d] d, dd : un calendrier, une addition

[k] c, cc : un continent, accomplir
     qu, q : une mosaïque, un coq
     k   : le ski
     ch : une chronologie
     ck : un ticket

[g] g, gu : une gare, une guerre

[f] f, ff : une falaise, une offrande
     ph : la périphérie

[v] v   : un versant
     w   : un wagon

[s] s, ss : la Seine, un bassin
     c, ç : une différence, une façon
     t   : une portion
     sc : fascinant

[z] z   : une zone
     s   : un artisan
     x   : le dixième

[ʃ] ch : un chamois

[ʒ] j   : le jugement
     g   : émergée, métallurgie

[m] m, mm : l'humanité, un homme

[n] n, nn : un nomade, le tonnerre

[ɲ] gn : une montagne

[l] l, ll : altitude, une ville

[r] r, rr : rural, la Terre

[ŋ] ng : un camping

La nature des mots

NOMS PROPRES	fém. masc. plur.	Marseille Émile Zola les Alpes
NOMS COMMUNS	fém. masc. plur.	une ville un écrivain des montagnes
ARTICLES DÉFINIS le – la – l' – les – au – aux	fém. masc. plur.	la plantation le paysage aux points cardinaux
ARTICLES INDÉFINIS un – une – des	fém. masc. plur.	une bourgeoise un ouvrier des républicains
DÉTERMINANTS POSSESSIFS mon – ton – son – ma – ta – sa – mes – tes – ses – notre – votre – leur – nos – vos – leurs	fém. masc. plur.	ma récolte de blé mon champ labouré nos arbres fleuris
DÉTERMINANTS DÉMONSTRATIFS ce – cet – cette – ces	fém. masc. plur.	cette mosquée ce temple ces églises
DÉTERMINANTS NUMÉRAUX un – deux – trois – quatre – dix – vingt – cent – mille…		un roi deux princesses quatre enfants
ADJECTIFS QUALIFICATIFS	fém. masc. plur.	une dentelle blanche un beau tableau de drôles d'inventions
PRONOMS PERSONNELS sujet : je – tu – il – elle – nous – vous – ils – elles réfléchi : me – te – se – nous – vous – se	sing. plur.	Je vis au soleil. Nous marchons sous la pluie. Ils se reposent.
PRONOMS POSSESSIFS le mien – la mienne – les miens – les miennes – le tien – la tienne – les tiens – les tiennes – le sien – la sienne – les siens – les siennes – le nôtre – la nôtre – les nôtres – le vôtre – la vôtre – les vôtres – le leur – la leur – les leurs	fém. masc. plur.	Donne-lui la sienne. Tu dois rendre le tien. Ce sont les miens.
PRONOMS DÉMONSTRATIFS ce – c' – celui – celle – ceci – cela – ça – celui-ci – celle-ci – celui-là – celle-là – ceux – celles – ceux-ci – celles-ci – ceux-là – celles-là	fém. masc. plur.	Je veux celle-ci. Ça ne lui ressemble pas. Ceux-ci sont meilleurs.
PRONOMS RELATIFS qui – que – quoi – dont – où – lequel – auquel…		Voici un livre qui me plaît. Dis-lui où tu l'as mis. Les droits pour lesquels il se bat.
VERBES Auxiliaires : être – avoir 1er groupe : infinitif en -er (sauf aller) 2e groupe : infinitif en -ir (-issant) 3e groupe : tous les autres verbes	1er gr. 2e gr. 3e gr.	Elle est à l'heure. Les femmes ont une vie plus longue. Il porte des pantalons. Tu finiras ton travail. Nous disons des bêtises.
ADVERBES toujours – jamais – assez – loin – lentement – ensuite – beaucoup…		J'en ai assez de tous ces musées. Pierre parle lentement à sa grand-mère. Les touristes sont loin de chez eux.
PRÉPOSITIONS à – de – pour – en – avant – après – sur – devant – dans – derrière – le long de – au-dessus de – au-dessous de – au milieu de – autour de – avec – sans…		Elle s'est faite belle pour la fête. Il marche le long de la route. Après dîner, ils vont au cinéma.
CONJONCTIONS de coordination : mais – ou – et – donc – or – ni – car de subordination : parce que – quand – lorsque – si…		J'ai faim, car je n'ai rien avalé. Ils viendront, si vous êtes là.

La conjugaison
des auxiliaires **être** et **avoir**

ÊTRE		AVOIR	
Présent de l'indicatif	**Imparfait** de l'indicatif	**Présent** de l'indicatif	**Imparfait** de l'indicatif
je suis tu es il (elle) est nous sommes vous êtes ils (elles) sont	j'étais tu étais il (elle) était nous étions vous étiez ils (elles) étaient	j'ai tu as il (elle) a nous avons vous avez ils (elles) ont	j'avais tu avais il (elle) avait nous avions vous aviez ils (elles) avaient
Futur simple de l'indicatif	**Passé simple** de l'indicatif	**Futur simple** de l'indicatif	**Passé simple** de l'indicatif
je serai tu seras il (elle) sera nous serons vous serez ils (elles) seront	je fus tu fus il (elle) fut nous fûmes vous fûtes ils (elles) furent	j'aurai tu auras il (elle) aura nous aurons vous aurez ils (elles) auront	j'eus tu eus il (elle) eut nous eûmes vous eûtes ils (elles) eurent
Passé composé de l'indicatif	**Plus-que-parfait** de l'indicatif	**Passé composé** de l'indicatif	**Plus-que-parfait** de l'indicatif
il (elle) a été	il (elle) avait été	il (elle) a eu	il (elle) avait eu
Futur antérieur de l'indicatif	**Passé antérieur** de l'indicatif	**Futur antérieur** de l'indicatif	**Passé antérieur** de l'indicatif
il (elle) aura été	il (elle) eut été	il (elle) aura eu	il (elle) eut eu
Présent du conditionnel	**Présent** du subjonctif	**Présent** du conditionnel	**Présent** du subjonctif
je serais tu serais il (elle) serait nous serions vous seriez ils (elles) seraient	que je sois que tu sois qu'il (elle) soit que nous soyons que vous soyez qu'ils (elles) soient	j'aurais tu aurais il (elle) aurait nous aurions vous auriez ils (elles) auraient	que j'aie que tu aies qu'il (elle) ait que nous ayons que vous ayez qu'ils (elles) aient
Présent de l'impératif		**Présent de l'impératif**	
sois – soyons – soyez		aie – ayons – ayez	

La conjugaison des verbes
du 1ᵉʳ groupe **chanter** et **appeler**

CHANTER		APPELER	
Présent de l'indicatif	**Imparfait** de l'indicatif	**Présent** de l'indicatif	**Imparfait** de l'indicatif
je chante tu chantes il (elle) chante nous chantons vous chantez ils (elles) chantent	je chantais tu chantais il (elle) chantait nous chantions vous chantiez ils (elles) chantaient	j'appelle tu appelles il (elle) appelle nous appelons vous appelez ils (elles) appellent	j'appelais tu appelais il (elle) appelait nous appelions vous appeliez ils (elles) appelaient
Futur simple de l'indicatif	**Passé simple** de l'indicatif	**Futur simple** de l'indicatif	**Passé simple** de l'indicatif
je chanterai tu chanteras il (elle) chantera nous chanterons vous chanterez ils (elles) chanteront	je chantai tu chantas il (elle) chanta nous chantâmes vous chantâtes ils (elles) chantèrent	j'appellerai tu appelleras il (elle) appellera nous appellerons vous appellerez ils (elles) appelleront	j'appelai tu appelas il (elle) appela nous appelâmes vous appelâtes ils (elles) appelèrent
Passé composé de l'indicatif	**Plus-que-parfait** de l'indicatif	**Passé composé** de l'indicatif	**Plus-que-parfait** de l'indicatif
il (elle) a chanté	il (elle) avait chanté	il (elle) a appelé	il (elle) avait appelé
Futur antérieur de l'indicatif	**Passé antérieur** de l'indicatif	**Futur antérieur** de l'indicatif	**Passé antérieur** de l'indicatif
il (elle) aura chanté	il (elle) eut chanté	il (elle) aura appelé	il (elle) eut appelé
Présent du conditionnel	**Présent** du subjonctif	**Présent** du conditionnel	**Présent** du subjonctif
je chanterais tu chanterais il (elle) chanterait nous chanterions vous chanteriez ils (elles) chanteraient	que je chante que tu chantes qu'il (elle) chante que nous chantions que vous chantiez qu'ils (elles) chantent	j'appellerais tu appellerais il (elle) appellerait nous appellerions vous appelleriez ils (elles) appelleraient	que j'appelle que tu appelles qu'il (elle) appelle que nous appelions que vous appeliez qu'ils (elles) appellent
Présent de l'impératif		**Présent de l'impératif**	
chante – chantons – chantez		appelle – appelons – appelez	

La conjugaison des verbes
du 1ᵉʳ groupe **acheter** et du 2ᵉ groupe **grandir**

ACHETER		GRANDIR	
Présent de l'indicatif	**Imparfait** de l'indicatif	**Présent** de l'indicatif	**Imparfait** de l'indicatif
j'achète tu achètes il (elle) achète nous achetons vous achetez ils (elles) achètent	j'achetais tu achetais il (elle) achetait nous achetions vous achetiez ils (elles) achetaient	je grandis tu grandis il (elle) grandit nous grandissons vous grandissez ils (elles) grandissent	je grandissais tu grandissais il (elle) grandissait nous grandissions vous grandissiez ils (elles) grandissaient
Futur simple de l'indicatif	**Passé simple** de l'indicatif	**Futur simple** de l'indicatif	**Passé simple** de l'indicatif
j'achèterai tu achèteras il (elle) achètera nous achèterons vous achèterez ils (elles) achèteront	j'achetai tu achetas il (elle) acheta nous achetâmes vous achetâtes ils (elles) achetèrent	je grandirai tu grandiras il (elle) grandira nous grandirons vous grandirez ils (elles) grandiront	je grandis tu grandis il (elle) grandit nous grandîmes vous grandîtes ils (elles) grandirent
Passé composé de l'indicatif	**Plus-que-parfait** de l'indicatif	**Passé composé** de l'indicatif	**Plus-que-parfait** de l'indicatif
il (elle) a acheté	il (elle) avait acheté	il (elle) a grandi	il (elle) avait grandi
Futur antérieur de l'indicatif	**Passé antérieur** de l'indicatif	**Futur antérieur** de l'indicatif	**Passé antérieur** de l'indicatif
il (elle) aura acheté	il (elle) eut acheté	il (elle) aura grandi	il (elle) eut grandi
Présent du conditionnel	**Présent** du subjonctif	**Présent** du conditionnel	**Présent** du subjonctif
j'achèterais tu achèterais il (elle) achèterait nous achèterions vous achèteriez ils (elles) achèteraient	que j'achète que tu achètes qu'il (elle) achète que nous achetions que vous achetiez qu'ils (elles) achètent	je grandirais tu grandirais il (elle) grandirait nous grandirions vous grandiriez ils (elles) grandiraient	que je grandisse que tu grandisses qu'il (elle) grandisse que nous grandissions que vous grandissiez qu'ils (elles) grandissent
Présent de l'impératif		**Présent de l'impératif**	
achète – achetons – achetez		grandis – grandissons – grandissez	

La conjugaison des verbes du 3ᵉ groupe **partir** et **venir**

PARTIR		VENIR	
Présent de l'indicatif	**Imparfait** de l'indicatif	**Présent** de l'indicatif	**Imparfait** de l'indicatif
je pars tu pars il (elle) part nous partons vous partez ils (elles) partent	je partais tu partais il (elle) partait nous partions vous partiez ils (elles) partaient	je viens tu viens il (elle) vient nous venons vous venez ils (elles) viennent	je venais tu venais il (elle) venait nous venions vous veniez ils (elles) venaient
Futur simple de l'indicatif	**Passé simple** de l'indicatif	**Futur simple** de l'indicatif	**Passé simple** de l'indicatif
je partirai tu partiras il (elle) partira nous partirons vous partirez ils (elles) partiront	je partis tu partis il (elle) partit nous partîmes vous partîtes ils (elles) partirent	je viendrai tu viendras il (elle) viendra nous viendrons vous viendrez ils (elles) viendront	je vins tu vins il (elle) vint nous vînmes vous vîntes ils (elles) vinrent
Passé composé de l'indicatif	**Plus-que-parfait** de l'indicatif	**Passé composé** de l'indicatif	**Plus-que-parfait** de l'indicatif
il (elle) est parti(e)	il (elle) était parti(e)	il (elle) est venu(e)	il (elle) était venu(e)
Futur antérieur de l'indicatif	**Passé antérieur** de l'indicatif	**Futur antérieur** de l'indicatif	**Passé antérieur** de l'indicatif
il (elle) sera parti(e)	il (elle) fut parti(e)	il (elle) sera venu(e)	il (elle) fut venu(e)
Présent du conditionnel	**Présent** du subjonctif	**Présent** du conditionnel	**Présent** du subjonctif
je partirais tu partirais il (elle) partirait nous partirions vous partiriez ils (elles) partiraient	que je parte que tu partes qu'il (elle) parte que nous partions que vous partiez qu'ils (elles) partent	je viendrais tu viendrais il (elle) viendrait nous viendrions vous viendriez ils (elles) viendraient	que je vienne que tu viennes qu'il (elle) vienne que nous venions que vous veniez qu'ils (elles) viennent
Présent de l'impératif		**Présent de l'impératif**	
pars – partons – partez		viens – venons – venez	

La conjugaison des verbes du 3ᵉ groupe **aller** et **faire**

ALLER		FAIRE	
Présent de l'indicatif	**Imparfait** de l'indicatif	**Présent** de l'indicatif	**Imparfait** de l'indicatif
je vais tu vas il (elle) va nous allons vous allez ils (elles) vont	j'allai tu allais il (elle) allait nous allions vous alliez ils (elles) allaient	je fais tu fais il (elle) fait nous faisons vous faites ils (elles) font	je faisais tu faisais il (elle) faisait nous faisions vous faisiez ils (elles) faisaient
Futur simple de l'indicatif	**Passé simple** de l'indicatif	**Futur simple** de l'indicatif	**Passé simple** de l'indicatif
j'irai tu iras il (elle) ira nous irons vous irez ils (elles) iront	j'allai tu allas il (elle) alla nous allâmes vous allâtes ils (elles) allèrent	je ferai tu feras il (elle) fera nous ferons vous ferez ils (elles) feront	je fis tu fis il (elle) fit nous fîmes vous fîtes ils (elles) firent
Passé composé de l'indicatif	**Plus-que-parfait** de l'indicatif	**Passé composé** de l'indicatif	**Plus-que-parfait** de l'indicatif
il (elle) est allé(e)	il (elle) était allé(e)	il (elle) a fait	il (elle) avait fait
Futur antérieur de l'indicatif	**Passé antérieur** de l'indicatif	**Futur antérieur** de l'indicatif	**Passé antérieur** de l'indicatif
il (elle) sera allé(e)	il (elle) fut allé(e)	il (elle) aura fait	il (elle) eut fait
Présent du conditionnel	**Présent** du subjonctif	**Présent** du conditionnel	**Présent** du subjonctif
j'irais tu irais il (elle) irait nous irions vous iriez ils (elles) iraient	que j'aille que tu ailles qu'il (elle) aille que nous allions que vous alliez qu'ils (elles) aillent	je ferais tu ferais il (elle) ferait nous ferions vous feriez ils (elles) feraient	que je fasse que tu fasses qu'il (elle) fasse que nous fassions que vous fassiez qu'ils (elles) fassent
Présent de l'impératif		**Présent de l'impératif**	
va – allons – allez		fais – faisons – faites	

La conjugaison des verbes
du 3ᵉ groupe **prendre** et **dire**

PRENDRE		DIRE	
Présent de l'indicatif	**Imparfait** de l'indicatif	**Présent** de l'indicatif	**Imparfait** de l'indicatif
je prends tu prends il (elle) prend nous prenons vous prenez ils (elles) prennent	je prenais tu prenais il (elle) prenait nous prenions vous preniez ils (elles) prenaient	je dis tu dis il (elle) dit nous disons vous dites ils (elles) disent	je disais tu disais il (elle) disait nous disions vous disiez ils (elles) disaient
Futur simple de l'indicatif	**Passé simple** de l'indicatif	**Futur simple** de l'indicatif	**Passé simple** de l'indicatif
je prendrai tu prendras il (elle) prendra nous prendrons vous prendrez ils (elles) prendront	je pris tu pris il (elle) prit nous prîmes vous prîtes ils (elles) prirent	je dirai tu diras il (elle) dira nous dirons vous direz ils (elles) diront	je dis tu dis il (elle) dit nous dîmes vous dîtes ils (elles) dirent
Passé composé de l'indicatif	**Plus-que-parfait** de l'indicatif	**Passé composé** de l'indicatif	**Plus-que-parfait** de l'indicatif
il (elle) a pris	il (elle) avait pris	il (elle) a dit	il (elle) avait dit
Futur antérieur de l'indicatif	**Passé antérieur** de l'indicatif	**Futur antérieur** de l'indicatif	**Passé antérieur** de l'indicatif
il (elle) aura pris	il (elle) eut pris	il (elle) aura dit	il (elle) eut dit
Présent du conditionnel	**Présent** du subjonctif	**Présent** du conditionnel	**Présent** du subjonctif
je prendrais tu prendrais il (elle) prendrait nous prendrions vous prendriez ils (elles) prendraient	que je prenne que tu prennes qu'il (elle) prenne que nous prenions que vous preniez qu'ils (elles) prennent	je dirais tu dirais il (elle) dirait nous dirions vous diriez ils (elles) diraient	que je dise que tu dises qu'il (elle) dise que nous disions que vous disiez qu'ils (elles) disent
Présent de l'impératif		**Présent de l'impératif**	
prends – prenons – prenez		dis – disons – dites	

La conjugaison des verbes du 3ᵉ groupe **voir** et **pouvoir**

VOIR		POUVOIR	
Présent de l'indicatif	**Imparfait** de l'indicatif	**Présent** de l'indicatif	**Imparfait** de l'indicatif
je vois tu vois il (elle) voit nous voyons vous voyez ils (elles) voient	je voyais tu voyais il (elle) voyait nous voyions vous voyiez ils (elles) voyaient	je peux tu peux il (elle) peut nous pouvons vous pouvez ils (elles) peuvent	je pouvais tu pouvais il (elle) pouvait nous pouvions vous pouviez ils (elles) pouvaient
Futur simple de l'indicatif	**Passé simple** de l'indicatif	**Futur simple** de l'indicatif	**Passé simple** de l'indicatif
je verrai tu verras il (elle) verra nous verrons vous verrez ils (elles) verront	je vis tu vis il (elle) vit nous vîmes vous vîtes ils (elles) virent	je pourrai tu pourras il (elle) pourra nous pourrons vous pourrez ils (elles) pourront	je pus tu pus il (elle) put nous pûmes vous pûtes ils (elles) purent
Passé composé de l'indicatif	**Plus-que-parfait** de l'indicatif	**Passé composé** de l'indicatif	**Plus-que-parfait** de l'indicatif
il (elle) a vu	il (elle) avait vu	il (elle) a pu	il (elle) avait pu
Futur antérieur de l'indicatif	**Passé antérieur** de l'indicatif	**Futur antérieur** de l'indicatif	**Passé antérieur** de l'indicatif
il (elle) aura vu	il (elle) eut vu	il (elle) aura pu	il (elle) eut pu
Présent du conditionnel	**Présent** du subjonctif	**Présent** du conditionnel	**Présent** du subjonctif
je verrais tu verrais il (elle) verrait nous verrions vous verriez ils (elles) verraient	que je voie que tu voies qu'il (elle) voie que nous voyions que vous voyiez qu'ils (elles) voient	je pourrais tu pourrais il (elle) pourrait nous pourrions vous pourriez ils (elles) pourraient	que je puisse que tu puisses qu'il (elle) puisse que nous puissions que vous puissiez qu'ils (elles) puissent
Présent de l'impératif		**Présent de l'impératif**	
vois – voyons – voyez		pas de formes	

La conjugaison des verbes du 3ᵉ groupe **devoir** et **savoir**

DEVOIR		SAVOIR	
Présent de l'indicatif	**Imparfait** de l'indicatif	**Présent** de l'indicatif	**Imparfait** de l'indicatif
je dois tu dois il (elle) doit nous devons vous devez ils (elles) doivent	je devais tu devais il (elle) devait nous devions vous deviez ils (elles) devaient	je sais tu sais il (elle) sait nous savons vous savez ils (elles) savent	je savais tu savais il (elle) savait nous savions vous saviez ils (elles) savaient
Futur simple de l'indicatif	**Passé simple** de l'indicatif	**Futur simple** de l'indicatif	**Passé simple** de l'indicatif
je devrai tu devras il (elle) devra nous devrons vous devrez ils (elles) devront	je dus tu dus il (elle) dut nous dûmes vous dûtes ils (elles) durent	je saurai tu sauras il (elle) saura nous saurons vous saurez ils (elles) sauront	je sus tu sus il (elle) sut nous sûmes vous sûtes ils (elles) surent
Passé composé de l'indicatif	**Plus-que-parfait** de l'indicatif	**Passé composé** de l'indicatif	**Plus-que-parfait** de l'indicatif
il (elle) a dû	il (elle) avait dû	il (elle) a su	il (elle) avait su
Futur antérieur de l'indicatif	**Passé antérieur** de l'indicatif	**Futur antérieur** de l'indicatif	**Passé antérieur** de l'indicatif
il (elle) aura dû	il (elle) eut dû	il (elle) aura su	il (elle) eut su
Présent du conditionnel	**Présent** du subjonctif	**Présent** du conditionnel	**Présent** du subjonctif
je devrais tu devrais il (elle) devrait nous devrions vous devriez ils (elles) devraient	que je doive que tu doives qu'il (elle) doive que nous devions que vous deviez qu'ils (elles) doivent	je saurais tu saurais il (elle) saurait nous saurions vous sauriez ils (elles) sauraient	que je sache que tu saches qu'il (elle) sache que nous sachions que vous sachiez qu'ils (elles) sachent
Présent de l'impératif		**Présent de l'impératif**	
pas de formes		sache – sachons – sachez	

Lexique d'histoire

A

Abdiquer : renoncer au pouvoir.

Abolition : suppression, annulation.

Abstrait : qui ne représente pas la réalité.

Académisme : art qui respecte les règles établies depuis l'Antiquité et la Renaissance.

Actionnaire : personne qui possède une partie du capital d'une entreprise.

Armistice : accord entre des pays en guerre pour cesser le combat.

Association : groupe de personnes qui ont un but commun.

B

Bourgeois : personne généralement aisée qui ne travaille pas de ses mains.

C

Cahier de doléances : recueil des plaintes et des réclamations du peuple.

Camp de concentration : lieu où sont enfermés des prisonniers dans des conditions horribles.

Camp d'extermination : lieu où sont systématiquement tués des prisonniers.

Capitalisme : système économique où les entreprises appartiennent à des personnes privées et non à l'État.

Char : véhicule blindé armé d'un canon et monté sur des chenilles.

Choc pétrolier : hausse importante du prix du pétrole.

Code civil : recueil de lois qui régissent la vie des personnes.

Collaboration : actions ou personnes qui aident les occupants allemands.

Comptoir : port de commerce établi par une nation étrangère dans un autre pays.

Concordat : accord avec le pape.

Conservateur : qui est contre les changements politiques et le partage du pouvoir, donc favorable au régime monarchique.

Constitution : loi qui définit le fonctionnement de l'État.

Coup d'État : prise du pouvoir par la force.

Cubisme : art qui représente les objets en les décomposant en différentes formes géométriques.

D

Décolonisation : période où les colonies deviennent indépendantes.

Déportation : envoi et enfermement de personnes dans un camp de concentration.

Déporter : transporter et enfermer dans un camp.

Député : personne élue pour représenter le peuple.

Dispensaire : centre de soins.

E

Émigré : noble qui fuit la France après la chute de la monarchie.

Empire : régime politique où un empereur dirige seul.

Énergie : élément qui peut produire de la chaleur ou une force motrice (charbon, pétrole, électricité).

États généraux : réunion des députés des trois ordres.

Exécutif : qui prépare et fait exécuter les lois.

Exiler : forcer quelqu'un à quitter son pays.

Exode rural : départ massif des paysans vers les villes.

F

Fonctionnaire : personne qui travaille pour l'État.

Front : zone de combat où les armées ennemies se font face.

G

Gaz asphyxiant : gaz qui provoque la mort par arrêt de la respiration.

Génocide : extermination systématique d'un peuple.

Grève : fait de cesser son travail pour revendiquer une amélioration de sa condition.

I

Impressionnisme : art qui décrit la réalité telle qu'elle est ressentie par l'artiste.

Indépendance : fait pour un pays de se diriger seul, de ne pas être soumis à l'autorité d'un autre pays.

Indigène : personne née dans le pays où elle habite (pour les Européens, personne non européenne).

Indochine : colonie française d'Asie où se trouvent aujourd'hui le Viêt-nam, le Cambodge et le Laos.

J

Judiciaire : qui fait respecter les lois votées.

L

Laïc : qui n'appartient à aucune religion.

Laïcité : fait d'être laïc.

Législatif : qui vote les lois.

Libéral : qui est pour les changements politiques et plus de liberté pour les citoyens, donc favorable au régime républicain.

M

Magistrat : fonctionnaire qui s'occupe de rendre la justice.

Matière première : produit de l'agriculture ou des mines qui sert à fabriquer d'autres produits.

Métallurgie : extraction et travail des métaux.

Métro (ou métropolitain) : chemin de fer souterrain qui circule en ville.

Mission : groupe de missionnaires chargés de propager leur religion.

Monarchie constitutionnelle : régime politique où le pouvoir du roi est limité par une Constitution.

Mutilé : personne qui a perdu un membre.

N

Nazi (national-socialiste) : parti politique raciste qui revendique la supériorité du peuple allemand.

O

Ouvrier : personne salariée qui travaille de ses mains dans une usine ou un atelier.

P

Pacifiquement : dans la paix, sans conflit.

Pasteurisation : destruction des microbes contenus dans les aliments en les chauffant.

Prix Nobel : prix fondé en Suède qui récompense tous les ans un bienfaiteur de l'humanité.

Propagande : action faite pour influencer les personnes.

Public : qui appartient à toute la population.

R

Réalisme : art qui décrit la nature et la réalité sociale telles qu'elles sont.

Référendum : vote des citoyens qui doivent répondre par oui ou non à une question.

Répression : action de faire cesser quelque chose en punissant.

République : régime politique où le pouvoir est partagé et confié à des hommes élus.

Résistance : actions ou personnes qui refusent l'Occupation allemande.

Romantisme : art qui montre des scènes dans lesquelles l'artiste exprime ses sentiments.

S

Salaire : somme d'argent versée pour un travail.

Socialiste : personne qui veut réformer la société pour amener plus d'égalité entre les gens.

Société de consommation : société où l'abondance et la multiplication des produits provoquent un besoin de consommer toujours plus grand.

STO : service du travail obligatoire.

Suffrage universel masculin : droit de vote pour tous les hommes majeurs.

Suffragette : nom donné en Angleterre à une femme qui manifeste pour le droit de vote.

Syndicat : association de travailleurs qui s'organisent pour défendre leurs intérêts.

T

Tranchée : fossé étroit et long creusé dans le sol.

Tsiganes : peuple de nomades, appelés aussi « gitans », qui vit en Europe.

U

Université : établissement public d'enseignement supérieur.

URSS : Union des Républiques socialistes soviétiques (nom de la Russie et des États fédérés sous le régime communiste).

V

Vaccination : injection d'un produit fabriqué à partir d'un virus ou d'un microbe et qui protège contre la maladie (rage, tuberculose…).

Lexique de géographie

A

Agglomération : ville et sa banlieue.

Assemblée nationale : ensemble des députés de France.

B

Bidonville : groupe d'habitations misérables construites à l'aide de matériaux de récupération (bidons, tôles…).

Budget : dépenses et recettes prévues généralement pour un an.

C

Capitaux : somme d'argent qu'une personne investit dans une entreprise.

Chômage : fait de ne pas avoir de travail.

Citoyen : personne qui habite un pays et en a la nationalité.

Collectivité territoriale : institution au niveau de la région, du département ou de la commune.

Communiste : adepte du communisme pour qui tous les biens de production appartiennent à l'État.

Conseil européen : assemblée des chefs de gouvernement des pays de l'UE.

Conseil général : assemblée qui administre un département.

Conseil régional : assemblée qui administre une région.

Conteneur : très grande caisse.

Croissance démographique

Croissance démographique : augmentation de la population due à un écart positif entre le nombre de naissances et le nombre de morts.

D

Décentralisation : politique visant à donner moins de pouvoir à l'État.

Démocratie : régime politique dans lequel le pouvoir est exercé par des représentants élus par le peuple.

Désenclaver : faire cesser l'isolement.

Droit de douane : impôt à payer pour pouvoir vendre un produit dans un pays étranger.

E

Exclusion : mise à l'écart de la société.

F

Francophonie : ensemble des pays dans lesquels on parle français.

Flux migratoire : déplacement de population d'une région à une autre pour s'y installer.

G

G8 : groupe des huit pays les plus puissants du monde.

H

Hypermarché : magasin en libre-service avec une grande surface de vente.

I

Industrie de pointe : industrie qui utilise une technologie de haut niveau.

Interdépendant : dépendant les uns des autres.

International : qui concerne différents pays du monde.

L

Libéral : adepte du libéralisme qui recommande la non-intervention de l'État dans l'économie.

M

Mégalopole : vaste zone urbaine regroupant plusieurs villes qui se touchent.

Métropole : **1.** grande agglomération, capitale politique ou économique d'une région ;
2. partie de la France située en Europe.

Métropole d'équilibre : ville destinée à limiter l'importance de Paris.

Migration : déplacement de population d'un territoire vers un autre.

Ministère : lieu où travaillent un ministre et son équipe.

Mondialisation : phénomène récent qui conduit à l'internationalisation de tous les échanges.

Multinationale : entreprise qui est installée dans plusieurs pays.

P

Parlement européen : assemblée des députés de l'UE.

Patrimoine : ensemble de biens et de richesses.

Pays du Nord : pays situé dans l'hémisphère Nord et dont le niveau de développement est élevé.

Pays du Sud : par opposition à celui du Nord, pays dont le niveau de développement est moyen ou faible.

Population active : partie de la population qui travaille ou qui cherche un emploi.

Préfecture : services du préfet qui représente l'État dans un département.

Protection sociale : ensemble des moyens qui protègent l'individu en cas de maladie, de chômage, etc.

R

Reconversion : passage d'une industrie ancienne à une industrie moderne.

Rendement : quantité de produits agricoles obtenue sur un hectare de terre.

S

Sénat : ensemble des sénateurs de France.

Siège social : lieu où est installée la direction d'une entreprise.

T

Taux : un pourcentage.

Technopôle : site industriel qui regroupe des entreprises de pointe et des centres de recherche.

Tourisme vert : activités touristiques centrées autour de la nature.

Trafic : circulation de véhicules, de trains, d'avions et de bateaux.

U

Urbanisation : transformation d'une région en ville.

V

Ville nouvelle : ville créée pour limiter l'importance d'une grande agglomération.

Z

Zone économique exclusive : domaine maritime dont l'exploitation est réservée au pays riverain.

CRÉDITS PHOTOGRAPHIQUES

Achevé d'imprimer en Italie par L.E.G.O. S.p.A.
Dépôt légal : 09/2010 - Collection n° 88 - Édition n° 03
11/7350/9

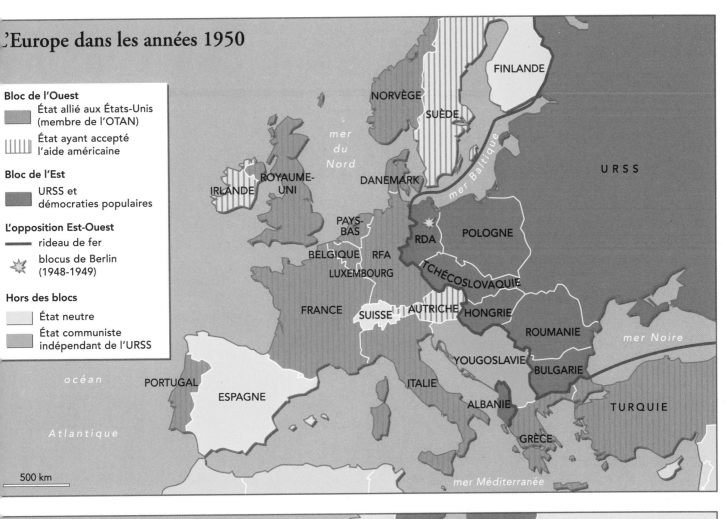

L'Europe dans les années 1950

Bloc de l'Ouest

État allié aux États-Unis (membre de l'OTAN)

État ayant accepté l'aide américaine

Bloc de l'Est

URSS et démocraties populaires

L'opposition Est-Ouest

rideau de fer

blocus de Berlin (1948-1949)

Hors des blocs

État neutre

État communiste indépendant de l'URSS

500 km

FINLANDE
NORVÈGE
SUÈDE
mer du Nord
DANEMARK
mer Baltique
URSS
IRLANDE
ROYAUME-UNI
PAYS-BAS
RDA
POLOGNE
BELGIQUE
RFA
TCHÉCOSLOVAQUIE
LUXEMBOURG
FRANCE
SUISSE
AUTRICHE
HONGRIE
ROUMANIE
mer Noire
YOUGOSLAVIE
BULGARIE
océan
PORTUGAL
ITALIE
ALBANIE
TURQUIE
ESPAGNE
GRÈCE
Atlantique
mer Méditerranée

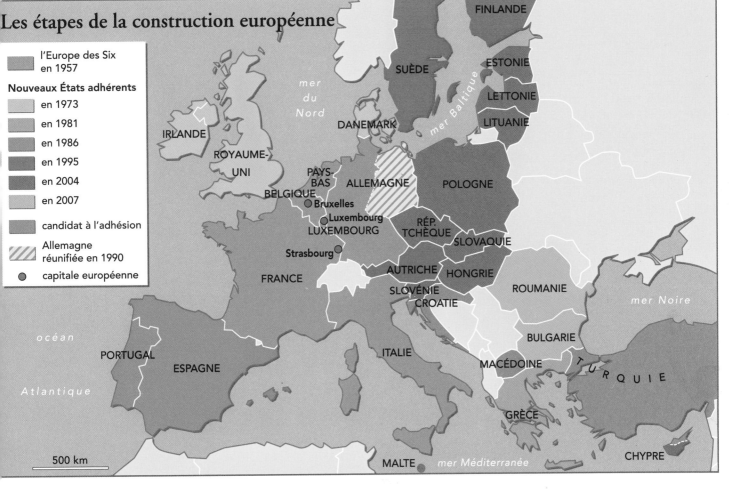

Les étapes de la construction européenne

l'Europe des Six en 1957

Nouveaux États adhérents

en 1973

en 1981

en 1986

en 1995

en 2004

en 2007

candidat à l'adhésion

Allemagne réunifiée en 1990

capitale européenne

500 km

FINLANDE
ESTONIE
SUÈDE
mer Baltique
LETTONIE
LITUANIE
mer du Nord
DANEMARK
IRLANDE
ROYAUME-UNI
PAYS-BAS
ALLEMAGNE
POLOGNE
BELGIQUE
Bruxelles
Luxembourg
RÉP. TCHÈQUE
SLOVAQUIE
LUXEMBOURG
Strasbourg
AUTRICHE
HONGRIE
FRANCE
SLOVÉNIE
ROUMANIE
CROATIE
mer Noire
océan
BULGARIE
PORTUGAL
ITALIE
ESPAGNE
MACÉDOINE
TURQUIE
Atlantique
GRÈCE
MALTE
mer Méditerranée
CHYPRE

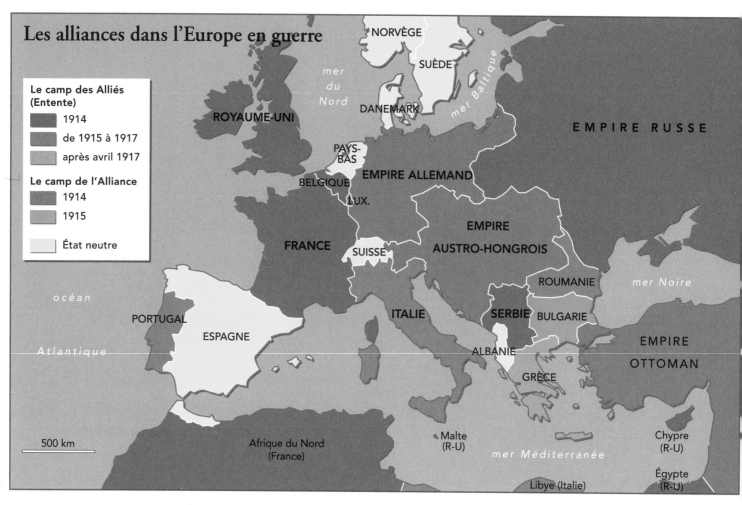

Les alliances dans l'Europe en guerre

Le camp des Alliés (Entente)
- 1914
- de 1915 à 1917
- après avril 1917

Le camp de l'Alliance
- 1914
- 1915

État neutre

500 km

NORVÈGE
SUÈDE
mer du Nord
DANEMARK
mer Baltique
EMPIRE RUSSE
ROYAUME-UNI
PAYS-BAS
EMPIRE ALLEMAND
BELGIQUE
LUX.
FRANCE
SUISSE
EMPIRE AUSTRO-HONGROIS
ROUMANIE
mer Noire
océan
Atlantique
PORTUGAL
ESPAGNE
ITALIE
SERBIE
BULGARIE
ALBANIE
EMPIRE OTTOMAN
GRÈCE
Malte (R-U)
mer Méditerranée
Chypre (R-U)
Afrique du Nord (France)
Libye (Italie)
Égypte (R-U)

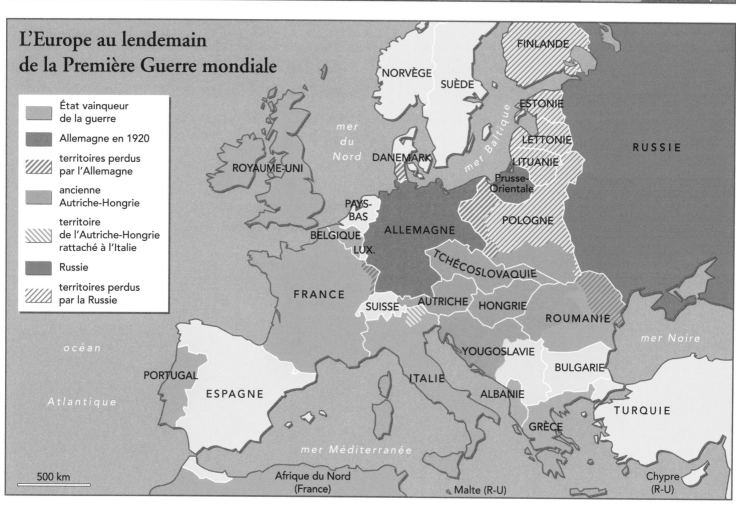

L'Europe au lendemain de la Première Guerre mondiale

- État vainqueur de la guerre
- Allemagne en 1920
- territoires perdus par l'Allemagne
- ancienne Autriche-Hongrie
- territoire de l'Autriche-Hongrie rattaché à l'Italie
- Russie
- territoires perdus par la Russie

500 km

FINLANDE
NORVÈGE
SUÈDE
ESTONIE
LETTONIE
RUSSIE
mer du Nord
DANEMARK
mer Baltique
LITUANIE
ROYAUME-UNI
Prusse-Orientale
PAYS-BAS
POLOGNE
BELGIQUE
ALLEMAGNE
LUX.
TCHÉCOSLOVAQUIE
FRANCE
SUISSE
AUTRICHE
HONGRIE
ROUMANIE
mer Noire
océan
Atlantique
YOUGOSLAVIE
PORTUGAL
ESPAGNE
ITALIE
BULGARIE
ALBANIE
TURQUIE
GRÈCE
Afrique du Nord (France)
mer Méditerranée
Malte (R-U)
Chypre (R-U)

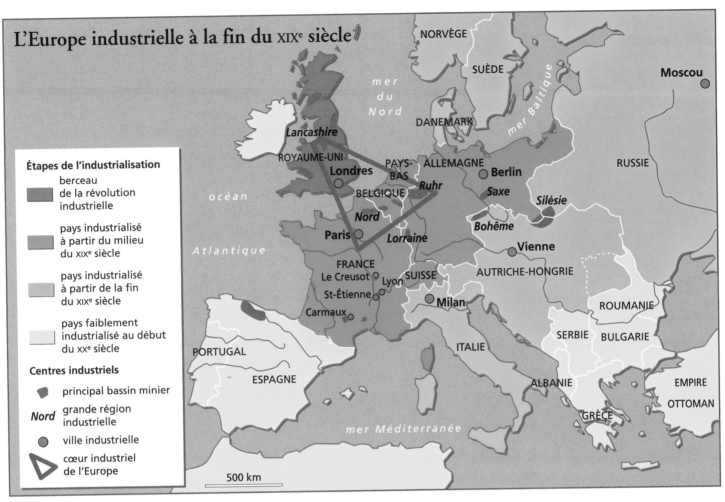

L'Europe industrielle à la fin du XIXᵉ siècle

Étapes de l'industrialisation

berceau de la révolution industrielle

pays industrialisé à partir du milieu du XIXᵉ siècle

pays industrialisé à partir de la fin du XIXᵉ siècle

pays faiblement industrialisé au début du XXᵉ siècle

Centres industriels

principal bassin minier

Nord grande région industrielle

ville industrielle

cœur industriel de l'Europe

500 km

NORVÈGE
SUÈDE
mer du Nord
DANEMARK
mer Baltique
Moscou
Lancashire
ROYAUME-UNI
PAYS-BAS
ALLEMAGNE
Berlin
RUSSIE
Londres
BELGIQUE
Ruhr
Saxe
Silésie
océan
Nord
Bohême
Paris
Lorraine
Vienne
Atlantique
FRANCE
SUISSE
AUTRICHE-HONGRIE
Le Creusot
Lyon
St-Étienne
Milan
ROUMANIE
Carmaux
SERBIE
BULGARIE
PORTUGAL
ITALIE
ESPAGNE
ALBANIE
EMPIRE OTTOMAN
GRÈCE
mer Méditerranée

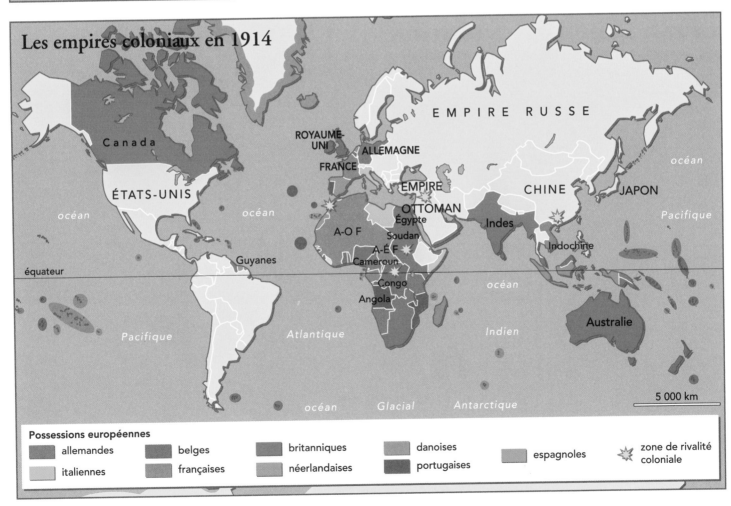

Les empires coloniaux en 1914

Canada
ROYAUME-UNI
EMPIRE RUSSE
ALLEMAGNE
FRANCE
océan
ÉTATS-UNIS
océan
EMPIRE
OTTOMAN
CHINE
JAPON
océan
Pacifique
Égypte
A-O F
Indes
Soudan
Indochine
équateur
Guyanes
A-E F
Cameroun
Congo
océan
Angola
Pacifique
Atlantique
Indien
Australie
océan Glacial Antarctique

5 000 km

Possessions européennes

allemandes
belges
britanniques
danoises
espagnoles
zone de rivalité coloniale

italiennes
françaises
néerlandaises
portugaises

Les grandes dates de l'Époque contemporaine

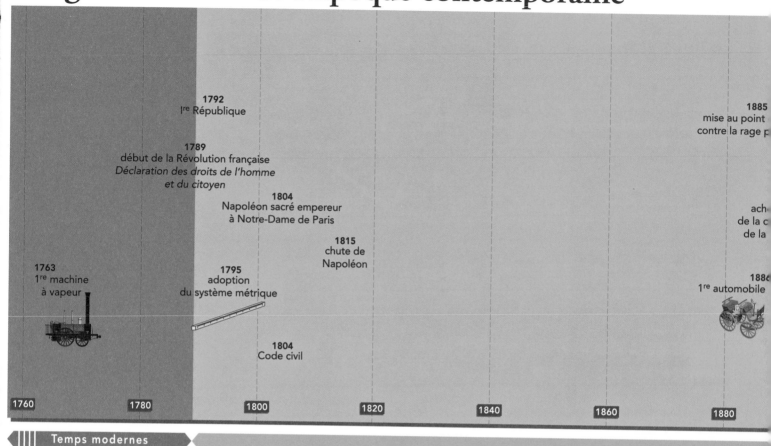

1792
Iʳᵉ République

1789
début de la Révolution française
*Déclaration des droits de l'homme
et du citoyen*

1804
Napoléon sacré empereur
à Notre-Dame de Paris

1815
chute de
Napoléon

1763
1ʳᵉ machine
à vapeur

1795
adoption
du système métrique

1804
Code civil

1885
mise au point
contre la rage p

ach
de la c
de la

188
1ʳᵉ automobile

1760 1780 1800 1820 1840 1860 1880

◄|||| Temps modernes ►

La France de la Révolution de 1789 à aujourd'hui

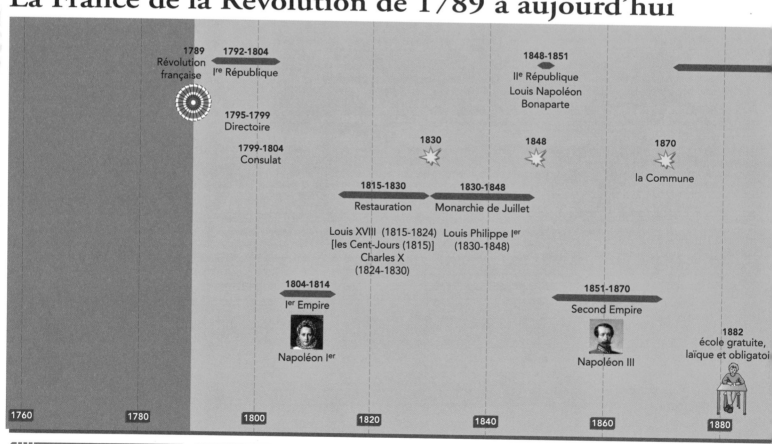

1789
Révolution
française

1792-1804
Iʳᵉ République

1848-1851
IIᵉ République
Louis Napoléon
Bonaparte

1795-1799
Directoire

1799-1804
Consulat

1830

1848

1870
la Commune

1815-1830
Restauration

1830-1848
Monarchie de Juillet

Louis XVIII (1815-1824)
[les Cent-Jours (1815)]
Charles X
(1824-1830)

Louis Philippe Iᵉʳ
(1830-1848)

1804-1814
Iᵉʳ Empire

Napoléon Iᵉʳ

1851-1870
Second Empire

Napoléon III

1882
école gratuite,
laïque et obligatoi

1760 1780 1800 1820 1840 1860 1880

◄|||| Temps modernes ►

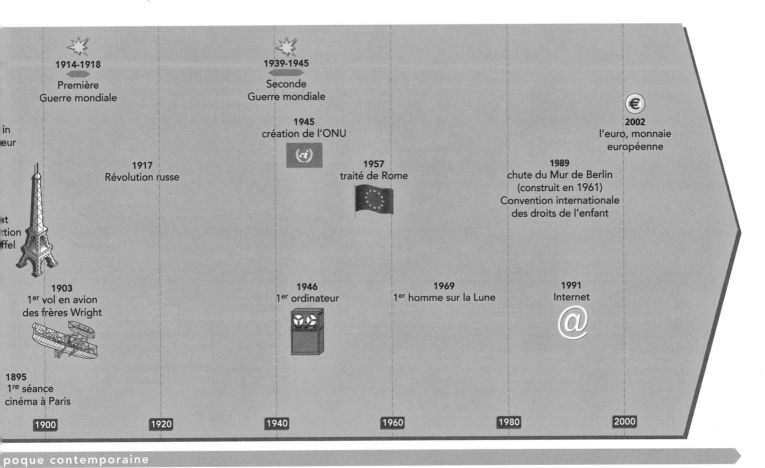

1914-1918
Première
Guerre mondiale

1939-1945
Seconde
Guerre mondiale

2002
l'euro, monnaie
européenne

in
eur

1945
création de l'ONU

1917
Révolution russe

1957
traité de Rome

1989
chute du Mur de Berlin
(construit en 1961)
Convention internationale
des droits de l'enfant

nt
tion
ffel

1903
1er vol en avion
des frères Wright

1946
1er ordinateur

1969
1er homme sur la Lune

1991
Internet

1895
1re séance
cinéma à Paris

| 1900 | 1920 | 1940 | 1960 | 1980 | 2000 |

poque contemporaine

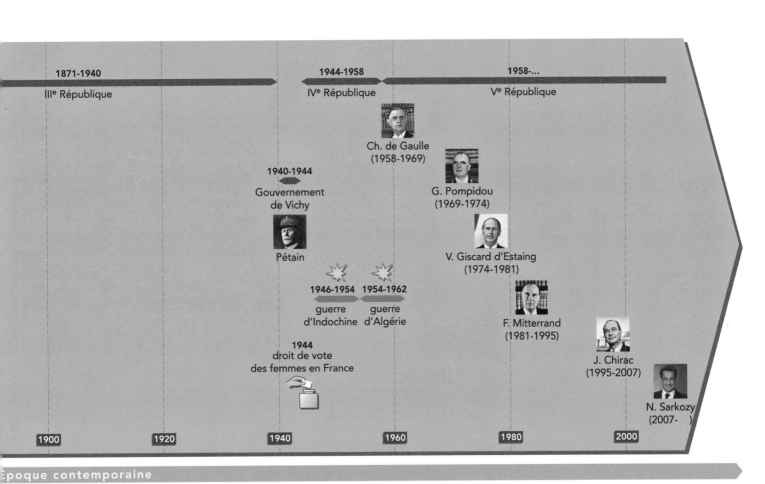

1871-1940
IIIe République

1944-1958
IVe République

1958-...
Ve République

Ch. de Gaulle
(1958-1969)

1940-1944
Gouvernement
de Vichy

G. Pompidou
(1969-1974)

Pétain

V. Giscard d'Estaing
(1974-1981)

1946-1954   **1954-1962**
guerre   guerre
d'Indochine   d'Algérie

F. Mitterrand
(1981-1995)

1944
droit de vote
des femmes en France

J. Chirac
(1995-2007)

N. Sarkozy
(2007-)

| 1900 | 1920 | 1940 | 1960 | 1980 | 2000 |

Époque contemporaine

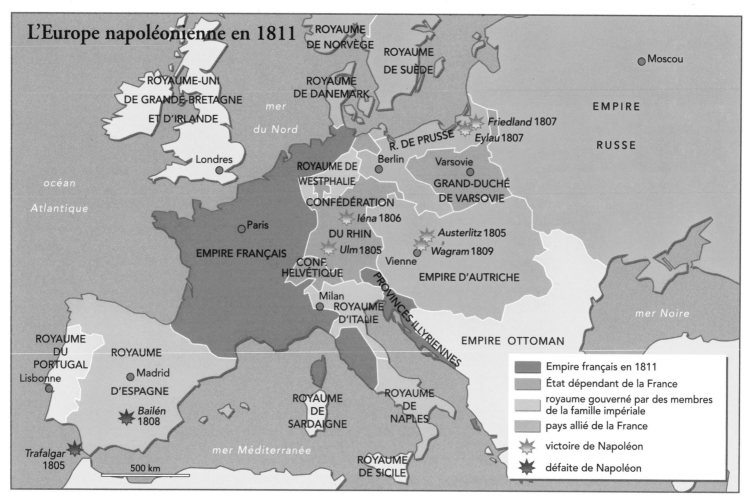

L'Europe napoléonienne en 1811

ROYAUME DE NORVÈGE

ROYAUME DE SUÈDE

Moscou

ROYAUME-UNI DE GRANDE-BRETAGNE ET D'IRLANDE

ROYAUME DE DANEMARK

EMPIRE RUSSE

mer du Nord

Londres

R. DE PRUSSE

Friedland 1807
Eylau 1807

Berlin

Varsovie

océan Atlantique

ROYAUME DE WESTPHALIE

GRAND-DUCHÉ DE VARSOVIE

Paris

CONFÉDÉRATION

Iéna 1806

Austerlitz 1805

EMPIRE FRANÇAIS

DU RHIN

Ulm 1805

Wagram 1809

CONF. HELVÉTIQUE

Vienne

EMPIRE D'AUTRICHE

Milan

ROYAUME D'ITALIE

PROVINCES ILLYRIENNES

mer Noire

ROYAUME DU PORTUGAL

ROYAUME

EMPIRE OTTOMAN

Lisbonne

Madrid

D'ESPAGNE

ROYAUME DE SARDAIGNE

ROYAUME DE NAPLES

Bailén 1808

Trafalgar 1805

mer Méditerranée

ROYAUME DE SICILE

500 km

■	Empire français en 1811
■	État dépendant de la France
■	royaume gouverné par des membres de la famille impériale
■	pays allié de la France
✦	victoire de Napoléon
✦	défaite de Napoléon

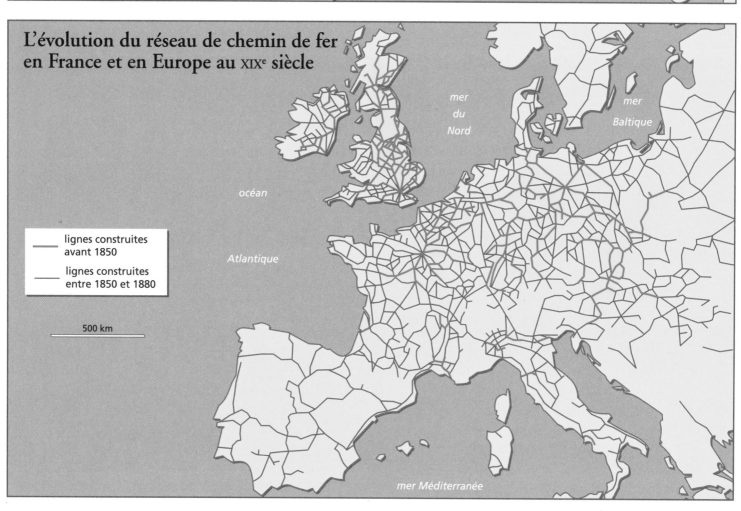

L'évolution du réseau de chemin de fer en France et en Europe au XIXe siècle

mer du Nord

mer Baltique

océan

Atlantique

—	lignes construites avant 1850
—	lignes construites entre 1850 et 1880

500 km

mer Méditerranée